Muito longe de casa

Muito longe de casa

Memórias de um menino-soldado

Ishmael Beah

TRADUÇÃO
Cecilia Giannetti

Ediouro

Título original
A Long Way Gone: Memoirs of a Boysoldier

Publicado em concordância com Sarah Crichton Books, uma divisão da Farrar, Strauss and Giroux, LLC, Nova York

Adaptação da capa original
Julio Moreira

Copidesque
Maryanne B. Linz

Revisão
Jacqueline Gutiérrez
Damião Nascimento

Produção editorial
Lucas Carvalho

CIP-BRASIL. CATALOGAÇÃO-NA-FONTE
SINDICATO NACIONAL DOS EDITORES DE LIVROS, RJ.

B35m
Beah, Ishmael, 1980-
Muito longe de casa: memórias de um menino-soldado / Ishmael Beah; tradução de Cecilia Gianetti. – Rio de Janeiro: Ediouro, 2007.
224 p.
Tradução de: A Long Way Gone: Memoirs of a Boysoldier
ISBN 978-85-00-02121-3

1. Beah, Ishmael 1980-. 2. Crianças e guerra – Serra Leoa. 3. Serra Leoa – História – Guerra civil, 1991 – Narrativas pessoais. 4. Serra Leoa – História – Guerra civil, 1991 – Participação de jovens. 6. Serra Leoa – Condições sociais – 1991. I. Título.

07-0573. CDD 966.404
CDU 94(664) "1991/..."

Rua Nova Jerusalém, 345 – Bonsucesso
Rio de Janeiro – RJ – CEP 21042-235
Tel.: (21) 3882-8200 Fax: (21) 3882-8212 / 3882-8313
www.ediouro.com.br

À memória de Nya Nje, Nya Keke, Nya Ndig-ge sia e Kayna.
Seus espíritos e presença em mim dão-me força para seguir adiante.

A todas as crianças de Serra Leoa que tiveram sua infância roubada.

E à memória de Walter (Wally) Scheuer por seu coração generoso e compassivo e por me ensinar a etiqueta do cavalheirismo.

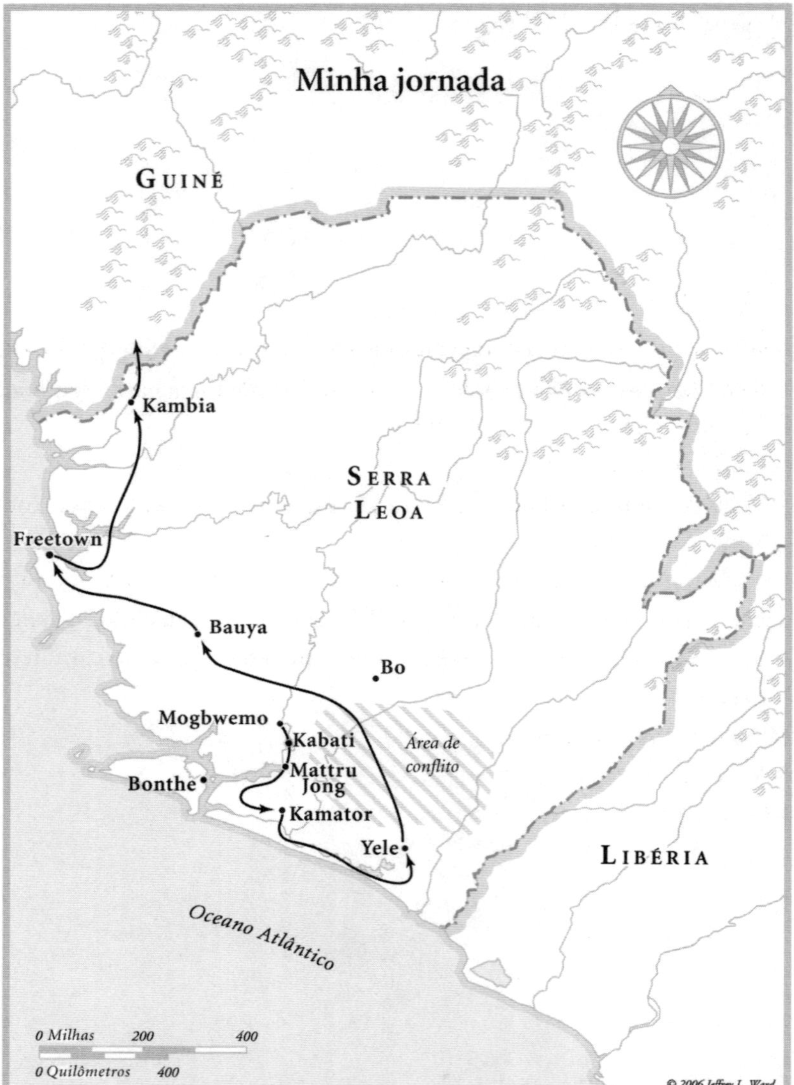
Minha jornada
Guiné
Kambia
Serra
Leoa
Freetown
Bauya
Bo
Mogbwemo
Kabati
Mattru
Jong
Área de
conflito
Bonthe
Kamator
Yele
Libéria
Oceano Atlântico
0 Milhas 200 400
0 Quilômetros 400
© 2006 Jeffrey L. Ward

Nova York, 1998

Meus colegas de colégio começaram a suspeitar que eu não tinha contado a eles toda a história da minha vida.

— Por que você saiu de Serra Leoa?

— Porque tem guerra lá.

— Você viu alguma batalha?

— Todo mundo no país viu.

— Quer dizer que você viu pessoas correndo com armas e atirando umas nas outras?

— É, o tempo todo.

— Legal...

Eu dou um risinho de leve.

— Você devia contar essa história pra gente um dia.

— É, qualquer dia desses.

1

Ouvíamos tantos tipos de histórias sobre a guerra que parecia que ela estava acontecendo numa terra distante e desconhecida. Somente quando os refugiados passaram a cruzar nossa cidade começamos a perceber que, na verdade, a guerra estava ocorrendo em nosso país. Famílias que haviam caminhado centenas de quilômetros relataram como seus parentes foram mortos e suas casas, queimadas. Algumas pessoas se comoveram com aquilo e ofereceram um lugar para os refugiados ficarem, mas a maioria recusou, dizendo que a guerra chegaria em algum momento até nossa cidade. As crianças dessas famílias não olhavam para nós e pulavam do chão ao menor ruído, como madeira sendo cortada ou pedras aterrissando nos telhados de estanho, arremessadas por outras crianças que caçavam pássaros com estilingues. Os adultos que vinham junto com as crianças dessas zonas de guerra perdiam-se em seus próprios pensamentos durante as conversas com os mais velhos da minha cidade. Além do cansaço e da má nutrição, era evidente que eles tinham visto alguma coisa que os atormentava, algo que nós nos recusaríamos a aceitar se nos contassem tudo. Às vezes eu achava que as histórias contadas por esses viajantes eram exageradas. As únicas guerras que eu conhecia eram as que eu tinha lido nos livros ou visto em filmes como *Rambo: programado para matar*, e aquela da vizinha Libéria, sobre a qual eu tinha ouvido na rádio BBC. Minha imaginação, aos dez anos de idade, não tinha a capacidade de compreender o que poderia ter roubado a felicidade dos refugiados.

Quando a guerra me alcançou pela primeira vez, eu tinha doze anos. Era janeiro de 1993. Saí de casa com Junior, meu irmão mais velho, e nosso amigo Talloi, ambos um ano mais velhos que eu, e seguimos para a cidade de Mattru Jong, para participar do show de talentos de uns amigos nossos. Mohamed, meu melhor amigo, não pôde ir porque naquele dia ele e o pai estavam consertando sua cozinha de teto de sapê.

Nós quatro tínhamos começado um grupo de rap e dança quando eu tinha oito anos. Fomos apresentados ao rap numa de nossas visitas a Mobimbi, um bairro onde moravam os estrangeiros que trabalhavam para a mesma companhia americana que meu pai. Nós sempre íamos a Mobimbi nadar em uma piscina, assistir a uma imensa televisão colorida e olhar o pessoal branco que lotava a área de recreação para visitantes. Uma noite apareceu na TV um vídeo com um bando de caras negros e jovens falando muito rápido. Nós ficamos lá sentados, embasbacados, tentando entender o que os caras estavam dizendo. No final do vídeo, apareceram umas letras num canto da tela, escrito "Sugarhill Gang, *Rapper's Delight*". Junior logo anotou aquilo num pedaço de papel. Depois disso, passamos a freqüentar o bairro quase todo fim de semana para estudar aquele tipo de música na televisão. Nós não sabíamos o nome daquilo naquela época, mas eu fiquei impressionado com o fato de que aqueles caras negros saberem falar inglês tão rápido e em cima da batida.

Mais tarde, quando Junior foi para o ensino médio, ele fez amizade com alguns garotos que o ensinaram mais sobre música e dança estrangeiras. Nos feriados, ele me trazia fitas cassete e ensinava a mim e aos meus amigos como dançar o que passamos a conhecer como hip-hop. Eu amava os passos de dança, e gostava particularmente de aprender as letras, porque eram poéticas e melhoravam meu vocabulário. Uma tarde, o Pai veio para casa quando Junior, Mohamed, Talloi e eu estávamos aprendendo os versos de "I Know You Got Soul", de Eric B. & Rakim.

Ele ficou parado na porta da nossa casa de tijolo e telhado de zinco, rindo, e perguntou:

— E vocês lá entendem o que estão dizendo?

E saiu de casa antes que Junior pudesse responder. Ele se sentou em uma rede debaixo da sombra de mangueiras, goiabeiras e laranjeiras e ligou o rádio no noticiário da BBC.

— Isso é que é inglês bom, o tipo que vocês deviam estar ouvindo — ele gritou do quintal.

Enquanto o Pai escutava as notícias, Junior nos ensinava a mexer os pés de acordo com a batida. Nós movíamos alternadamente o pé direito e depois o esquerdo, para frente e para trás, e simultaneamente fazíamos o mesmo com os braços, sacudindo o tronco e a cabeça.

— Esse passo se chama "homem correndo" — disse Junior.

Depois, nós praticamos os raps que tínhamos decorado. Antes de nos separarmos para seguir com as tarefas noturnas de pegar água e limpar lanternas, dizíamos "Na paz, filho" ou "Fui!", frases que havíamos pescado das letras de rap. Do lado de fora, começava a sinfonia de pássaros e grilos.

Numa manhã em que fomos a Mattru Jong, enchemos nossas mochilas com cadernos cheios de letras de músicas que estávamos aprendendo e nossos bolsos com fitas cassete de álbuns de rap. Naquele tempo usávamos jeans largos e, debaixo deles, shorts de jogador de futebol e calças de moletom, para dançar. Debaixo das blusas de manga comprida, colocávamos camisetas regata e malhas de jérsei. Usávamos três pares de meia, que nós dobrávamos até embaixo para fazer nossos tênis parecerem mais estufados. Quando ficou quente demais durante o dia, tiramos algumas das roupas e colocamos sobre os ombros. O visual tinha estilo, e não fazíamos a menor idéia de que esse jeito estranho de vestir nos favoreceria. Como pretendíamos voltar no dia seguinte, não nos despedimos de ninguém nem contamos aonde iríamos. Não sabíamos que estávamos saindo de casa para não voltar mais.

Para economizar dinheiro, decidimos andar os quase vinte e seis quilômetros até Mattru Jong. Era um dia lindo de verão, o sol não estava muito quente, nem a caminhada pareceu longa, porque íamos falando sobre todo tipo de coisas, caçoando e correndo atrás uns dos outros. Levávamos uns estilingues, que usávamos para apedrejar pássaros e perseguir macacos que tentavam atravessar a principal rua de terra. Paramos em vários rios para nadar. Num dos rios, que era cruzado por uma ponte, ouvimos um carro passar a distância e decidimos sair da água para ver se era possível pegar uma carona. Eu saí antes de Junior e Talloi, e corri pela ponte com as roupas deles. Eles pensaram que poderiam me alcançar antes de o veículo chegar à ponte, mas, ao perceberem que seria impossível, começaram a correr de volta para o rio, e, justo quando estavam bem no meio da ponte, o veículo os alcançou. As garotas que estavam sentadas na traseira riram e o motorista deu uma buzinada. Foi engraçado, e eles passaram o resto da viagem tentando me dar o troco por aquilo, sem sucesso.

Chegamos em Kabati, a aldeia de minha avó, por volta das duas da tarde. Todo mundo conhecia minha avó como Mamie Kpana. Ela era alta e seu rosto comprido combinava com suas belas maçãs do rosto e seus grandes olhos castanhos. Ela sempre parava com as mãos nos quadris ou na cabeça. Olhando para ela, dava para ver de quem minha mãe tinha herdado a pele escura bonita, os dentes extremamente brancos e as dobrinhas translúcidas no pescoço. Meu avô, ou *kamor* — professor, como todos o chamavam —, era bem conhecido como estudioso da língua e da cultura árabes no local e como curandeiro na aldeia e fora dela.

Em Kabati, nós comemos, descansamos um pouco e começamos os últimos dez quilômetros de caminhada. Minha avó queria que passássemos a noite lá, mas dissemos que voltaríamos no dia seguinte.

— Como é que aquele seu pai anda tratando vocês ultimamente? — ela perguntou, em uma voz doce carregada de preocupação. — Por que vocês estão indo a Mattru Jong, se não é para estudar? E por que estão tão magrinhos? — ela seguiu com o interrogatório, mas escapamos das perguntas. Ela nos acompanhou até o fim da aldeia e observava enquanto descíamos o morro, trocando a bengala para a mão esquerda para que pudesse acenar com a direita para nós, sinal de boa sorte.

Chegamos em Mattru Jong algumas horas depois e encontramos nossos amigos Gibrilla, Kaloko e Khalilou. Naquela noite fomos para a Bo Road, onde barracas vendiam comida na rua até tarde da noite. Compramos amendoim cozido e comemos enquanto discutíamos o que fazer no dia seguinte, planejando ver o lugar do show de talentos e praticar. Ficamos no quarto com varanda da casa de Khalilou. O quarto era pequeno e tinha uma cama minúscula, então nós quatro (Gibrilla e Kaloko tinham voltado para suas casas) dormimos na mesma cama, atravessados, com os pés pendurados fora do colchão. Como era menor e mais baixinho que os outros garotos, consegui ajeitar melhor meus pés.

No dia seguinte, Junior, Talloi e eu ficamos na casa de Khalilou e esperamos nossos amigos voltarem da escola por volta das duas da tarde. Mas eles voltaram mais cedo. Eu estava limpando meus tênis e contando as flexões que Junior e Talloi estavam fazendo, competindo para ver quem conseguia fazer mais. Gibrilla e Kaloko entraram na varanda e se juntaram à competição. Talloi, com a respiração pesada e falando devagar, perguntou por que tinham voltado cedo. Gibrilla explicou que os professores disseram que os rebeldes haviam atacado Mogbwemo, nossa terra natal, e as aulas tinham sido canceladas até segunda ordem. Paramos o que estávamos fazendo.

De acordo com os professores, os rebeldes haviam atacado as áreas de mineração durante a tarde. A explosão repentina de tiros fez com que as pessoas corressem em todas as direções para salvar suas vidas. Pais correram de seus locais de trabalho para dar de cara com casas vazias e nenhuma indicação de onde podiam estar suas famílias. Mães choravam enquanto corriam na direção de escolas e de rios e torneiras onde costumávamos buscar água, procurando seus filhos. Crianças corriam de volta para casa para procurar seus pais, que as procuravam pelas ruas. Quando o tiroteio se tornou mais intenso, as pessoas desistiram de procurar seus parentes e fugiram da cidade.

— Esta cidade vai ser a próxima, segundo os professores — disse Gibrilla, levantando-se do chão de cimento.

Junior, Talloi e eu pegamos nossas mochilas e seguimos para o cais com nossos amigos. Lá havia pessoas chegando de diversas partes da zona de mineração. Alguns nós conhecíamos, mas não sabiam do paradeiro das nossas famílias. Eles disseram que o ataque havia sido repentino demais, muito caótico; que todos haviam fugido em direções diferentes numa confusão total.

Por mais de três horas ficamos no cais, esperando ver nossas famílias ou falar com alguém que as tivesse visto. Mas não havia qualquer notícia deles, e depois de um tempo as pessoas que chegavam pelo rio não eram mais conhecidas nossas. O dia parecia estranhamente normal. O sol navegou tranqüilamente entre as nuvens brancas, os pássaros cantaram nas copas das árvores, as árvores dançaram ao vento sossegado. Ainda não conseguia acreditar que uma guerra havia atingido nossa casa. É impossível, pensei. Quando saímos de casa no dia anterior, não havia qualquer sinal de que os rebeldes estivessem por perto.

— O que vocês vão fazer? — Gibrilla nos perguntou.

Ficamos quietos por um tempo, e então Talloi quebrou o silêncio:

— Nós vamos voltar e ver se conseguimos encontrar nossas famílias antes que seja tarde demais.

Junior e eu balançamos a cabeça, concordando.

Três dias antes eu tinha visto meu pai voltar do trabalho caminhando devagar. Seu capacete debaixo do braço e o rosto comprido suando debaixo do sol da tarde. Eu estava sentado na varanda. Fazia algum tempo que não o via, já que uma outra madrasta havia destruído nosso relacionamento outra vez. Mas naquele dia meu pai sorriu para mim enquanto subia os degraus. Ele examinou meu rosto, e sua boca estava prestes a dizer alguma coisa quando minha madrasta apareceu. Ele olhou para o outro lado e, em seguida, olhou para minha madrasta, que fingia não me ver. Eles entraram calmamente na sala. Eu segurei minhas lágrimas e saí da varanda para me encontrar com Junior no cruzamento onde esperávamos pela condução. Estávamos a caminho da casa da minha mãe, na cidade próxima, a mais ou menos cinco quilômetros dali. Quando o Pai ainda pagava o colégio, íamos visitá-la nos finais de semana de feriados longos, e depois voltávamos para casa. Agora que ele se recusava a pagar, nós a visitávamos a cada dois ou três dias. Naquela tarde encontramos a Mãe no mercado e andamos juntos enquanto ela comprava ingredientes para cozinhar para nós. Seu rosto estava apagado no começo, mas se acendeu assim que nos abraçou. Ela nos contou que nosso irmãozinho, Ibrahim, estava na escola, e nós passaríamos para buscá-lo no caminho de volta do mercado. Ela segurou nossas mãos enquanto caminhamos e de vez em quando olhava em volta, como se quisesse ter certeza de que ainda estávamos mesmo com ela.

Quando caminhávamos para a escola do nosso irmão, a Mãe se virou para nós e disse:

— Sinto muito não ter dinheiro suficiente para colocar vocês de novo na escola agora. Mas estou dando um jeito nisso. — Ela fez uma pausa e então perguntou: — Como anda o pai de vocês esses dias?

— Parece que está bem. Eu o vi esta tarde — respondi. Junior não disse nada.

A Mãe olhou para ele direto nos olhos e disse:

— Seu pai é um bom homem e ele ama muito vocês. É só que ele tem atraído as madrastas erradas para vocês.

Quando chegamos à escola, nosso irmãozinho estava no pátio jogando futebol com os amigos. Ele tinha oito anos e jogava muito bem para a idade. Assim que nos viu, ele veio correndo, atirando-se em nós. Ele se mediu encostado em mim, para ver se tinha crescido mais que eu. A Mãe riu. O rostinho do meu irmão menor brilhava, e havia suor nas dobrinhas em volta do pescoço, como as que minha mãe tinha. Nós quatro andamos até a casa da Mãe. Eu levei meu irmãozinho pela mão, e ele me contou sobre a escola e me desafiou para um jogo de futebol mais tarde. Minha mãe estava solteira e dedicava-se a cuidar de Ibrahim. Ela disse que ele às vezes perguntava pelo nosso pai. Quando Junior e eu estávamos na escola, ela levara Ibrahim para vê-lo algumas vezes, os dois sempre ficavam muito felizes quando se encontravam. Minha mãe parecia perdida nessas lembranças, sorrindo ao reviver aqueles momentos.

Dois dias depois dessa visita, nós saímos de casa. Enquanto esperávamos no cais em Mattru Jong, eu podia ver meu pai segurando seu capacete e voltando para casa às pressas, e minha mãe chorando e correndo para a escola do meu irmãozinho. Senti como se tudo estivesse desmoronando.

Junior, Talloi e eu pulamos numa canoa e acenamos cheios de tristeza para nossos amigos enquanto a embarcação se afastava das margens de Mattru Jong. Quando alcançamos o outro lado do rio, mais e mais pessoas estavam chegando apressadas. Começamos a andar, e uma mulher que carregava suas sandálias de dedo na cabeça falou sem olhar para nós:

— Muito sangue foi derramado aonde vocês vão. Até mesmo os bons espíritos abandonaram aquele lugar.

Ela passou por nós. Nos arbustos ao longo do rio, vozes cansadas de mulheres imploravam, "*Nguwor gbor mu ma oo*", Deus nos ajude, e gritavam os nomes de seus filhos: "Yusufu, Jabu, Foday..." Vimos crianças andando sozinhas, sem camisa, em suas roupas de baixo, seguindo a multidão. "*Nya nje oo, nya keke oo*", minha mãe, meu pai, as crianças gritavam. Havia também cães correndo, no meio das pessoas que ainda corriam, embora já estivessem longe do perigo. Os cães farejavam o ar, procurando seus donos. Meu coração ficou apertado.

Havíamos caminhado quase dez quilômetros e estávamos agora em Kabati, a vila da Avó. Estava abandonada. Tudo que sobrara eram pegadas na areia levando à densa floresta que se espalhava além da aldeia.

Enquanto a noite se aproximava, as pessoas começaram a chegar da zona de mineração. Seus sussurros, os gritos das crianças pequenas procurando seus pais perdidos, cansadas de caminhar, e o choro de bebês famintos substituíram o canto de grilos e pássaros. Sentamos na varanda da Avó, esperando e ouvindo.

— Vocês acham que é uma boa idéia voltar para Mogbwemo? — Junior perguntou.

Mas, antes que qualquer um de nós tivesse chance de responder, um Volkswagen roncou a distância, e as pessoas que andavam pela estrada correram para dentro dos arbustos. Nós também corremos, mas não chegamos muito longe. Meu coração pulava e eu respirava forte. O veículo havia parado na frente da casa de minha avó e, de onde nós estávamos abaixados, pudemos ver que a pessoa dentro do carro não estava armada. Quando nós e os outros emergimos dos arbustos, vimos um homem correr do assento do motorista para a calçada, onde vomitou sangue. Quando parou de vomitar, ele começou a chorar. Foi a primeira vez que vi um homem feito chorar como criança, e senti uma pontada no meu peito. Uma mulher colocou os braços em volta do homem e implorou para que se levantasse. Ele ficou de pé e caminhou até o furgão. Quando ele abriu a porta, uma mulher que se apoiava nela pelo lado de dentro caiu no chão. Seus ouvidos sangravam. As pessoas cobriram os olhos de seus filhos.

No banco de trás havia outros três corpos, duas meninas e um menino, e seu sangue estava espalhado pelos assentos e pelo teto do furgão. Eu queria fugir do que estava vendo, mas não consegui. Meus pés ficaram dormentes e meu corpo inteiro congelou. Depois soubemos que o homem havia tentado escapar com a família e os rebeldes atiraram contra o carro, matando todos, menos ele. A única coisa capaz de consolá-lo, ao menos por alguns segundos, foi o que disse a mulher que o abraçara e agora chorava com ele, que ao menos ele teria uma chance de enterrá-los. Ele sempre saberia onde estavam descansando, ela disse. Ela parecia saber mais sobre a guerra do que nós. O vento havia cessado e a luz do dia se rendia à noite. No crepúsculo, mais gente passava pela aldeia. Um homem carregava seu filho morto. Ele pensava que o menino ainda estava vivo. Estava coberto com o sangue do filho, e continuava a dizer enquanto corria:

— Vou levar você para o hospital, meu menino, e tudo vai ficar bem.

Talvez fosse preciso que ele se prendesse a falsas esperanças, já que o mantinham fugindo do perigo.

Um grupo de homens e mulheres que havia sido atingido por balas perdidas veio correndo logo em seguida. A pele solta, pendendo de seus corpos, ainda continha sangue fresco. Alguns só notaram que estavam machucados quando pararam de correr e as pessoas apontaram para seus ferimentos. Alguns vomitaram e desmaiaram. Eu senti náusea, e minha cabeça girava. Tive a sensação de que o chão se movia, e as vozes das pessoas pareciam distantes de onde eu estava, tremendo.

A última tragédia que vimos naquela noite foi uma mulher que carregava um bebê nas costas. Corria sangue pelo seu vestido, deixando um rastro atrás dela. Sua criança havia sido morta por tiros enquanto ela fugia. Para sua sorte, a bala não tinha atravessado o corpo do bebê. Quando ela parou onde nós estávamos, se sentou e pegou a criança. Era uma menina, e seus olhos ainda estavam abertos, com um sorriso inocente no rosto. As balas podiam ser vistas saindo um pouco do corpo da criança, que estava começando a inchar e endurecer. A mãe agarrou a criança e a ninou. Ela estava sofrendo demais, e em tal estado de choque, que não conseguia derramar uma lágrima.

Junior, Talloi e eu nos olhamos e soubemos que deveríamos retornar a Mattru Jong, porque percebemos que não podíamos mais chamar Mogbwemo de casa e que não havia qualquer chance de nossos pais ainda estarem lá. Alguns dos feridos insistiam em dizer que Kabati era a próxima na lista dos rebeldes. Não queríamos estar lá quando os rebeldes chegassem.

Mesmo aqueles que não conseguiam andar direito procuravam dar o melhor de si para continuar se distanciando de Kabati. A cena da mulher e seu bebê continuavam a me perturbar enquanto caminhávamos de volta a Mattru Jong. Eu mal percebi o trajeto, e quando bebi água não senti qualquer alívio, embora estivesse com sede. Eu não queria voltar ao lugar de onde aquela mulher viera; os olhos do bebê mostravam claramente que tudo estava perdido.

— Faltavam dezenove anos para você nascer — é o que meu pai costumava dizer quando eu perguntava como era a vida em Serra Leoa depois da independência, em 1961.

Serra Leoa havia sido colônia britânica desde 1808. Sir Milton Margai se tornou o primeiro-ministro e governou o país sob a bandeira do Partido Popular de Serra Leoa (Sierra Leone Peoples Party — SLPP) até sua morte, em 1964. Seu meio-irmão, Sir Albert Margai, o sucedeu até 1967, quando Siaka Stevens, líder do partido conhecido como Congresso de Todo o Povo (All People's Congress — APC), venceu a eleição, que foi sucedida por um golpe militar. Siaka Stevens retornou ao poder em 1968, e anos depois declarou que o país seria um Estado unipartidário, sendo o seu Congresso de Todo o Povo o único partido legal. Foi o começo da "política podre", como meu pai costumava chamar aquilo.

Fiquei imaginando o que meu pai diria sobre a guerra da qual eu fugia agora. Ouvi alguns adultos dizerem que aquela era uma guerra revolucionária, a liberdade para o povo preso a um governo corrupto. Mas que tipo de guerra atira em civis inocentes, em crianças, naquela garotinha? Não havia ninguém para responder essas perguntas, e minha cabeça pesava com as imagens que eu levava comigo. Enquanto andávamos, fiquei com medo da estrada, das montanhas a distância, dos arbustos em cada um de seus lados.

Chegamos a Mattru Jong naquela noite. Junior e Talloi explicaram aos nossos amigos o que tínhamos visto, enquanto eu permaneci quieto, ainda tentando decidir se o que tinha visto era real. Naquela noite, quando finalmente o sono conseguiu me arrastar, sonhei que levava um tiro e que as pessoas passavam por mim correndo sem me ajudar, como se estivessem todos fugindo para salvar suas próprias vidas. Tentei rastejar para me proteger nos arbustos, mas de repente havia uma pessoa em cima de mim com uma arma. Não conseguia ver seu rosto por causa do sol. A pessoa apontou a arma para o meu ferimento de bala e puxou o gatilho. Acordei e toquei meu corpo, hesitante. Fui tomado pelo medo, já que não conseguia mais distinguir entre sonho e realidade.

Toda manhã em Mattru Jong nós descíamos até o cais em busca de notícias de casa. Mas depois de uma semana a maré de refugiados daquela área diminuiu e as notícias secaram. Tropas do governo estavam organizadas em Mattru Jong, e haviam estabelecido postos de controle no cais e em outros pontos estratégicos por toda a cidade. Os soldados estavam convencidos de que, se os rebeldes atacassem, eles viriam através do rio, então montaram artilharia pesada lá e decretaram toque de recolher às sete horas da noite, o que fazia nossas noites mais tensas, porque tínhamos que estar em casa cedo e não conseguíamos dormir.

Durante o dia, Gibrilla e Kaloko vinham nos ver. Nós seis sentávamos na varanda e discutíamos o que estava acontecendo.

— Não acho que essa loucura vá durar muito tempo — Junior dizia, tranqüilo. Ele me olhava como se quisesse garantir que logo estaríamos em casa outra vez. — Vai durar provavelmente um mês ou dois.

Talloi olhava para o chão.

— Ouvi dizer que os soldados já estão a caminho para retirar os rebeldes das zonas de mineração — Gibrilla balbuciava. Concordávamos que a guerra era uma fase transitória e não levaria mais que três meses.

Junior, Talloi e eu ouvíamos rap, tentando decorar as letras para não pensar na situação. Naughty by Nature, LL Cool J, Run-D.M.C. e Heavy D & The Boyz; havíamos saído de casa levando só essas fitas e as roupas do corpo. Lembro-me de me sentar na varanda ouvindo "Now That We Found Love", de Heavy D & The Boyz, e observando as árvores na fronteira da cidade, que se moviam relutantes ao sabor do vento fraco. As palmeiras adiante estavam paradas, como se aguardassem alguma coisa. Fechei meus olhos e imagens de Kabati passaram pela minha cabeça. Tentei afastá-las evocando memórias mais antigas da Kabati de antes da guerra.

Havia uma floresta espessa num dos lados da aldeia onde minha avó morava e fazendas de café no outro. Um rio corria da floresta até os limites da cidade, passando pela área onde se concentravam as palmeiras e chegando a um pântano. Acima do pântano, plantações de banana se espalhavam pelo horizonte. A principal estrada de terra que passava por Kabati era trilhada por buracos e atoleiros onde os patos gostavam de tomar banho durante o dia, e nos quintais das casas os pássaros descansavam em mangueiras.

De manhã, o sol subia detrás da floresta. Primeiro, seus raios surgiam por entre folhas de árvores e, gradualmente, com o canto dos galos e pardais que vigorosamente anunciavam a luz do dia, o sol dourado acomodava-se acima da floresta. Ao anoitecer, macacos podiam ser vistos pulando de árvore em árvore na floresta, retornando aos locais onde dormiam. Nas fazendas de café, galinhas estavam sempre ocupadas escondendo suas crias de falcões. Atrás das fazendas, palmeiras sacudiam sua folhagem ao vento. Às vezes avistava-se, no fim da tarde, alguém que escalava uma palmeira para colher sua seiva, que seria depois transformada em licor.

O entardecer terminava com o som de galhos se quebrando na floresta e de arroz sendo triturado por pilões. O eco ressoava na aldeia, fazendo com que os pássaros voassem para lá e para cá chilreando. Grilos, rãs, sapos e corujas faziam coro, todos chamando pela noite enquanto deixavam seus esconderijos. As cozinhas das casas de sapê soltavam fumaça, e as pessoas chegavam das fazendas carregando lampiões e às vezes tocos de madeira acesa.

"Devemos nos esforçar para ser como a lua." Um ancião em Kabati sempre repetia essa frase para as pessoas que passavam por sua casa para buscar água, caçar ou colher seiva nas palmeiras, e também aos que caminhavam de volta a suas fazendas. Eu me lembro de ter perguntado a minha avó o que o ancião queria dizer com aquilo. Ela explicou que o ditado servia para lembrar as pessoas de se comportarem sempre da melhor maneira possível e serem boas umas com as outras. Ela disse que as pessoas sempre reclamam quando o sol as castiga demais e está intoleravelmente quente, e também quando chove demais ou está frio. Mas, ela falou, ninguém se queixa quando a lua brilha. Todos ficam felizes e apreciam a lua, cada um a seu modo. As crianças brincam com suas sombras sob a luz da lua, as pessoas se juntam para contar histórias e dançar noite adentro. Muitas coisas boas acontecem quando a lua brilha. Essas são algumas das razões pelas quais devemos desejar ser como a lua.

— Você está com cara de fome. Vou te preparar uma mandioca — disse ela terminando a conversa.

Depois que minha avó me contou por que devíamos nos esforçar para sermos como a lua, passei a observá-la. Toda noite em que a lua aparecia no céu eu me deitava no chão e ficava quieto, olhando para ela. Queria descobrir por que era tão atraente e adorada. Fiquei fascinado com os diferentes desenhos que distinguia dentro da lua. Certas noites eu conseguia ver a cabeça de um homem. Ele tinha uma barba de tamanho mediano e usava um chapéu de marinheiro. Noutras ocasiões eu via um homem com um machado cortando madeira, e às vezes uma mulher ninando um bebê no peito. Sempre que tenho uma chance de observar a lua agora, ainda vejo as mesmas imagens que enxergava quando tinha seis anos, e me agrada saber que aquela parte da minha infância ainda está guardada em mim.

2

Estou empurrando um carrinho de mão enferrujado numa cidade em que o ar cheira a sangue e carne queimada. A brisa traz o pranto débil de corpos mutilados que dão seus últimos suspiros. Caminho entre eles. Faltam-lhes pernas e braços; seus intestinos estão expostos, atravessam os buracos de bala em seus estômagos; massa encefálica sai por seus ouvidos e narinas. As moscas estão tão excitadas e intoxicadas que caem nas poças de sangue e morrem. Os olhos dos que estão quase mortos são mais vermelhos do que o sangue que sai deles, e parece que seus ossos vão rasgar a pele de seus rostos tesos a qualquer instante. Eu viro meu rosto para o chão para olhar meus pés. Meus tênis esfarrapados estão encharcados de sangue, que parece escorrer da minha bermuda do exército. Como não sinto dor física, não tenho certeza se estou ferido. Consigo sentir o calor do meu rifle AK-47 nas minhas costas; não lembro quando atirei com ele da última vez. Parece que meu cérebro foi perfurado por agulhas, e é difícil saber se é noite ou dia. O carrinho de mão à minha frente leva o corpo de um menino embrulhado em um lençol de cama branco. Não sei por que estou levando este corpo específico ao cemitério.

Quando chego lá, luto para levantá-lo do carrinho de mão, como se o corpo oferecesse resistência. Carrego o corpo nos braços procurando um lugar adequado para seu descanso. Meu corpo começa a doer e não consigo levantar nem um pé sem que eu sinta uma fisgada de dor que vai dos meus pés até a espinha. Desabo no chão e abraço o corpo junto a mim. Manchas de sangue emergem no lençol, cobrindo-o. Ao colocar o corpo no chão, começo a desembrulhá-lo, iniciando pelos pés. O corpo está coberto de balas até o pescoço. Uma das balas estilhaçou seu pomo-de-adão e jogou os restos para o fundo da garganta. Levanto o lençol que cobre o rosto do morto. Estou olhando para o meu próprio rosto.

Continuo deitado suando por alguns minutos no chão frio de madeira onde havia caído, antes de ligar a luz para me livrar completamente do mundo dos sonhos. Uma dor aguda correu pelas minhas costas. Observei a parede de tijolos vermelhos expostos do quarto e tentei identificar o rap que saía de um carro na rua. Um arrepio percorreu meu corpo, e tentei pensar na minha nova vida na cidade de Nova York, onde eu já estava havia mais de um mês. Mas minha mente atravessava o oceano Atlântico de volta a Serra Leoa. Eu me via segurando um AK-47 e caminhando por uma fazenda de café com um pelotão de muitos meninos e uns poucos adultos. Íamos atacar uma cidadezinha que tinha munição e comida. Assim que saímos do cafezal, demos de cara com um grupo armado num campo de futebol vizinho às ruínas do que um dia havia sido uma aldeia. Abrimos fogo até que o último ser vivo do outro grupo caiu no chão. Andamos até os corpos, batendo uns nas mãos dos outros em comemoração. O grupo também era de meninos bem novos, como nós, mas não nos importamos com eles. Pegamos sua munição, sentamos sobre os corpos e começamos a comer a comida cozida que eles levavam. Ao nosso redor, sangue fresco vazava através dos buracos de bala em seus corpos.

Levantei do chão, molhei uma toalha branca com um copo d'água e a amarrei em volta da cabeça. Eu estava com medo de dormir, mas ficar acordado também me trazia lembranças dolorosas. Lembranças das quais às vezes eu gostaria de me livrar, apesar de saber que são uma parte importante do que é minha vida, de quem sou agora. Fiquei acordado a noite inteira, esperando ansiosamente pela luz do dia, para que eu pudesse retornar por inteiro à minha nova vida e reencontrar a felicidade que conheci quando criança, a alegria que havia permanecido viva em mim mesmo em épocas quando estar vivo havia se transformado em um fardo. Hoje vivo em três mundos: meus sonhos, e as experiências da minha nova vida, que desencadeiam memórias do passado.

3

Ficamos em Mattru Jong mais tempo do que havíamos planejado. Não tínhamos recebido qualquer notícia de nossas famílias e não sabíamos mais o que fazer, exceto esperar e torcer para que estivessem bem.

Soubemos que os rebeldes estavam em Sumbuya, uma cidade que ficava mais ou menos a trinta quilômetros do noroeste de Mattru Jong. Esse boato foi logo substituído pelas cartas trazidas por pessoas que tiveram suas vidas poupadas pelos rebeldes durante o massacre em Sumbuya. As cartas simplesmente informavam ao povo de Mattru Jong que os rebeldes estavam chegando àquela cidade e queriam ser bem recebidos, já que estavam lutando por nós. Um dos mensageiros era um rapaz. Eles haviam entalhado no corpo dele as iniciais do grupo rebelde, RUF (*Revolutionary United Front*, Frente Unida Revolucionária), com uma baioneta quente, e decepado todos os dedos de suas mãos exceto os polegares. Os rebeldes chamavam esse tipo de mutilação de "One love". Antes da guerra, as pessoas costumavam levantar um polegar e dizer "One love" umas para as outras, expressão popularizada pelo amor ao reggae e por sua influência.

Assim que as pessoas receberam a mensagem daquele infeliz garoto de recados, esconderam-se, na mesma noite, na floresta. Mas a família de Khalilou nos pediu para esperar mais um tempo e ficar para trás, seguindo-os até a floresta com o resto de seus pertences apenas se as coisas não melhorassem nos dias seguintes, então ficamos atentos.

Naquela noite eu me dei conta, pela primeira vez na vida, de que é a presença física das pessoas e de seus espíritos que dá vida às cidades. Na ausência de tanta gente, a cidade ficou assustadora, a noite tornou-se mais escura, e o silêncio, insuportavelmente perturbador. Normalmente os grilos e os pássaros cantavam à tardinha, antes de o sol se pôr. Mas dessa vez não cantaram, e a escuridão caiu rapidamente. A lua não estava no céu; o ar estava pesado, como se a natureza estivesse com medo do que estava acontecendo.

A maior parte da população da cidade já estava escondida havia uma semana, e mais gente procurou um esconderijo com a chegada de mais mensageiros. Mas os rebeldes não chegaram no dia que haviam anunciado, e, por isso, as pessoas começaram a voltar para a cidade. Logo que todos estavam estabelecidos outra vez, uma nova mensagem foi enviada. Dessa vez o mensageiro era um conhecido bispo católico que fazia trabalho missionário quando os rebeldes apareceram no seu caminho. Nada fizeram com o bispo, exceto ameaçá-lo de que iriam atrás dele se não conseguisse entregar a mensagem. Quando receberam o recado, as pessoas novamente trocaram a cidade por seus esconderijos na floresta. E novamente fomos deixados para trás, dessa vez não para carregar os pertences da família de Khalilou, mas para tomar conta da casa e comprar certos produtos como sal, pimenta, arroz e peixe, que deveríamos levar a eles na floresta.

Mais dez dias nos escondendo, e os rebeldes não chegavam. Não havia nada a fazer exceto deduzir que eles não viriam. A cidade ganhou vida de novo. As escolas foram reabertas; as pessoas retornaram a sua rotina normal. Cinco dias se passaram em paz, e até os soldados que estavam na cidade relaxaram.

Às vezes eu saía para caminhar sozinho tarde da noite. Ver as mulheres cozinhando a janta sempre me lembrava da época em que eu olhava minha mãe cozinhar. Os meninos não tinham permissão para ficar na cozinha, mas ela abria uma exceção para mim, dizendo: "Você vai ter que saber cozinhar alguma coisa quando estiver levando vida de *palampo.**" Ela fazia uma pausa, me dava um pedaço de peixe cru e continuava: "Eu quero um neto. Portanto, não fique solteiro para sempre." Lágrimas se formavam nos meus olhos enquanto eu seguia com meu passeio pelas estradas de cascalho de Mattru Jong.

Quando os rebeldes finalmente chegaram, eu estava cozinhando. O arroz estava no ponto e a sopa de quiabo estava quase pronta quando ouvi um único disparo ecoar pela cidade. Junior, Talloi, Kaloko, Gibrilla e Khalilou, que estavam na sala, correram para fora.

* Solteiro. (N.do E.)

— Você ouviu aquilo? — eles perguntaram.

Ficamos parados, tentando determinar se o tiro havia sido disparado pelos soldados. Um minuto depois, três armas diferentes dispararam rapidamente. Dessa vez nós começamos a nos preocupar.

— São só os soldados testando suas armas — um de nossos amigos assegurou.

A cidade ficou muda, e nenhum tiro foi ouvido por mais de quinze minutos. Voltei para a cozinha e comecei a colocar o arroz nos pratos. Naquele instante diversos disparos, que soavam como trovoadas incidindo sobre as casas de teto de zinco, tomaram a cidade. O som das armas era tão aterrorizante que nos confundiu. Ninguém conseguia pensar direito. Em questão de segundos, as pessoas começaram a gritar e correr em todas as direções, empurrando e tropeçando em quem quer que estivesse caído no chão. Ninguém teve tempo de levar nada consigo. Só corriam para salvar suas próprias vidas. Mães perderam seus filhos, cujos gritos confusos, desesperados, coincidiam com os disparos. Famílias se separaram e deixaram para trás tudo que haviam trabalhado a vida inteira para conseguir. Meu coração acelerou como nunca. Cada tiro parecia marcar o ritmo do meu coração.

Os rebeldes disparavam suas armas para o alto, enquanto gritavam e dançavam em direção à cidade formando um semicírculo. Havia dois caminhos para se entrar em Mattru Jong. Um deles era pela estrada, e o outro, atravessando o rio Jong. Os rebeldes atacaram e avançaram em direção à cidade por terra, forçando os civis a se jogar no rio. Muitos tinham tanto medo que correram e, assim que se jogaram dentro do rio, perderam a força para nadar. Os soldados, que, de alguma maneira, haviam antecipado o ataque e sabiam que estariam em menor número, haviam deixado a cidade antes de os rebeldes chegarem. Isso foi uma surpresa para Junior, Talloi, Khalilou, Gibrilla, Kaloko e para mim, pois nosso primeiro impulso foi correr para a base onde os soldados deveriam estar. Ficamos lá parados, em frente às barricadas de sacos de areia, sem conseguir decidir para onde iríamos em seguida. Corremos de volta para onde os disparos pareciam ainda ocorrer em menor quantidade.

Havia apenas um caminho para escaparmos da cidade. Todos seguiram para lá. Mães gritavam os nomes de seus filhos perdidos, e as crianças choravam em vão. Corremos juntos, tentando não nos perder uns dos outros. Para chegar à rota pela qual poderíamos escapar, tivemos que atravessar um pântano enlameado e úmido, colado a um pequeno morro. No pântano, passamos correndo por pessoas que haviam ficado presas na lama, por deficientes físicos que não podiam ser ajudados, porque qualquer um que parasse estaria arriscando a própria vida.

O problema começou de verdade depois de atravessarmos o pântano, porque os rebeldes, então, começaram a atirar nas pessoas em vez de disparar para o alto. Eles não queriam que as pessoas deixassem a cidade, porque precisavam usá-las como escudo para se proteger dos militares. Um dos principais objetivos dos rebeldes quando invadiam uma cidade era forçar os civis a ficar, especialmente mulheres e crianças. Dessa maneira, conseguiam permanecer por mais tempo, atrasando a intervenção militar. Estávamos no topo de um morro cerrado, logo atrás do pântano, numa clareira colada à única rota de fuga possível. Ao verem um grupo de civis prestes a escapar, os rebeldes dispararam lança-granadas-foguetes (LGFs), atiraram com AK-47, G3, todas as armas que tinham, diretamente na clareira. Mas sabíamos que não tínhamos chance, tínhamos que conseguir atravessar a clareira porque, como meninos muito jovens, o risco em permanecer na cidade era muito maior do que o de tentar escapar. Meninos novos eram rapidamente recrutados, e as iniciais RUF eram queimadas na carne, na parte do corpo que os rebeldes preferissem, com uma baioneta quente. Isso não só queria dizer que você ficaria marcado por toda a vida, mas que jamais poderia escapar deles, pois fugir carregando essa marca era pedir pela morte, e tanto soldados quanto civis na milícia o matariam sem fazer qualquer pergunta.

Pulamos de arbusto em arbusto e conseguimos chegar ao outro lado. Mas esse era só o começo de uma seqüência de riscos que ainda estavam por vir. Imediatamente após uma explosão, nos levantamos e corremos juntos, com as cabeças abaixadas, pulando por cima de cadáveres ainda quentes e das chamas de árvores ressecadas pelo fogo. Estávamos quase no final da clareira quando ouvimos o zumbido de outro foguete se aproximando. Apertamos o passo e mergulhamos nos arbustos antes que a granada aterrissasse, seguida de várias rajadas de tiros. As pessoas que estavam logo atrás de nós não tiveram tanta sorte. As LGFs as alcançaram. Uma delas foi atingida por fragmentos de granada. Ela gritou que havia ficado cega. Ninguém se arriscou a ajudá-la. Então, foi atingida por outra granada, que fez seus restos e sangue caírem como chuva nos arbustos e folhas próximos. Tudo isso aconteceu rápido demais.

Assim que conseguimos atravessar toda a clareira, os rebeldes enviaram alguns de seus homens para buscar aqueles que haviam chegado até os arbustos. Eles nos perseguiam, atirando em nós. Corremos por mais de uma hora sem parar. Era inacreditável a velocidade e a distância que percorremos. Não suei nem me cansei nem um pouco. Junior estava na minha frente e atrás de Talloi. A todo instante meu irmão chamava meu nome, para ter certeza de que não tinha ficado para trás. Dava para perceber a tristeza na voz dele, e, a cada vez que eu respondia, minha voz embargava. A respiração deles estava pesada e eu percebia que gemiam e prendiam o choro. Talloi era um excelente corredor, mesmo quando éramos bem menores. Mas naquele dia conseguimos manter o passo com ele. Depois de uma hora ou mais, os rebeldes desistiram da perseguição e retornaram a Mattru Jong, enquanto nós seguimos correndo.

4

Por vários dias nós seis caminhamos por uma pequena trilha que tinha mais ou menos trinta centímetros de largura, cercados por densos arbustos pelos dois lados. Junior seguia na minha frente, sem balançar as mãos como fazia quando passava pelo quintal a caminho de casa depois da escola. Eu queria saber o que ele estava pensando, mas todos estavam quietos demais e eu não sabia como quebrar o silêncio. Pensei na minha família, se tornaria a vê-la, e desejei que ela estivesse em segurança e não muito desgostosa por causa de mim e de Junior. Meus olhos se encheram de lágrimas, mas eu estava com fome demais para chorar.

Dormimos em aldeias abandonadas, onde nos deitávamos no chão sem qualquer conforto e esperávamos que no dia seguinte pudéssemos encontrar alguma outra coisa além de mandioca crua para comer. Havíamos passado por uma aldeia que tinha banana, laranja e coqueiros. Khalilou, que sabia como subir nas árvores melhor que nós, escalou cada uma e arrancou delas o que conseguiu. As bananas estavam verdes, então nós as cozinhamos colocando madeira numa fogueira que ardia na cozinha externa de uma casa. Alguém deve ter fugido da aldeia ao nos ver chegar, porque o fogo parecia ter sido aceso recentemente. Sem sal ou quaisquer outros ingredientes, o gosto das bananas não era bom, mas comemos cada pedaço, só para ter alguma coisa no estômago. Depois comemos algumas laranjas e cocos. Não conseguimos encontrar nada mais substancial para comer. A cada dia que passava tínhamos mais fome, a ponto de sentirmos fortes dores no estômago e às vezes enxergarmos tudo embaçado. Não tivemos outra escolha a não ser entrar sorrateiramente em Mattru Jong outra vez, junto com algumas pessoas que encontramos na trilha, para pegarmos parte do dinheiro que havíamos deixado para trás, e assim comprar comida.

Voltando à cidade quase deserta, quieta, que agora parecia estranha para nós, vimos panelas de comida estragada abandonadas. Cadáveres, móveis, roupas e todos os tipos de bens estavam espalhados por toda parte. Vimos um velho sentado numa cadeira em uma varanda, como se estivesse dormindo. Havia um buraco de bala em sua cabeça, e sob os degraus da escada que levava à varanda estavam os corpos de dois homens com genitais e mãos cortados por um machado que estava no chão próximo a uma pilha formada por seus membros decepados. Eu vomitei e imediatamente senti febre, mas tínhamos que continuar. Seguimos nas pontas dos pés o mais rápido e o mais cautelosamente que pudemos, evitando as ruas principais. Espreitávamos encostados aos muros e inspecionávamos as ruazinhas de cascalho estreitas antes de atravessar para outra casa. A certa altura, assim que cruzamos uma estrada, ouvimos passos. Não havia qualquer esconderijo imediato, então tivemos que correr até uma varanda e nos esconder atrás de pilhas de tijolos de cimento. Espiamos por trás dos tijolos e vimos dois rebeldes que usavam jeans largos, chinelos e camisetas brancas. As cabeças deles estavam cobertas por lenços vermelhos e eles carregavam suas armas nas costas. Escoltavam um grupo de garotas que carregavam panelas, sacos de arroz e pilões.

Nós os observamos até que estivessem fora de vista, então começamos a nos mover outra vez. Finalmente chegamos à casa de Khalilou. Todas as portas estavam quebradas e a casa estava destroçada. A casa, como qualquer outra na cidade, havia sido pilhada. Havia um buraco de bala na armação da porta e copos quebrados de cerveja Star, marca popular no país, e maços de cigarro vazios no chão da varanda. Nada havia de útil que pudéssemos encontrar na casa. A única comida que havia eram sacos de arroz, pesados demais para carregar e que nos atrasariam se tentássemos levá-los. Por sorte o dinheiro ainda estava lá, onde eu havia guardado, em um pequeno saco plástico debaixo do pé da cama. Coloquei o dinheiro dentro do meu tênis e novamente seguimos para o pântano.

Nós seis, na companhia das pessoas com quem tínhamos entrado na cidade, nos reunimos no limite do pântano conforme tínhamos planejado antes, e começamos a atravessar a clareira de três em três. Eu estava na segunda leva, com Talloi e outra pessoa. Começamos a rastejar pela clareira assim que o primeiro grupo sinalizou que havia feito a travessia. Quando alcançamos o meio da clareira, eles fizeram sinal outra vez, mandando que nos abaixássemos; e, assim que deitamos no chão, eles mandaram que continuássemos rastejando. Havia cadáveres por toda parte e moscas se fartando do sangue coagulado sobre eles. Depois que chegamos ao outro lado, vimos que havia rebeldes de guarda em uma pequena torre no cais, que dava vista para a clareira. O próximo grupo era formado de Junior e mais dois outros. Enquanto eles atravessavam, algo caiu do bolso de um deles sobre uma panela de alumínio na clareira. O som foi alto o suficiente para chamar a atenção dos rebeldes que vigiavam, e eles apontaram suas armas na direção de onde o som tinha vindo. Meu coração acelerou e doeu quando vi meu irmão deitado no chão, tentando se passar por um dos mortos. Vários disparos foram ouvidos na cidade, distraindo os rebeldes e fazendo com que se virassem para outra direção. Junior e os outros dois conseguiram. O rosto dele estava cheio de terra e havia resíduos de lama em seus dentes. Ele respirava pesadamente, fechando os punhos. Um dos meninos, do último grupo a fazer a travessia, era lento demais, porque carregava uma sacola enorme, cheia de coisas que havia juntado em sua casa. Foi assim que os rebeldes conseguiram vê-lo da torre do cais, e abriram fogo. Alguns deles, que estavam embaixo da torre, começaram a correr em nossa direção, atirando. Sussurramos para o garoto: "Larga a bolsa e corre. Os rebeldes estão vindo. Anda logo." Mas o menino não nos escutou. A bolsa caiu do seu ombro depois que atravessou a clareira, e, enquanto ele fugia, eu o vi tentando puxar de volta a bolsa, que havia se prendido a alguns tocos de árvores. Corremos o máximo que pudemos até nos perdermos dos rebeldes. Já entardecia e caminhamos em silêncio na direção do grande sol vermelho e do céu tranqüilo que aguardava a escuridão. O menino que atraiu a atenção dos rebeldes para nós não conseguiu chegar à primeira aldeia habitada que atingimos.

Naquela noite estávamos provisoriamente felizes porque tínhamos algum dinheiro, e tínhamos esperança de conseguir comprar arroz cozido com mandioca e charutos de batata para o jantar. Comemoramos enquanto nos aproximávamos do mercado da aldeia, e nossos estômagos grunhiram ao sentir uma lufada de óleo de palmeira que saía das cozinhas. Mas, quando chegamos às barraquinhas de comida, ficamos frustrados ao descobrir que haviam parado de vender as iguarias de mandioca, batata, a sopa de quiabo, tudo aquilo cozido com peixe e o rico óleo de palmeira com arroz. Alguns estavam guardando comida para o caso de as coisas piorarem, e outros simplesmente se recusaram a nos vender sem maiores explicações.

Depois de todo o esforço e o risco que corremos para pegar o dinheiro, ele havia se tornado inútil. Teríamos ficado menos famintos se tivéssemos permanecido na aldeia em vez de caminhar toda aquela distância até Mattru Jong e de volta. Eu queria ter alguém a quem culpar por aquela dificuldade específica, mas não havia ninguém em quem jogar a culpa. Tomamos a decisão lógica e ela resultou naquilo. Era um aspecto típico da guerra. As coisas mudavam rapidamente, em questão de segundos, e ninguém tinha controle sobre qualquer coisa. Ainda aprenderíamos aquilo, assim como a implementar táticas de sobrevivência, que era o que valia a pena fazer. À noite, estávamos com tanta fome que roubamos comida de pessoas que dormiam. Era a única maneira de sobreviver àquela noite.

5

Estávamos com tanta fome que até beber água doía, e sentíamos cólicas. Era como se algo estivesse devorando o interior dos nossos estômagos. Nossos lábios ficaram ressecados e nossas articulações fracas e doloridas. Comecei a sentir minhas costelas quando tocava meus flancos. Não sabíamos onde mais conseguir comida. A pilhagem que fizemos a uma única fazenda de mandioca não durou muito tempo. Pássaros e animais como coelhos haviam desaparecido. Ficamos irritados e nos sentamos longe uns dos outros, como se a proximidade entre nós aumentasse a fome.

Certa tarde chegamos a perseguir um menininho que comia duas espigas de milho sozinho. Ele devia ter uns cinco anos de idade e se deliciava com as espigas, que segurava com as duas mãos, mordendo uma de cada vez. Não dissemos nada, nem sequer nos entreolhamos. Apenas voamos para cima do menino ao mesmo tempo e, antes que ele percebesse o que estava acontecendo, havíamos tomado dele o milho. Dividimos aquilo entre nós seis e comemos nossas miseráveis porções enquanto o garotinho chorava e corria para os pais. Os pais não vieram atrás de nós para uma acareação sobre o incidente. Acho que eles sabiam que seis garotos só pulariam em cima de seu filho por causa de duas espigas de milho se estivessem desesperadamente famintos. Mais tarde, a mãe do menino deu uma espiga de milho para cada um de nós. Eu me senti culpado por alguns minutos, mas, na nossa situação, não havia muito tempo para remorsos.

Não sei o nome da aldeia em que estávamos e nem me preocupei em perguntar, já que estava ocupado tentando sobreviver aos obstáculos do dia-a-dia. Não sabíamos os nomes de outras cidades e aldeias nem como chegar até elas. Então a fome nos levou de volta a Mattru Jong. Era perigoso, mas a fome fez com que não nos importássemos muito com isso. Era verão, a estação seca, e a campina crescia amarelada. Uma floresta fresca, verde, a engolfava.

Estávamos no meio da campina andando em fila indiana, nossas camisetas sobre os ombros ou a cabeça, quando de repente três rebeldes pularam de trás de um matagal ressecado e apontaram suas armas para Gibrilla, que estava na frente. Eles armaram os canos das armas e um deles encostou a boca de sua arma embaixo do queixo de Gibrilla.

— Ele está apavorado como um macaco bêbado — o rebelde disse aos companheiros, gargalhando.

Quando os outros dois passaram por mim, abaixei a cabeça para evitar olhá-los nos olhos. O rebelde mais jovem levantou minha cabeça com a baioneta, ainda embainhada. Olhando para mim agressivamente, ele tirou a baioneta da bainha e a encaixou à boca da arma. Tremi tanto que até meus lábios chacoalharam. Ele sorriu sem qualquer emoção. Os rebeldes, nenhum deles com mais de vinte e um anos, começaram a nos escoltar até a aldeia onde estávamos antes. Um deles estava vestindo uma camiseta sem manga do exército e jeans, e tinha um lenço vermelho amarrado na cabeça. Os outros dois estavam usando jaquetas e calças jeans, bonés de beisebol ao contrário e tênis Adidas. Todos os três usavam relógios caros nos dois braços. Todas aquelas coisas haviam sido tiradas de pessoas à força ou saqueadas em casas e lojas. Os rebeldes diziam um monte de coisas enquanto andávamos. Mas, o que quer que eles dissessem, não soava nada amigável. Eu não conseguia ouvir direito suas palavras, porque só conseguia pensar na morte. Esforcei-me para não desmaiar.

Quando nos aproximamos da aldeia, dois dos rebeldes correram à nossa frente. Seis de nós e um rebelde, pensei. Mas ele tinha uma arma semi-automática e um enorme cinto cheio de balas ao redor da cintura. Ele nos fez andar em duas linhas de três, de mãos na cabeça. Seguia atrás de nós, apontando a arma para nossas cabeças, e a certo ponto ele disse:

— Se algum de vocês fizer qualquer movimento, eu mato todo mundo. Então, nem arrisquem respirar um pouco mais forte, senão vai ser a última vez que respiram. — Ele riu e sua voz ecoou pela floresta. Rezei para que meu irmão e meus amigos não fizessem qualquer movimento brusco nem tentassem se coçar. A parte de trás da minha cabeça estava esquentando, como se esperasse uma bala a qualquer momento.

Quando chegamos à aldeia, os dois rebeldes que haviam se adiantado tinham reunido a população. Havia mais de quinze pessoas, a maioria meninos, algumas meninas e poucos adultos. Eles nos fizeram ficar no terreno de uma casa que era mais próxima ao matagal. Estava escurecendo. Os rebeldes pegaram suas lanternas e as colocaram em cima dos pilões de arroz, para que pudessem enxergar todo mundo. Enquanto permanecíamos sob a mira de suas armas, um velho que havia escapado de Mattru Jong atravessou uma ponte de madeira quebradiça até a aldeia. Nós vimos o rebelde mais moço andar até o velho e esperá-lo ao pé da ponte. Ele ficou sob a mira da arma desde que atravessou e foi colocado à nossa frente. O homem devia ter uns sessenta anos, mas parecia mais acabado. Seu rosto estava enrugado de fome e medo. O rebelde jogou o homem no chão, apontou a arma para sua cabeça e mandou que ele tentasse se levantar. Os rebeldes riram dele e nos obrigaram a rir com eles, apontando suas armas para nós. Eu ri bem alto, chorando por dentro, e minhas pernas e mãos tremiam. Fechei meus punhos, mas aquilo só aumentou a tremedeira. Todos os reféns permaneceram sob a mira das armas enquanto os rebeldes interrogavam o velho.

— Por que você saiu de Mattru Jong? — um dos rebeldes perguntou, enquanto examinava a própria baioneta. Ele mediu o comprimento da faca com os dedos e a segurou contra o pescoço do velho. — Parece que serve direitinho. — Ele fez um movimento como se passasse a baioneta pelo pescoço do velho. — Agora você vai responder a minha pergunta?

As veias saltaram em sua testa enquanto seus olhos ferozes e vermelhos observavam o velho, que tremia as pálpebras incontrolavelmente. Antes da guerra, um jovem jamais ousaria se dirigir daquela maneira rude a alguém mais velho. Crescemos em uma cultura que exigia bons modos de todos, especialmente dos mais jovens. Gente jovem era obrigada a demonstrar respeito pelos mais velhos e por todos na comunidade.

— Eu saí para procurar minha família — o velho disse, com uma voz carregada de medo, enquanto se esforçava para recuperar o fôlego.

O rebelde com a semi-automática, que estava fumando um cigarro encostado a uma árvore, caminhou furioso até o velho e apontou a arma para as pernas dele.

— Você saiu de Mattru Jong porque não gosta da gente. — Ele colocou a arma na testa do velho e continuou: — Você saiu porque é contra a causa dos soldados da liberdade. Certo?

O velho fechou os olhos e começou a soluçar.

Por quê?, pensei. Usei a única liberdade a que eu tinha direito naquele momento, meu pensamento. Eles não podiam ouvir o que eu pensava. Enquanto o interrogatório continuava, um dos rebeldes pintou RUF nas paredes das casas da aldeia. Era o pior pintor que eu já tinha visto. Acho que nem sequer conhecia o alfabeto. Ou melhor, conhecia o R, o U e o F. Quando ele acabou de pintar, andou até o velho e apontou a arma para a cabeça dele.

— Gostaria de dizer algumas palavras de despedida?

Àquele ponto, o velho não conseguia mais falar. Seus lábios tremeram, mas ele não dizia nada. O rebelde puxou o gatilho, e, como um trovão, vi a fagulha que saiu da boca da arma. Virei meu rosto para o chão. Meus joelhos estavam bambos e as batidas do meu coração haviam ficado mais rápidas e mais altas. Quando olhei de novo, o velho estava correndo em círculos como um cachorro que tenta pegar o próprio rabo. Ele gritava:

— Minha cabeça! Meu cérebro!

Os rebeldes riam dele. Finalmente, ele parou e lentamente levou as mãos ao rosto como alguém que hesita em se olhar no espelho.

— Eu posso ver! Eu posso ouvir! — ele gritou, e em seguida desmaiou.

Os rebeldes não haviam atirado nele, mas num ponto bem próximo à sua cabeça. Estavam achando muito divertida a reação do velho.

Os rebeldes agora nos encaravam e anunciaram que recrutariam pessoas entre nós, único motivo de sua patrulha naquela área. Mandaram que todos ficassem em fila: homens, mulheres, até crianças mais jovens que eu. Eles andavam para cima e para baixo inspecionando a fila, tentando olhar alguém nos olhos. Primeiro escolheram Khalilou, depois a mim e a alguns outros. Os escolhidos eram mandados para uma outra fila, de frente para a primeira. Junior não foi escolhido e eu fiquei de frente para ele. Olhei para ele, que me evitou, abaixando a cabeça. Parecia que agora pertencíamos a dois mundos diferentes e nossa ligação estava se partindo. Por sorte os rebeldes decidiram refazer o recrutamento. Um deles disse que estavam escolhendo errado, já que os eleitos tremiam, o que significava que eram um bando de mariquinhas.

— Queremos recrutas fortes, não um bando de fracotes. — O rebelde nos empurrou de volta para a primeira fila. Junior estava ao meu lado. Ele me deu uma cutucada de leve. Olhei para ele, que balançou a cabeça e passou a mão nos meus cabelos.

— Posição de sentido para o recrutamento final — um dos rebeldes gritou. Junior tirou a mão da minha cabeça. Na segunda leva, Junior foi escolhido. Como o restante de nós não seria aproveitado, nos escoltaram até o rio, seguidos pelos novos escolhidos.

Jogando um dos braços na nossa direção, um rebelde anunciou:

— Vamos iniciar vocês matando toda essa gente na sua frente. Temos que fazer isso para mostrar sangue a vocês e fazê-los fortes. Vocês nunca mais vão ver essas pessoas outra vez, a não ser que acreditem em vida após a morte. — Ele bateu no peito com o punho e riu.

Virei para trás e olhei para Junior, seus olhos estavam vermelhos de tanto prender o choro. Ele fechou as mãos para evitar que tremessem. Comecei a chorar baixinho e de repente me senti tonto. Um dos garotos escolhidos vomitou. Um rebelde o empurrou em nossa direção, batendo em seu rosto com a parte de trás da arma. O rosto do garoto sangrava enquanto eles continuavam.

— Não se preocupem, a próxima morte é por conta de vocês — outro rebelde comentou, rindo.

No rio, eles nos fizeram ficar de joelhos com as mãos atrás da cabeça. De repente ouviram-se tiros ecoando bem alto, não muito longe da aldeia. Dois dos rebeldes correram para se proteger atrás das árvores mais próximas; o outro se deitou no chão, apontando a arma na direção dos tiros.

— Você acha que eles estão... — O rebelde que estava no chão foi interrompido por mais tiros.

Os rebeldes começaram a disparar de volta. Todos dispersaram, correndo na direção dos arbustos para se salvar. Os rebeldes perceberam a fuga e atiraram contra nós. Corri o mais rápido que pude para dentro do matagal e me deitei colado ao chão atrás de um tronco de árvore. Eu conseguia ouvir os tiros se aproximando, então comecei a rastejar mais para dentro da mata. Uma bala atingiu uma árvore bem acima da minha cabeça e caiu no chão ao meu lado. Eu fiz uma parada e segurei a respiração. De onde eu estava podia ver as balas avermelhadas voarem dentro da noite pela floresta. Conseguia ouvir meu coração bater e comecei a respirar pesadamente, a ponto de precisar cobrir meu nariz para me controlar.

Algumas pessoas foram capturadas e eu pude ouvi-las chorar de dor pela tortura que sofriam. O grito agudo de uma mulher encheu a floresta, e senti sua voz penetrar minhas veias, fazendo meus dentes doerem, por algum motivo. Rastejei ainda mais matagal adentro e encontrei um lugar debaixo de uma árvore, onde permaneci por horas sem me mover. Os rebeldes ainda estavam na aldeia, xingando e atirando. Em certo momento, fingiram ter ido embora, e alguém que havia escapado retornou à aldeia. Eles o capturaram e pude ouvir a surra que o fugitivo tomou. Minutos depois, ouvi tiros, seguidos de uma fumaça espessa que subia até o céu. A floresta estava iluminada pelo fogo ateado na aldeia.

Quase uma hora depois, os tiros dos rebeldes cessaram gradualmente. Enquanto permanecia deitado, pensando no que fazer a seguir, ouvi sussurros atrás de mim. Primeiro tive medo, mas então reconheci as vozes. Eram Junior e meus amigos. De alguma forma, acabaram correndo na mesma direção. Eu ainda hesitei em chamá-los, e esperei até me sentir mais seguro.

— Acho que eles se foram — ouvi Junior murmurar.

Eu tinha tanta certeza naquele momento que minha voz saiu involuntariamente de mim:

— Junior, Talloi, Kaloko, Gibrilla, Khalilou. São vocês? — falei rapidamente. Eles ficaram quietos. — Junior, você está me ouvindo? — chamei outra vez.

— Sim, estamos aqui ao lado do tronco podre — ele respondeu.

Eles me guiaram até lá. Então, nos aproximamos da aldeia, rastejando, para chegar até a trilha. Quando encontramos o caminho, andamos outra vez na direção da aldeia onde havíamos passado mais fome. Junior e eu trocamos um olhar, e ele me deu aquele sorriso que havia segurado quando eu estava prestes a morrer.

A jornada noturna foi bastante tranqüila. Nenhum de nós falava. Eu sabia que estávamos caminhando, mas não sentia meus pés tocarem o chão. Quando chegamos à aldeia, sentamos ao redor do fogo até amanhecer. Não dissemos uma palavra sequer. Cada um parecia estar em seu próprio mundo, levado pelos seus próprios pensamentos. Na manhã seguinte, voltamos a falar uns com os outros como se tivéssemos acordado de um pesadelo ou de um sonho que tivesse nos dado uma perspectiva diferente sobre a vida e a situação em que estávamos. Decidimos deixar a aldeia no dia seguinte e procurar um lugar seguro, distante de onde estávamos. Não fazíamos idéia de onde ou como encontraríamos esse lugar seguro, mas estávamos determinados a achá-lo. Durante o dia lavamos nossas roupas. Não tínhamos sabão, então apenas molhamos as peças e as colocamos para secar enquanto ficamos sentados sobre as folhagens, nus, esperando que estivessem enxutas. Decidimos partir na manhã do dia seguinte.

6

Não era vantagem sermos um grupo de seis garotos. Mas precisávamos ficar juntos porque assim tínhamos uma chance melhor de escapar dos problemas que enfrentávamos todos os dias. As pessoas tinham pavor de meninos da nossa idade. Alguns tinham ouvido boatos sobre garotos muito jovens que eram forçados pelos rebeldes a matar famílias e queimar suas aldeias. Essas crianças agora faziam parte da patrulha de unidades especiais, matando e mutilando civis. Outros tinham sido vítimas desses horrores e carregavam cicatrizes recentes para comprová-lo. Então, sempre que essas pessoas nos viam, lembravam-se dos massacres e isso colocava o medo de volta em seus corações. Algumas pessoas tentavam nos ferir para se proteger, e proteger suas famílias e comunidades. Por causa dessas coisas, decidimos atravessar as aldeias caminhando no meio dos arbustos próximos. Assim ficávamos protegidos e evitávamos causar o caos nas cidades. Essa é uma das conseqüências da guerra civil. As pessoas param de confiar umas nas outras, e todo estranho se torna um inimigo. Até mesmo conhecidos passam a ser extremamente cautelosos na maneira de falar e lidar uns com os outros. Certo dia, assim que deixamos a área da floresta de uma aldeia pela qual havíamos passado, um grupo de homens grandes, musculosos, pulou detrás dos arbustos na trilha a nossa frente. Levantando suas machadinhas e rifles de caça, eles nos mandaram parar. Os homens eram guardas voluntários da aldeia, e seu chefe havia dado ordem de nos levar até ele.

Uma grande multidão estava reunida em volta da casa do chefe para a nossa chegada. Os homens nos jogaram ao chão na frente deles e amarraram nossos pés com cordas. Então, nossas mãos foram puxadas para trás até que os cotovelos pudessem se tocar, esticando o peito com a pressão. Cheguei a rolar de dor. Tentei virar de costas, mas aquilo só piorou as coisas.

— Vocês são rebeldes ou espiões? — O chefe bateu com seu cajado no chão.

— Não — nossas vozes estremeceram.

O chefe ficou muito indignado com aquilo.

— Se vocês não me disserem a verdade, eu vou fazer com que meus homens amarrem pedras em seus corpos e joguem vocês todos no rio — ele vociferou.

Contamos a ele que éramos estudantes e que tudo era um grande mal-entendido. A multidão insistia:

— Afoguem os rebeldes!

Os guardas entraram no meio da roda e revistaram nossos bolsos. Eles encontraram uma fita cassete de rap no meu bolso e a entregaram ao chefe. Ele pediu que fosse tocada.

You down with OPP (Yeah you know me)
You down with OPP (Yeah you know me)
You down with OPP (Yeah you know me)
*Who's down with OPP (Every last homie)**

O chefe parou a música. Ele alisou a barba, pensando.

— Diga-me — ele falou, virando-se para mim —, como você conseguiu essa música estrangeira?

Eu disse a ele que nós cantávamos rap. Ele não sabia o que era rap, então me esforcei ao máximo para explicar direito.

— Parece um pouco com contar parábolas, mas na língua do homem branco — concluí. Também disse a ele que nós éramos dançarinos e tínhamos um grupo em Mattru Jong, onde freqüentávamos a escola.

— Mattru Jong? — ele indagou, e mandou que chamassem um rapaz que viera daquela aldeia. O rapaz foi trazido ao chefe, que lhe perguntou se nos conhecia e se alguma vez já havia nos escutado contar parábolas na língua do homem branco. Ele sabia meu nome, o de meu irmão e os de meus amigos. Ele se lembrava de nós por causa das nossas performances. Nenhum de nós o conhecia, nem mesmo de vista, mas sorrimos agradecidos como se também o reconhecêssemos. Ele salvou nossas vidas.

* *OPP* — A sigla, na letra do grupo de hip-hop norte-americano Naughty By Nature (Safados por Natureza), significa "Other People's Pussy" ("vagina que pertence a outro"); *Down with OPP* quer dizer que se está disponível a trair o namorado (ou a namorada). (N. da T.)

Fomos desamarrados e convidados a comer mandioca e peixe defumado. Comemos, agradecemos aos aldeãos e nos preparamos para ir embora. O chefe e alguns dos homens que tinham nos amarrado ofereceram um lugar para ficarmos. Agradecemos a eles pela generosidade e seguimos caminho. Sabíamos que os rebeldes acabariam chegando àquela aldeia.

Caminhamos lentamente por um caminho que atravessava uma floresta cerrada. As árvores mal se moviam ao vento fraco. O céu parecia estar nublado de fumaça, infinitas camadas de fumaça cinza que faziam o sol parecer feio. Mais ou menos na hora de o sol se pôr, chegamos a uma aldeia abandonada que ainda tinha de pé seis casebres de barro. Nós nos sentamos no chão da varanda de uma das casas e olhei para Junior, que tinha o rosto bastante suado. Ele andava muito calado naqueles dias. Ele me olhou e sorriu antes que seu rosto reassumisse seu aspecto desanimado. Então, levantou-se e caminhou até o quintal. Sem se mover, ficou olhando para o céu até que o sol desaparecesse.

Retornando à varanda, pegou uma pedra, com a qual passou a noite brincando. Eu olhava para ele, na esperança de que me contasse o que se passava em sua cabeça. Mas ele não olhava para cima, só brincava com a pedra em sua mão e olhava para o chão.

Foi Junior quem me ensinou a fazer pedras pularem no rio. Uma vez fomos buscar água e ele me disse que tinha aprendido uma mágica nova que fazia as pedras andarem na água. Dobrando o corpo de lado, ele jogava pedrinhas e cada uma andava na água mais rápido que a outra. Ele me disse para tentar, mas eu não consegui. Ele prometeu me ensinar o truque noutro dia. Quando voltávamos para casa com baldes na cabeça, escorreguei e caí, derramando a água. Junior me deu o balde dele, pegou o meu e voltou ao rio. A primeira coisa que ele me perguntou quando chegou em casa foi se eu tinha me machucado quando caí. Eu disse que estava bem, mas, de qualquer maneira, ele fez questão de examinar meus joelhos e meus cotovelos, e, quando terminou, fez cócegas em mim. Enquanto olhava para ele naquela noite, sentado na varanda de uma casa numa aldeia desconhecida, quis que ele me perguntasse se eu estava bem.

Gibrilla, Talloi, Kaloko e Khalilou estavam todos observando o topo da floresta que cobria as cercanias da aldeia. O nariz de Gibrilla contraiu-se um pouco quando ele se sentou, encostando o queixo no joelho. Quando ele respirava, seu corpo inteiro se movia. Talloi batia o pé no chão sem parar, como se aquilo o ajudasse a não pensar no presente. Kaloko estava irrequieto. Não conseguia ficar sentado sem mudar de posição a todo o momento, suspirando sempre que se mexia. Khalilou permanecia calmamente sentado. Seu rosto não demonstrava qualquer emoção e seu espírito parecia ter saído do corpo. Eu queria saber o que Junior estava sentindo, mas não consegui encontrar o momento certo para quebrar o silêncio daquela noite. Gostaria de ter conseguido.

Na manhã seguinte um grupo grande de pessoas passou pela aldeia. Entre os viajantes havia uma mulher que conhecia Gibrilla e contou a ele que sua tia estava numa aldeia que ficava a mais ou menos cinqüenta quilômetros de onde estávamos. Ela nos deu a direção. Enchemos nossos bolsos de laranjas ainda verdes, amargas e insuportáveis de se comer, mas que eram a única comida à nossa disposição, e, então, seguimos em frente.

Kamator ficava muito distante de Mattru Jong, ainda controlada pelos rebeldes, mas a população da aldeia estava alerta e pronta para sair dali a qualquer instante. Em troca de comida e de um lugar para dormir, nós seis fomos nomeados vigias. A cinco quilômetros de distância da aldeia ficava um morro. Do seu topo era possível enxergar até um quilômetro e meio do caminho que levava à aldeia. Foi lá que ficamos de guarda, desde cedo pela manhã até o cair da noite. Fizemos isso durante um mês inteiro, e nada aconteceu. Conhecíamos os rebeldes o suficiente para aguardar sua chegada com apreensão. Mas fomos perdendo a cautela com o passar do tempo.

Aproximava-se a estação de plantio. A primeira chuva havia caído, amaciando o solo. Os pássaros começavam a construir seus ninhos nas mangueiras. O sereno caía pela manhã todos os dias e deixava as folhas e o solo molhados. O cheiro da terra encharcada era irresistível ao meio-dia. Eu tinha vontade de rolar no chão. Um dos meus tios sempre brincava dizendo que gostaria de morrer nessa época do ano. O sol se levantava antes do normal e era mais brilhante contra o céu azul, sem nuvens. A grama que crescia em torno da trilha era meio seca, meio verde. Formigas passavam carregando comida para dentro de suas pequenas tocas. Tentamos convencer os moradores da aldeia do contrário, mas eles achavam que os rebeldes não viriam, então nos tiraram dos nossos postos de observação e nos colocaram nas plantações. Não era fácil.

Eu sempre participara da arte da lavoura apenas como espectador e, por isso, nunca havia me dado conta de como aquilo era difícil até aqueles poucos meses na minha vida, em 1993, quando tive que ajudar nas plantações da aldeia de Kamator. Como todos os habitantes eram fazendeiros, eu não tinha como escapar desse destino.

Antes da guerra, quando visitava minha avó nos meses de colheita, a única coisa que ela me deixava fazer era derramar vinho na terra ao redor da fazenda antes de a colheita começar, como parte da cerimônia de agradecimento aos ancestrais e aos deuses por oferecerem solo fértil, arroz saudável e um ano de sucesso na lavoura.

A primeira tarefa que nos deram foi limpar um imenso pedaço de terra, do tamanho de um campo de futebol. Quando fomos olhar a vegetação que deveria ser cortada, eu soube que logo teríamos dias bem difíceis. A vegetação era densa e havia muitas palmeiras, rodeadas pelo trançado de galhos de outras árvores. Era difícil conseguir chegar perto delas e cortá-las. O chão estava coberto de folhas secas, que haviam feito com que a terra escurecesse. Dava para ouvir os cupins revolvendo as folhas apodrecidas. Todos os dias, repetidamente, capinávamos sob as árvores, golpeando com facões e machados as palmeiras e toda a vegetação que precisavam ser cortadas rente ao solo, para que não crescessem rápido demais e interferissem na colheita do que estava para ser plantado. Às vezes, quando usávamos facões e machados, seu peso nos lançava contra a vegetação, e ficávamos lá por um tempo, deitados, esfregando nossos ombros doloridos. O tio de Gibrilla sacudia a cabeça e dizia:

— Ah, esses garotos preguiçosos da cidade...

Na primeira manhã de limpeza das terras, o tio de Gibrilla indicou a cada um de nós um pedaço de vegetação a ser cortado. Passamos três dias capinando as partes que nos cabiam. Ele terminou sua parte em menos de três horas. Quando eu segurei o facão pela primeira vez para começar a atacar a vegetação, o tio de Gibrilla não se segurou. Ele começou a rir antes que me ensinasse a segurá-lo direito. Passei vários minutos acertando com toda a minha força árvores que ele derrubava com apenas um golpe.

As primeiras duas semanas foram extremamente dolorosas. Eu sofria com dores musculares e de coluna. Pior ainda, a carne na palma das minhas mãos descascava, inchada e cheia de bolhas. Minhas mãos nunca tinham sido usadas para segurar facões ou machados. Depois que a limpeza foi feita, deixamos a vegetação lá para secar. Quando ficou completamente seca, ateamos fogo em tudo e observamos a fumaça densa subir em direção ao céu azul do verão.

Em seguida, tivemos que plantar mandioca. Para isso, cavamos pequenos buracos no solo usando enxadas. Para descansar da tarefa, que exigia que ficássemos curvados durante horas, íamos buscar estacas, que cortávamos em pedaços menores e colocávamos nos buracos, para proteger as raízes.

Os únicos sons que escutávamos enquanto trabalhávamos eram cantigas murmuradas pelos fazendeiros mais experientes, um ou outro pássaro que batia as asas, galhos de árvores quebrando na floresta e os *olás* trocados entre vizinhos que passavam pela trilha próxima em direção a suas próprias fazendas ou de volta à aldeia. No final do dia eu me sentava em um toco de árvore na praça da aldeia e ficava olhando os meninos mais novos brincar de lutar. Um dos garotos, que devia ter uns sete anos, sempre começava uma briga e a mãe tinha que o puxar para longe pela orelha. Eu me via nele. Eu era um garoto-problema também e sempre entrava em brigas na escola e no rio. Às vezes eu apedrejava os garotos nos quais não conseguia bater. Como não tínhamos mãe em casa, Junior e eu éramos os desviados da nossa comunidade. A separação dos nossos pais tinha deixado marcas em nós que até os meninos mais jovens da cidade podiam ver. Viramos a fofoca da vez.

— Aqueles pobres garotos — alguns diziam.

— Eles não vão receber uma educação completa — outros comentavam preocupados quando passávamos.

Eu ficava tão enfurecido com essa pena que sentiam de nós que às vezes chutava os traseiros de seus filhos no colégio, especialmente daqueles que nos davam aquele olhar como se dissessem: "Nossos pais falam à beça sobre vocês."

Trabalhamos na lavoura por três meses em Kamator e eu nunca me habituei àquilo. A única parte do dia que eu conseguia aproveitar eram os intervalos à tarde, que passávamos nadando no rio. Eu me sentava na areia do fundo e deixava a correnteza me arrastar rio abaixo, reemergindo para vestir minhas roupas sujas e voltar à fazenda. O mais triste de ter trabalhado tão duro foi que, no final, tudo aquilo foi em vão, porque os rebeldes por fim chegaram e todos tiveram que fugir, abandonando suas fazendas para serem cobertas por erva daninha e devoradas por animais.

Foi durante o ataque à aldeia de Kamator que me separei de meus amigos. Foi a última vez em que vi Junior, meu irmão mais velho.

7

O ataque ocorreu inesperadamente, à noite. Não havia circulado um boato sequer de que os rebeldes estivessem a poucos quilômetros de Kamator. Eles entraram de repente na aldeia.

Eram mais ou menos oito da noite, quando as pessoas faziam as últimas preces do dia. O imã não se deu conta do que estava acontecendo até que fosse tarde demais. Ele ficava de pé na frente de todos, encarando o leste, recitando vigorosamente uma longa sura, e, uma vez iniciadas as preces, ninguém podia dizer qualquer coisa não relacionada à cerimônia. Não fui à mesquita naquela noite, mas Kaloko foi. Ele me contou que, ao perceberem que os rebeldes estavam na aldeia, todos saíram rápida e silenciosamente do templo, um de cada vez, deixando o imã sozinho com sua prece. Algumas pessoas tentaram alertá-lo com sussurros, mas ele as ignorou. Os rebeldes o capturaram e exigiram que ele indicasse as partes da floresta que serviam de esconderijo ao povo, mas ele se recusou a contar. Eles amarraram suas mãos e seus pés com arame, prenderam-no a um poste e atearam fogo em seu corpo. Ele não foi completamente queimado, mas o fogo o matou. Seus restos semicarbonizados foram deixados na praça da aldeia. Kaloko contou que vira tudo de um arbusto onde havia se escondido.

Durante o ataque, Junior estava na varanda onde todos nós dormíamos. Eu estava do lado de fora, sentado nos degraus. Não deu tempo de procurá-lo, tive que correr para os arbustos, sozinho. Naquela noite, dormi encostado numa árvore, sem mais ninguém por perto. Pela manhã encontrei Kaloko e juntos retornamos à aldeia. O corpo quase todo queimado do imã estava lá na praça, do jeito que Kaloko havia descrito. Deu para ver a dor que ele deve ter sentido pela maneira como sua boca estava escancarada e os dentes expostos. Todas as casas haviam sido queimadas. Não havia um sinal de vida em qualquer parte. Procuramos Junior e nossos amigos por toda a floresta, mas eles não estavam em canto algum. Encontramos por acaso uma família que conhecíamos e eles nos deixaram ficar escondidos com eles na mata próxima ao pântano. Ficamos com eles por duas semanas, duas semanas que pareceram meses. Os dias passavam muito lentamente enquanto eu me ocupava pensando nas possibilidades que poderiam surgir à frente. Haveria um fim para essa loucura, haveria um futuro além do matagal? Pensava em Junior, Gibrilla, Talloi e Khalilou. Teriam conseguido escapar do ataque? Eu estava perdendo todo mundo, minha família, meus amigos. Eu me lembrava de quando minha família se mudou para Mogbwemo. Meu pai fez uma cerimônia para abençoar nosso novo lar. Ele convidou os novos vizinhos, levantou-se e disse:

— Eu rogo aos deuses e aos ancestrais que nossa família permaneça sempre unida.

Ele olhava para nós, minha mãe segurando meu irmãozinho caçula, e Junior e eu um ao lado do outro, com balas de leite na boca.

Um dos mais velhos se ergueu e completou o que meu pai havia dito:

— Rogo aos deuses e aos ancestrais que mantenham sua família unida mesmo quando um de vocês fizer a travessia para o mundo espiritual. À família e à comunidade.

O velho ergueu as mãos abertas no ar. Meu pai aproximou-se de nós e ficou ao lado de minha mãe, fazendo sinal para que Junior e eu também nos aproximássemos deles. Quando o fizemos, meu pai nos abraçou. O grupo inteiro aplaudiu e um fotógrafo tirou algumas fotos.

Pressionei meus dedos contra as pálpebras para segurar as lágrimas e desejei ter minha família reunida outra vez.

A cada três dias, visitávamos Kamator para ver se as pessoas tinham voltado, mas todas as idas à aldeia foram em vão, não havia qualquer sinal de vida. O silêncio na aldeia era assustador. Eu sentia medo quando o vento assobiava, sacudindo os telhados de palha, e tinha a impressão de estar fora do meu corpo, vagando por um lugar qualquer. Não havia pegadas de qualquer tipo. Nem mesmo um lagarto ousava rastejar pela aldeia. Os pássaros e os grilos não cantavam. Dava para ouvir meus passos melhor do que as batidas do meu coração. Numa dessas visitas, trouxemos conosco vassouras para apagar nossas pegadas na volta para o esconderijo e evitar que fôssemos seguidos. Da última vez que fomos à aldeia, havia cães ao redor do corpo do imã, refestelando-se de seus restos. Um cão tinha pegado um braço, o outro, uma perna. Abutres sobrevoavam a carniça, preparando-se para descer sobre ela.

Estava frustrado por viver constantemente com medo. Sentia que a morte estava sempre esperando para me buscar, então decidi ir para um lugar onde tivesse ao menos alguma paz. Kaloko tinha medo de sair dali. Achava que sair do esconderijo nos arbustos era caminhar direto para a morte. Ele decidiu permanecer no pântano.

Como eu não tinha nada para carregar, enchi meus bolsos com laranjas, amarrei os cadarços dos meus tênis esfarrapados, e estava pronto para partir. Dei adeus a todos e segui em direção ao oeste. Assim que deixei o esconderijo e pisei na trilha, senti como se um lençol de tristeza tivesse me envolvido. Aquilo me cobriu por inteiro imediatamente. Comecei a chorar. Não sabia o motivo. Talvez medo do que pudesse encontrar logo adiante. Sentei na beirada do caminho por um tempo até que as lágrimas secaram, e continuei.

Andei por um dia inteiro e não encontrei uma pessoa sequer na trilha ou nas aldeias pelas quais passei. Não havia pegadas à vista, e os únicos ruídos que escutava eram minha respiração e meus passos.

Caminhei por cinco dias, do amanhecer ao entardecer, sem encontrar qualquer ser humano. À noite, dormia em aldeias abandonadas. Toda manhã eu decidia meu destino escolhendo em qual direção seguir. Meu objetivo era evitar a direção de onde eu tinha vindo. Fiquei sem laranjas logo no primeiro dia, mas colhi mais frutas em cada aldeia onde dormi. Às vezes passava por plantações de mandioca. Arrancava algumas e comia cruas. O único outro alimento disponível na maioria das aldeias era coco. Eu não sabia escalar coqueiros. Já havia tentado, mas era simplesmente impossível, até que um dia eu estava com sede e fome demais para não tentar outra vez. Foi numa aldeia onde nada havia para se comer exceto os cocos que pendiam desajeitados das árvores, como se me provocassem, desafiando-me a pegá-los. É difícil explicar como aconteceu, mas de repente montei no coqueiro bem rápido. Quando dei por mim e lembrei da minha inexperiência na arte de subir em árvores, eu já estava lá em cima, arrancando cocos. Desci tão rapidamente quanto havia subido, e comecei a procurar alguma coisa com que pudesse abri-los. Por sorte encontrei um machado meio gasto, que logo meti nas cascas. Quando acabei a refeição, encontrei uma rede e descansei por algum tempo.

Levantei recuperado e pensei: Bom, agora tenho mais energia para subir e pegar mais cocos para a viagem. Mas não consegui. Não ultrapassava sequer a metade do tronco. Tentei de novo e de novo, mas cada tentativa era mais desastrada que a outra. Fazia tempo que eu não ria, mas aquilo me levou às gargalhadas. Poderia escrever um estudo científico sobre essa experiência.

No sexto dia, tive outra vez contato com seres humanos. Tinha acabado de sair da aldeia onde havia dormido e já procurava outra quando escutei vozes à minha frente, que aumentavam e reduziam de volume conforme o vento mudava de direção. Saí da trilha e passei a caminhar com mais cuidado, me esforçando para que os passos sobre as folhas secas na floresta não fizessem qualquer ruído. Fiquei atrás de uns arbustos, observando as pessoas que eu havia escutado. Eram oito deles dentro do rio, quatro meninos de uns doze anos — a minha idade —, duas meninas, um homem e uma mulher. Eles nadavam. Depois de observá-los durante um tempo e chegar à conclusão de que eram inofensivos, decidi entrar no rio para nadar também. Para evitar assustá-los, voltei à trilha e aí fui andando até eles.

O homem foi o primeiro a me ver.

— *Kushe-oo. How de body,** senhor? — cumprimentei.

Seus olhos examinaram meu rosto risonho. Ele nada respondeu, e pensei que talvez não falasse krio. Então eu disse "olá" em mende, a língua da minha tribo:

— *Bu-wah. Bi ga huin ye na.*

Ele também não respondeu. Tirei minhas roupas e mergulhei no rio. Quando voltei à superfície, todos eles haviam parado de nadar mas permaneciam dentro d'água. O homem, que devia ser o pai, me perguntou:

— De onde você vem e para onde está indo? — Ele era mende e entendia krio muito bem.

— Sou de Mattru Jong e não sei para onde estou indo. — Enxuguei a água do rosto e continuei: — Para onde o senhor e a sua família estão indo?

Ele ignorou minha pergunta fingindo não a ter ouvido. Em seguida perguntei se ele conhecia o caminho mais curto que levasse a Bonthe, uma ilha no sul de Serra Leoa que, de acordo com o boca-a-boca, era um dos lugares mais seguros naquela época. Ele me disse que, se eu continuasse andando em direção ao mar,

* *How de body*: "How are you" ou "como vai você", no inglês-*creole* de Serra Leoa. (N. da T.)

acabaria encontrando quem soubesse informar melhor o caminho. Estava claro pelo seu tom de voz que ele não me queria por perto e não confiava em mim. Olhei para os rostos curiosos e céticos das crianças e da mulher. Eu estava feliz em ver outros rostos e ao mesmo tempo triste porque a guerra tinha destruído a alegria da experiência de conhecer gente. Não se podia mais confiar nem mesmo em um menino de doze anos. Saí da água, agradeci ao homem e segui caminho na direção que ele apontara como sendo a do mar.

Infelizmente, não sei os nomes das aldeias que me abrigaram e me deram de comer naqueles tempos. Não havia a quem perguntar e naquelas regiões do país não havia placas indicando o nome de qualquer lugar.

8

Andei por dois dias inteiros sem dormir. Fiz apenas algumas paradas em córregos para beber água. Tinha a sensação de que havia alguém atrás de mim. Quase sempre fugia da minha própria sombra por milhas e milhas. Tudo me parecia estranhamente brutal. Até mesmo o ar parecia querer me atacar e quebrar meu pescoço. Eu sabia que estava com fome, mas não tinha apetite para comer nem forças para procurar comida. Passei por aldeias totalmente queimadas em que os corpos de homens, mulheres e crianças de todas as idades estavam espalhados pelo chão como folhas depois de uma tempestade. Seus olhos ainda mostravam medo, como se a morte não os tivesse libertado de uma loucura que continuou a se descortinar para eles. Vi cabeças cortadas por machados, esmagadas por tijolos, e rios cheios de tanto sangue que a água parecia ter parado de correr. A cada vez que repassava essas cenas na minha cabeça, acelerava meus passos. Às vezes fechava os olhos, tentando parar de pensar, mas o olho da mente se recusava a fechar e continuava a me perseguir com aquelas imagens. Meu corpo tremia de medo, e eu ficava tonto. Via as folhas das árvores se moverem, mas o vento não circulava.

No terceiro dia, encontrei-me no meio de uma floresta densa, debaixo de árvores enormes, e suas folhas e seus galhos me impediam de ver o céu. Não sabia como tinha chegado ali. A noite estava vindo, então achei uma árvore adequada, não muito alta, para subir; tinha galhos trançados com uma outra, formando uma espécie de rede. Passei a noite deitado nos braços daquelas árvores, entre a terra e o céu.

Na manhã seguinte, acordei determinado a encontrar a saída da floresta, mesmo com dor nas costas por ter dormido sobre os galhos duros. No caminho, encontrei uma nascente que corria sob uma pedra gigantesca. Sentei ali para descansar, e então cruzei o olhar com o de uma enorme cobra, escura, que se escondeu na vegetação. Encontrei um pedaço de pau para me proteger enquanto continuava sentado, brincando com as folhas no chão para evitar os pensamentos que invadiam minha cabeça. Mas minha mente continuava a me atormentar, e todo esforço que eu fazia para afastar aqueles pensamentos horríveis era em vão. Decidi caminhar, tateando o chão com a vara. Caminhei por toda a manhã, até o começo da noite, mas no fim do dia eu estava no mesmo lugar onde havia dormido na noite anterior. Foi quando eu finalmente aceitei que estava perdido e que eu ia levar um bom tempo para sair dali. Decidi tornar um pouco mais confortável meu lar improvisado, colocando folhagem nos galhos entrelaçados para tornar aquela cama menos dura.

Andei um pouco por ali para conhecer melhor a minha vizinhança. Enquanto me familiarizava com a casa nova, limpei as folhas secas do chão. Então, peguei um graveto e desenhei na terra linhas que ligavam o lugar onde eu dormia até a nascente onde eu tinha conhecido minha vizinha, a cobra. Lá encontrei uma outra bebendo água, que ficou imóvel quando me viu.

Enquanto eu realizava minhas tarefas, ouvi a cobra rastejar, afastando-se. Desenhei linhas separando folhas secas no chão. Essas linhas evitariam que eu me perdesse no caminho entre a nascente e meu local de dormir. Quando terminei o reconhecimento da área, sentei no chão e tentei pensar num jeito de sair da floresta. Mas aquilo não levou a nada, já que estava com medo até de pensar. Acabei chegando à conclusão de que era melhor ficar onde estava. Mesmo sozinho e perdido, por ora estava mais seguro ali.

Em volta da nascente havia diversas árvores com uma fruta madura que eu nunca tinha visto. Os pássaros vinham comer a estranha fruta toda manhã. Decidi experimentar um pedaço, já que era a única coisa comestível por ali. Era ou arriscar e comer essa fruta que podia me envenenar ou morrer de fome. Decidi comer a fruta. Pensei que, se os pássaros comiam e sobreviviam, talvez eu tivesse a mesma sorte. O formato da fruta era o de um limão, com uma mescla de amarelo e vermelho na casca. Por dentro, era dura, com bastante suco e polpa, e tinha uma pequena semente. Cheirava a uma mistura de manga madura, laranja e uma outra coisa que parecia irresistível. Ainda hesitante, arranquei uma da árvore e mordi. Não tinha um gosto tão bom quanto seu cheiro sugeria, mas era satisfatório. Devo ter comido umas doze delas. Depois bebi água e sentei para aguardar os resultados.

Pensei nas minhas visitas a Kabati com Junior e nos passeios com nosso avô nas trilhas em torno das plantações de café da aldeia. Ele mostrava folhas medicinais e árvores cujas cascas eram importantes medicamentos. A cada visita, nosso avô sempre nos dava um remédio especial que supostamente aumentava a capacidade do cérebro de receber e armazenar conhecimento. Ele fazia esse remédio escrevendo uma prece em árabe em uma espécie de lousa (*waleh*), com tinta feita de outro tipo de medicamento. As palavras eram então lavadas da lousa e aquela água, que chamavam *Nessie*, era colocada em uma garrafa. Levávamos a garrafa conosco e devíamos escondê-la para beber em segredo antes dos testes na escola. O remédio funcionava. Durante o ensino fundamental e parte do ensino médio, eu conseguia me lembrar de tudo que me era ensinado. Às vezes funcionava tão bem que conseguia visualizar minhas anotações e tudo que estava escrito em cada página dos meus livros. Era uma das muitas maravilhas da minha infância. Até hoje tenho excelente memória fotográfica, que me permite lembrar detalhes do dia-a-dia em minha vida, permanentemente.

Procurei na floresta as folhas medicinais que meu avô indicava para tirar o veneno do corpo. Poderia precisar delas se a fruta que comi fosse venenosa. Mas não encontrei a planta.

Depois de duas horas nada aconteceu, então decidi tomar um banho. Fazia um bom tempo que não me lavava direito. Minhas roupas estavam imundas, meus tênis, podres, e meu corpo grudava de tanta sujeira. Quando a água correu pelo meu corpo, virou lama. Não tinha sabão, mas na floresta havia uma área com um tipo de grama que servia para esse propósito. Eu tinha aprendido a respeito disso em uma visita à casa de minha avó num verão. Quando esmaguei um punhado daquela grama, ela liberou uma espuma que deixou um cheiro bom no meu corpo, fresco. Quando terminei o banho, lavei minhas roupas, ou melhor, encharquei e deixei-as secando sobre a grama. Sentei-me, nu, e limpei meus dentes com alburno. Um veado apareceu e me observou desconfiado antes de seguir caminho. Distraí-me dos meus pensamentos ouvindo os sons da floresta, com o canto dos pássaros misturando-se à gritaria dos macacos e à algazarra dos babuínos.

À tardinha, vesti minhas roupas ainda úmidas, para que o calor do meu corpo pudesse secá-las mais rápido antes de cair a noite. Ainda estava vivo, apesar de ter comido a fruta sem nome, então jantei mais algumas. Na manhã seguinte, comi mais da fruta, assim como no almoço e, mais uma vez, na janta. A fruta desconhecida se tornou meu único alimento. Ainda havia bastante, mas eu sabia que mais cedo ou mais tarde acabaria. Às vezes eu tinha a impressão de que os pássaros estavam me olhando com raiva por estar comendo tanto de sua comida.

A parte mais difícil da vida na floresta era a solidão. Ficava mais insuportável a cada dia. Uma coisa que acontece quando se está tão sozinho é pensar demais, especialmente quando não há mais nada a se fazer. Eu não estava gostando daquilo e tentava parar de pensar, mas nada funcionava. Decidi ignorar todo e qualquer pensamento que cruzasse minha mente porque todos traziam tristeza. Fora comer e beber água, e de vez em quando tomar um banho, passava o resto do meu tempo lutando contra mim mesmo, mentalmente, para evitar pensar no que havia visto e no que seria a minha vida dali em diante, onde estariam meus amigos e minha família. Quanto mais eu resistia aos pensamentos, mais longos eram os dias, e sentia como se minha cabeça ficasse mais e mais pesada a cada dia que passava. Comecei a ficar irrequieto e tinha medo de que os pensamentos reprimidos surgissem nos meus sonhos.

Enquanto procurava mais comida e uma saída da floresta, eu temia animais selvagens como leopardos, leões e porcos selvagens. Ficava sempre perto de árvores que pudesse escalar com alguma facilidade para me proteger daqueles animais. Andava o mais rápido que podia, mas, quanto mais avançava, mais fundo parecia entrar na imensa floresta. Quanto mais eu tentava sair, maiores e mais largas tornavam-se as árvores. O que era um problema, porque ficava cada vez mais difícil encontrar uma árvore fácil de escalar e com galhos que servissem de cama para dormir.

Uma noite, enquanto buscava uma árvore com um bom galho bifurcado sobre o qual pudesse dormir, ouvi grunhidos. Não tinha certeza de que animais podiam emitir aquele tipo de grunhido, mas o som ia aumentando. Subi numa árvore para me proteger. Lá de cima, sentado, vi um bando de porcos selvagens correndo. Era a primeira vez que via aqueles animais, e eram enormes, todos eles. Se ficassem de pé, seriam mais altos que eu. Todos tinham dentes pontudos saindo da boca. Quando passaram por baixo de mim, um dos maiores parou e apontou o nariz, farejando em todas as direções. Deve ter sentido minha presença. Quando foram embora, desci e, de repente, dois porcos enormes correram para cima de mim. Eles me perseguiram por cerca de oitocentos metros, enquanto eu procurava outra árvore que pudesse escalar. Por sorte, encontrei uma em que consegui subir em um pulo só. Os porcos pararam e começaram a investir contra a base da árvore. Eles grunhiam alto e o resto do bando voltou. Todos eles investiam juntos contra o tronco e tentavam destruí-lo também com os dentes. Eu subi ainda mais alto. Depois de um tempo, quando os grilos começaram a chamar pela noite, eles finalmente desistiram.

Minha avó uma vez contou uma história sobre um notório caçador de porcos selvagens que usava magia para se transformar no próprio animal que costumava caçar. Transformado, ele guiava o bando de porcos selvagens até uma clareira, onde virava humano outra vez e aprisionava os porcos, em seguida atirando contra eles. Certa vez, quando o caçador fazia seu truque, um porco menor o viu comendo a planta que o fazia retornar à forma humana. O porco contou aos seus companheiros o que tinha visto. Todo o bando passou a procurar a planta pela floresta e a destruir cada uma delas que encontrava. No dia seguinte, o caçador fez sua mágica para virar porco e levou o bando de animais até a clareira. Mas não conseguia encontrar a planta que desfazia a transformação. Os porcos o fizeram em pedacinhos. Desde aquele dia os porcos selvagens não confiam mais em humanos e, sempre que vêem uma pessoa na floresta, pensam que está lá para vingar o caçador.

Depois que os porcos se foram, observei o terreno até ter certeza de que estava seguro, desci e continuei a caminhar. Queria estar fora daquela área antes que amanhecesse, temia que, se permanecesse ali, pudesse dar de cara com os porcos outra vez. Andei a noite inteira e continuei a andar durante o dia. No começo da noite seguinte, vi corujas saírem de seus esconderijos, girando os olhos, esticando-se, familiarizando-se com o ambiente e se preparando para a noite. Eu caminhava depressa, mas sem fazer barulho, quando acidentalmente pisei no rabo de uma cobra. Ela começou a sibilar e a rastejar na minha direção. Corri o mais rápido que pude por um bom tempo. Quando eu tinha seis anos de idade, meu avô me deu um remédio que deveria me proteger de picada de cobra e me tornaria capaz de controlá-las. Mas, assim que comecei a estudar, passei a duvidar do poder daquele remédio. Depois disso, nunca mais consegui fazer com que as cobras parassem para eu passar.

Quando eu era bem pequeno, meu pai costumava dizer: "Se você está vivo, existe esperança de que dias melhores virão e algo bom acontecerá. Se o destino de uma pessoa nada mais guarda de bom, é porque sua morte está por vir."

Pensava nessas palavras enquanto seguia, e elas me fizeram ir adiante mesmo quando eu não sabia para onde. Essas palavras se tornaram meu combustível, me levando em frente e me mantendo vivo.

Eu já havia passado mais de um mês na floresta quando finalmente encontrei pessoas outra vez. As únicas coisas vivas que havia visto naquele período foram macacos, cobras, porcos selvagens e veados, e não dava para conversar com eles. Às vezes observava os macacos menores praticando seus saltos de árvore em árvore ou os olhos curiosos de um veado que pressentia minha presença. O som dos galhos estalando nas árvores passara a ser minha música. Em alguns dias eu identificava nesse som um ritmo que eu adorava, a sonoridade daquilo ecoava por um tempo e, então, desaparecia gradativamente nas profundezas da floresta.

Eu estava caminhando devagar, cambaleando de fome, dor na coluna e cansaço, quando encontrei garotos da minha idade numa encruzilhada onde duas trilhas tornavam-se uma só. Eu vestia calças que tinha encontrado fazia pouco tempo, penduradas num varal numa aldeia abandonada. Eram grandes demais para mim, então eu havia prendido a cintura com uma corda para que não caíssem quando eu andasse. Chegamos todos à junção dos caminhos ao mesmo tempo e, quando nos vimos, ficamos paralisados de medo. Parado, sem conseguir correr, reconheci alguns rostos e sorri para quebrar a tensão e amenizar a incerteza. Eram seis meninos, e três deles, Alhaji, Musa e Kanei, tinham freqüentado a Escola Centenária Secundária comigo em Mattru Jong. Não éramos grandes amigos, mas quatro de nós tínhamos apanhado juntos certa vez por responder ao diretor. Balançamos a cabeça uns para os outros depois do castigo, que achamos desnecessário. Apertei as mãos dos garotos.

Dava para saber a qual tribo cada um pertencia pelas marcas em suas bochechas e outros detalhes. Alhaji e Saidu eram temnes; e Kanei, Jumah, Musa e Moriba eram mendes. Eles me disseram que estavam indo para uma aldeia chamada Yele, em Bonthe, um distrito que, ouviram dizer, estava seguro, ocupado pelas forças armadas de Serra Leoa.

Eu os segui calmamente, tentando me lembrar de seus nomes, especialmente daqueles que reconhecia. Andava no final do grupo, mantendo certa distância. Comecei a notar que ficava desconfortável quando estava entre outras pessoas.

Kanei, o mais velho, de uns dezesseis anos, me perguntou por onde eu tinha andado. Sorri sem responder. Ele me deu alguns tapinhas no ombro, como se soubesse de tudo por que eu tinha passado.

— As circunstâncias vão mudar e tudo vai ficar bem, agüente mais um pouco — ele disse, batendo de novo no meu ombro e balançando a cabeça como para confirmar suas palavras. Respondi com um sorriso.

Mais uma vez eu fazia parte de um grupo de meninos. Agora éramos sete. Eu sabia que aquilo se tornaria um problema, mas não queria ficar sozinho outra vez. O medo tinha tomado o lugar da nossa inocência, tínhamos nos transformado em monstros. Nada podíamos fazer a respeito daquilo. Às vezes corríamos atrás de outras pessoas gritando que não éramos o que eles estavam pensando, mas aquilo só fazia ficarem com mais medo ainda. Só queríamos perguntar qual era a direção certa. Era impossível.

Havíamos caminhado por mais de seis dias quando encontramos um homem muito velho que mal conseguia andar. Ele estava sentado na varanda de uma casa, no meio de uma aldeia. Seu rosto era enrugado demais para alguém que ainda estava vivo, mas sua pele brilhava e ele falava vagarosamente, mastigando as palavras na boca antes de deixá-las sair. Quando falava, as veias ficavam visíveis na pele de sua testa.

— Todos correram quando ouviram dizer que "os sete meninos" estavam vindo para cá. Eu não podia correr. Então, me deixaram para trás. Ninguém quis me carregar e disseram que eu seria um fardo — ele falou.

Explicamos a ele de onde vínhamos e aonde queríamos chegar. Ele pediu que ficássemos um pouco para lhe fazer companhia.

— Vocês devem estar com fome, amigos. Tenho umas batatas doces naquela cabana ali. Podem cozinhar algumas para mim e para vocês? — ele perguntou, educadamente. Quando estávamos quase terminando de comer, ele disse, bem devagar: — Minhas crianças, este país perdeu o bom coração que tinha. As pessoas não confiam mais umas nas outras. Há alguns anos, vocês teriam sido bem recebidos nesta aldeia. Espero que vocês consigam encontrar um local seguro antes que toda a desconfiança e o medo façam com que alguém os machuque. — Com sua bengala, ele desenhou um mapa na terra. — É assim que se chega a Yele — ele disse.

— Qual o seu nome? — perguntou Kanei.

O velho sorriu como se soubesse que um de nós ia acabar fazendo aquela pergunta.

— Não há necessidade de saberem meu nome. Quando chegarem à próxima aldeia, refiram-se a mim como o velho que foi deixado para trás. — Ele olhou para cada um de nós, falando calmamente, sem tristeza na voz: — Não vou estar vivo quando esta guerra acabar. Então, para guardar espaço na sua memória para outras coisas, não direi meu nome. Se vocês sobreviverem a esta guerra, lembrem-se de mim como o velho que conheceram. Agora, sigam seu caminho. — Ele apontou com a bengala a direção da trilha que se estendia a nossa frente.

Enquanto caminhávamos, ele apagou o mapa com o pé e acenou para nós com a mão direita e um meneio da cabeça. Antes que a aldeia sumisse de vista, virei para olhar o velho uma última vez. Sua cabeça estava abaixada e ele tinha ambas as mãos apoiadas na bengala. Estava claro para mim que ele sabia que seus dias acabariam em breve e não se dava ao trabalho de temer por sua vida. Mas temia por nós.

Alguém começara o tal boato sobre "os sete meninos", nós. Muitas vezes em nossa viagem fomos cercados por homens grandes, armados de machados, que por pouco não nos mataram antes de se darem conta de que éramos apenas crianças fugindo da guerra. Às vezes eu olhava a lâmina dos machados e pensava no quanto ia doer se me cortassem com uma. Noutras, estava com tanta fome e tão cansado que nem me importava. Em aldeias lotadas, onde parávamos às vezes para passar a noite, os homens ficavam acordados para nos vigiar. Quando íamos ao rio lavar o rosto, as mães pegavam seus filhos e corriam para casa.

9

Numa manhã, logo depois de passarmos por uma aldeia abandonada, começamos a ouvir algo que parecia o barulho de motores grandes, tambores de metal ou a explosão de trovões, um atrás do outro. Os ruídos chegaram aos ouvidos de cada um de nós simultaneamente. Rapidamente desviamos da trilha, corremos para os arbustos e nos jogamos no chão. Encaramos uns aos outros, em busca de alguma explicação para aquele som estranho. Nem mesmo Kanei, que às vezes tinha respostas, sabia dizer o que era aquilo que estávamos ouvindo. Todos olhamos para ele, e seu rosto não escondia que também estava confuso.

— Temos que descobrir o que é isso, senão não podemos seguir até Yele — Kanei sussurrou e começou a rastejar em direção ao som.

Nós o seguimos, arrastando o corpo sobre folhas secas. O som se intensificava à medida que avançávamos, e uma brisa pesada sacudia as árvores acima de nós. Podíamos ver com clareza o céu azul, mas nada além disso. Kanei arriscou sentar sobre os tornozelos para inspecionar melhor a área.

— É só água, muita água, e areia, área à beça. — Kanei continuava olhando.

— O que está fazendo esse barulho todo, então? — Alhaji perguntou.

— Tudo o que vejo é água e areia — Kanei respondeu, e então fez sinal com a mão para que nos aproximássemos para ver.

Sentamos sobre nossos tornozelos por um tempo, olhando em diferentes direções, tentando localizar a fonte de tanto ruído. Sem nos dizer nada, Kanei rastejou para fora da mata e começou a andar na areia, em direção à água.

Era o oceano Atlântico. Os ruídos que ouvíamos eram as ondas batendo no litoral. Eu já tinha visto partes do oceano, mas nunca tinha estado de frente para toda a imensidão da costa. O mar se expandia além do que meus olhos podiam alcançar. O céu era mais azul e parecia se juntar ao oceano mais adiante. Meus olhos se abriram ao máximo, um sorriso se formou no meu rosto. Mesmo em meio à loucura ainda existia a verdadeira beleza natural, e, enquanto me maravilhava com a paisagem, aquilo tirou minha mente do pesadelo que estava vivendo.

Nos aproximamos e sentamos numa duna para observar o oceano, admirando o espetáculo da sucessão das ondas. Elas vinham em três formas. A primeira era pequena, mas forte o suficiente para quebrar a perna de alguém. A segunda era alta e mais forte que a primeira, e a terceira era um espetáculo. Ela rolava e ultrapassava a beira da praia quando avançava. Tivemos que correr de onde estávamos sentados. A onda atingiu a costa tão forte que espalhou grãos de areia pelo ar. Quando voltamos para olhar, a onda tinha atirado despojos do oceano na beirada, inclusive grandes caranguejos, que, apesar de seu tamanho, não eram fortes o suficiente para se segurar no fundo do mar, mas ainda estavam vivos.

Foi uma caminhada tranqüila pela praia, já que não esperávamos qualquer problema naquela região. Corremos atrás uns dos outros e brincamos de lutar na areia, demos cambalhotas e apostamos corrida. Chegamos até a amarrar a camisa velha de Alhaji com uma corda para fazer uma bola de futebol. Então jogamos, e, cada vez que um de nós fazia gol, comemorava dançando o *souko.** Gritamos, rimos e cantamos músicas que aprendemos no colégio.

Começamos a andar na praia de manhã bem cedo e vimos o sol nascer. Por volta de meio-dia, avistamos algumas cabanas adiante e apostamos corrida até elas. Quando chegamos, ficamos preocupados. Não havia ninguém na aldeia. Vimos pilões jogados na areia e arroz espalhado em volta, água vazando de galões e fogueiras apagadas nas cozinhas das cabanas. A primeira coisa que nos ocorreu foi que os rebeldes tinham passado por ali. Antes que conseguíssemos pensar noutra alternativa, um grupo de pescadores surgiu de trás das cabanas carregando machados, arpões e redes. Ficamos tão surpresos com sua chegada que nem mesmo conseguimos correr.

— Por favor, não vamos fazer mal a ninguém, estamos só de passagem — foi só o que conseguimos gritar, em cada um dos dezoito dialetos locais que conhecíamos. Os pescadores nos golpearam com os cabos de suas armas até cairmos no chão. Eles sentaram em cima de nós, amarraram nossas mãos e nos levaram ao seu chefe.

* Ritmo popular na África, também conhecido como "rumba africana". (N. da T.)

A população da aldeia tinha ouvido falar de um grupo de jovens que, acreditavam, eram rebeldes, e que estaria vindo na sua direção. Ao saberem daquilo, armaram-se e ficaram escondidos, esperando para defender suas casas e proteger suas famílias. Aquilo não era mais novidade para nós, mas não esperávamos que fosse acontecer ali, já que pensamos estar longe do perigo. Eles nos fizeram várias perguntas do tipo "De onde vêm? Para onde vão? Por que tomaram esta direção?". Alhaji, o mais alto entre nós, que às vezes era tomado por mais velho, tentou explicar ao chefe que estávamos apenas de passagem. Depois disso, os homens arrancaram nossos tênis esfarrapados, nos desamarraram e correram atrás de nós, gritando, empunhando seus machados e arpões até a saída da aldeia.

Não sabíamos que tipo de castigo os pescadores tinham nos dado até que paramos de correr para longe da aldeia. O sol estava no meio do céu, fazia quarenta e oito graus e estávamos descalços. A umidade perto do mar era menor que longe dele, mas, como não havia árvores para fazer sombra, o sol penetrava diretamente na areia, tornando-a solta e quente. Andar descalço sobre a areia era a mesma coisa que andar descalço sobre asfalto quente. A única saída era continuar andando e esperar por um milagre. Não podíamos andar na água nem na areia molhada perto dela. Tínhamos que manter distância de onde a água encontrava a areia, as ondas eram perigosas. Depois de chorar por várias horas, meus pés ficaram dormentes. Continuei andando, mas não conseguia sentir minhas solas.

Caminhamos na areia escaldante até o pôr-do-sol. Nunca havia esperado tanto pelo fim de um dia como naquele. Achei que o entardecer curaria minha dor. Mas, assim que o calor diminuiu, a anestesia também desapareceu. A cada vez que levantava os pés, as veias se apertavam e eu sentia os grãos de areia penetrando as solas em carne viva. Os quilômetros seguintes pareciam tão longos que achei que não conseguiria seguir andando. Eu transpirava e meu corpo inteiro tremia de dor. Finalmente chegamos a uma cabana construída sobre a areia. Nenhum de nós conseguia falar. Entramos na cabana e nos sentamos em troncos que ficavam em volta de uma espécie de lareira. Eu estava com os olhos cheios de lágrimas, mas não chorava; de tanta sede, não conseguia emitir um som sequer. Olhei à minha volta, procurando os rostos dos meus companheiros. Eles também estavam chorando, mas sem fazer barulho. Olhei para as solas dos meus pés, hesitante. Havia pedaços de pele pendurados, sangue coagulado e grãos de areia presos à pele esfacelada. Parecia que alguém tinha literalmente usado uma navalha para cortar a pele das solas dos meus pés do calcanhar até os dedos. Desencorajado, olhei para o céu através de um buraco no telhado de palha da cabana, tentando não pensar nos meus pés. Enquanto permanecíamos em silêncio, o dono da cabana apareceu. Ele estava prestes a nos dar as costas quando percebeu que sofríamos. Seus olhos cruzaram com nossos rostos apavorados. Musa tinha acabado de levantar um dos pés e tentava separar a areia da carne. O resto de nós segurava os joelhos para que os pés não tocassem o chão. O homem fez sinal para que Musa parasse o que estava fazendo. Sacudiu a cabeça e saiu.

Minutos depois ele retornou, carregando uma cesta cheia de um tipo diferente de grama. Quieto, fez uma fogueira e esquentou a grama sob nossos pés levantados. O vapor da grama subiu até as solas dos pés e gradualmente diminuiu a dor. O homem saiu sem dizer nada.

Mais tarde voltou trazendo peixe frito, arroz e um balde com água. Ele colocou a comida à nossa frente e sinalizou para que comêssemos. Novamente desapareceu, voltando minutos depois, agora com um largo sorriso. Ele trazia a rede de pesca num ombro, um par de remos e uma lanterna grande.

— *You peekin dem dae feel betteh, right?** — Sem esperar para saber se tínhamos melhorado ou não, ele nos indicou onde estavam as esteiras de dormir, informou que sairia para pescar e voltaria pela manhã. Não fez questão de saber nossos nomes. Acho que não pensou que aquilo pudesse ter qualquer importância naquele momento. Antes de partir, nos deu um ungüento para os pés e deixou claro que devíamos usar aquilo antes de dormir. Ficamos muito quietos a noite inteira. Ninguém disse uma palavra sequer.

Na manhã seguinte nosso anfitrião sem nome veio novamente, trazendo comida e um sorriso no rosto, que indicava que estava feliz com nossa melhora. Não podíamos andar direito, só mancávamos pela cabana gozando da cara uns dos outros para evitar o tédio.

Kanei ficou dizendo que era um grande jogador de futebol. Musa atirou uma casca de noz para ele; Kanei armou o pé para chutá-la, mas lembrou que ia se machucar e puxou o pé depressa para trás, arrastando-o contra uma pedra. Começou a soprar a sola, cheio de dor.

— Que tipo de jogador de futebol você quer ser se tem medo de chutar uma casca de noz? — Musa gargalhava. Todos começamos a rir aos poucos.

* "Seu pé está melhor, não é?" (N. da. T.)

Musa tinha uma cara redonda, era baixinho e corpulento, com orelhas pequenas e arredondadas que combinavam com seu rosto. Tinha os olhos grandes, que pareciam querer saltar das órbitas. Sempre que tentava nos convencer de alguma coisa, seus olhos ficavam acesos.

Kanei tinha um rosto calmo e alongado e, diferentemente de Musa, era magrelo e tinha cabelo bem escuro, curto, de que cuidava muito bem toda manhã, ou sempre que parávamos num rio ou numa nascente. Ele esfregava água cuidadosamente na cabeça e usava o tempo que fosse necessário para arrumar o cabelo.

— Vai encontrar alguma garota hoje? — Alhaji perguntava, rindo. Kanei, com sua voz autoritária e macia, parecia saber sempre o que dizer e como controlar certas situações melhor que todos nós.

Toda vez que Alhaji falava, recorria a gestos elaborados. Era como se quisesse que suas longas mãos se estendessem até a pessoa com quem estava falando. Ele e Jumah eram amigos. Sempre caminhavam perto um do outro. Jumah balançava a cabeça o tempo todo, concordando com qualquer coisa que o desengonçado Alhaji dissesse enquanto andavam. Jumah usava mais a cabeça para fazer gestos do que as mãos. Quando falava, movia a cabeça da esquerda para a direita. Mantinha as mãos cruzadas nas costas a maior parte do tempo, como um velho.

Saidu e Moriba eram quase tão quietos quanto eu. Eles sempre sentavam perto um do outro, separados do grupo. Saidu respirava forte enquanto caminhava. Suas orelhas eram enormes e, quando estava escutando, pareciam levantar como as de um veado. Moriba sempre dizia que ele devia ouvir melhor que todo mundo. Moriba costumava brincar com as mãos, examinando as linhas na palma e esfregando os dedos enquanto murmurava coisas para si mesmo.

Eu mal falava.

Conhecia Alhaji, Kanei e Musa do colégio. Nunca conversamos muito sobre nosso passado, especialmente sobre nossas famílias. As poucas conversas que tivemos e que não tinham relação com nossa jornada eram sobre futebol e sobre o colégio, até que voltávamos ao silêncio.

A dor nos pés começou a diminuir mesmo na quarta noite. Saímos para caminhar em volta da cabana, e durante nosso passeio descobrimos que estávamos a apenas oitocentos metros de distância da aldeia maior; à noite dava para ver a fumaça saindo das cozinhas das pequenas cabanas da aldeia.

Permanecemos na cabana por uma semana inteira. Nosso anfitrião nos trazia água e comida toda manhã e toda noite. Ele tinha os dentes mais brancos que eu já tinha visto, e andava sem camisa o tempo todo. Às vezes, quando vinha nos ver pela manhã, estava mastigando goma de plantas. Certa manhã perguntei seu nome. Ele sorriu de leve.

— Não é preciso. Assim todos nós ficaremos seguros.

Na noite seguinte nosso anfitrião decidiu nos levar a uma parte do Atlântico próxima dali. Enquanto caminhávamos, ele puxou conversa. Soubemos que era sherbro, uma das muitas tribos de Serra Leoa. Quando ouviu nossas histórias de como tínhamos andado desde Mattru Jong, não conseguia acreditar. Ele disse que soubera sobre a guerra, mas ainda achava difícil crer que as pessoas fossem capazes das coisas que ouviu dizer que estavam fazendo. Nosso anfitrião tinha nascido na aldeia principal e nunca saíra de lá. Comerciantes traziam roupas e arroz, além de outros ingredientes para cozinha, em troca de sal e peixe, então ele não precisava ir a parte alguma. Se eu tivesse que adivinhar, diria que ele tinha vinte e poucos anos. Contou que ia se casar no mês seguinte e estava ansioso pela união. Perguntei por que sua cabana era afastada da aldeia. Ele me disse que aquela era sua cabana de pescaria, onde guardava suas redes e todo o material de pesca e onde secava o peixe na estação das chuvas.

Quando chegamos ao mar, andamos até uma entrada da baía onde as ondas não batiam com força. Sentamos nas escarpas.

— *Put you foot nah de wahter, make de salt wahter soakam.**

Ele disse também que a água salgada era boa para curar a dor e prevenir o tétano. O anfitrião se sentou perto de nós, nos observando, e, sempre que olhava para ele, estava sorrindo e seus dentes brancos destacavam-se na pele negra do rosto. A brisa mais seca, da terra, combinava-se suavemente com o ar frio que vinha do oceano. Queria muito saber seu nome, mas me contive.

Ele disse para irmos toda noite àquela parte da praia e colocarmos os pés na água. Aquilo nos curaria em menos de uma semana. Ele olhou para o céu, onde as estrelas começavam a ser cobertas por nuvens rápidas.

— Vou cuidar da canoa. Vai chover, voltem vocês pra cabana. — Ele começou a correr na areia em direção à aldeia.

* "Coloque os pés de vocês na água, deixe a água salgada molhá-los." (N. da T.)

— Queria ser aquele homem. Ele parece tão feliz e satisfeito com a própria vida — Alhaji disse.

— Ele é um homem muito bom, também. Eu queria muito saber seu nome — Kanei falou.

— Sim, sim — todos concordamos com Kanei e seguimos com nossos devaneios, interrompidos pelo repentino estouro da chuva.

Não tínhamos dado ouvidos ao anfitrião e ficamos no mesmo lugar depois que nos mandou retornar logo à cabana. Voltamos o mais depressa possível até ela. Lá dentro, sentamos em volta do fogo para nos secar e comemos peixe.

Já estávamos com nosso anfitrião havia duas semanas e nos sentíamos bem melhor quando, bem cedo, certa manhã, uma mulher mais velha apareceu na cabana. Ela nos acordou e mandou que partíssemos imediatamente. Disse que era a mãe de nosso anfitrião e que as pessoas na aldeia haviam descoberto sobre nós e estavam a caminho para nos capturar. Pelo jeito que falava, percebi que a mulher sabia sobre nós o tempo todo. Ela tinha trazido peixe e água para levarmos na viagem. Não tivemos tempo suficiente para agradecer a ela e dizer que agradecesse por nós ao filho pela hospitalidade que nos oferecera. Mas, pelo que ela nos disse, parecia saber que estávamos gratos e que temia pela nossa segurança mais do que qualquer coisa.

— Crianças, vocês precisam correr, minha bênção vai com vocês.

Sua voz tremia com tristeza, e ela limpou o rosto, desconsolada, enquanto desaparecia atrás da cabana e voltava à aldeia.

Não fomos rápidos o suficiente para escapar dos homens que vieram atrás de nós. Eram doze correndo atrás de sete, e nos jogaram contra a areia. Eles amarraram nossas mãos.

Na verdade, percebendo que seria pego, parei de correr e ofereci minhas mãos para serem amarradas. O homem que me perseguia estava um pouco atrás dos demais. Ele se aproximou de mim com cautela e chamou a atenção de outro homem, que estava atrás de mim com um toco de madeira e um machado. Enquanto amarrava as minhas mãos, trocamos um olhar que durou poucos segundos. Abri meus olhos tentando dizer a ele que eu não passava de um menino de doze anos. Mas alguma coisa nos olhos dele me disse que ele não se importava com a minha segurança, mas só com a dele e a da aldeia.

Os homens nos levaram até a aldeia e nos fizeram sentar em frente ao seu chefe. Já havia passado por isso antes, e me perguntava se a experiência era nova para meus companheiros de viagem. Eles tentavam segurar o choro enquanto se erguiam. Comecei a ficar preocupado, porque da última vez tinha encontrado alguém na aldeia que me conhecia do colégio e que nos salvou. Agora estávamos longe de Mattru Jong. Longe demais de casa.

A maioria dos homens estava sem camisa, mas o chefe se vestia elegantemente. Usava as roupas mais tradicionais, de algodão com intricados desenhos na gola feitos de linhas amarelas e marrons, costuradas em ziguezague verticalmente em seu peito. Suas sandálias de couro marrom pareciam novas e ele carregava uma bengala com figuras esculpidas de pássaros, canoas e todo tipo de animais, além de uma cabeça de leão no topo. O chefe nos examinou por um tempo e, quando me encarou, dei-lhe um meio sorriso, que ele desprezou cuspindo no chão uma semente de *kola*.* Sua voz era áspera.

— Vocês, crianças, se transformaram em diabinhos, mas vieram à aldeia errada. — Ele usava a bengala para gesticular, em vez de usar as mãos. — Bem, este é o fim da linha para demônios como vocês. No mar, nem uns sem-vergonhas como vocês conseguem sobreviver. Tirem as roupas deles — ele ordenou aos homens que haviam nos prendido. Eu tremia de medo, mas não conseguia chorar. Alhaji, gaguejando aterrorizado, tentou dizer alguma coisa, mas o chefe chutou um lado do banco onde ele estava sentado e declarou: — Não quero ouvir nem uma palavra de um demônio.

Nosso anfitrião sem nome e sua mãe estavam no meio do povo. A mãe apertava as mãos cada vez que o chefe nos chamava de demônios ou gritava conosco. Quando tiravam minha roupa, as fitas cassete de rap caíram dos meus bolsos e o homem que me despia pegou-as, entregando em seguida ao chefe. O chefe olhou bem de perto os rostos nas capas das fitas. Ele examinou cuidadosamente, de uma ponta a outra, a capa e a contracapa da fita do Naughty by Nature, parecendo notar a postura militante e a expressão desafiadora nos rostos dos três caras parados em frente a um poste, intrigado pelas poses. Ele exigiu que um toca-fitas fosse trazido. Um dos homens disse ao chefe que devíamos ser ladrões ou mercenários para conseguir aquelas fitas estrangeiras. O chefe pode ter levado em conta a primeira hipótese, mas desconsiderou a segunda, que era absurdamente estúpida.

* Árvore africana cuja semente funciona como estimulante. (N. da T.)

— Esses moleques, mercenários, olhe bem para eles.

O chefe tornou a inspecionar as fitas. Fiquei um pouco mais tranqüilo por estar nos chamando de moleques agora, evitando a palavra "demônio". Mas estava extremamente desconfortável por estar nu, sentado na areia. Não era uma experiência agradável. Só pensar no que estava acontecendo já era suficiente para me deixar nervoso. Eu lutava com todas as minhas forças para fazer meu rosto mostrar o oposto do que eu sentia. Meu rosto se contorcia enquanto esperávamos que o chefe nos permitisse viver ou nos condenasse à morte.

Quando chegou o toca-fitas, o chefe colocou Naughty by Nature e apertou o *play*.

OPP how can I explain it
I'll take you frame by frame it
To have y'all jumpin' shall we singin' it
*O is for Other P is for People scratchin' temple . . .**

As pessoas ouviam atentamente, levantando as sobrancelhas e mexendo a cabeça como se tentassem compreender que tipo de música era aquela. O chefe parou a música de repente. Alguns aldeãos estavam recostados em suas cabanas redondas, outros sentavam no chão ou sobre pilões. Os homens enrolavam as barras das calças de tafetá, as mulheres ajeitavam suas mantas, e as crianças nos encaravam com as mãos nos bolsos ou no nariz que escorria.

— Levantem-no e tragam-no até aqui — o chefe ordenou.

Quando me levaram para perto dele, o chefe me perguntou onde eu tinha conseguido aquele tipo de música e qual era o propósito de ter aquelas fitas. Expliquei para ele que era rap e que eu, meu irmão e meus amigos — não aqueles com quem estava agora — gostávamos de ouvi-la e cantávamos em shows de talentos. Percebi que ele estava interessado naquilo, e que sua expressão estava se tornando menos agressiva. Ele então mandou que me desamarrassem e me dessem minhas calças.

* "*OPP*, como posso explicar / Vou te levar quadro a quadro, vamos lá / Quero todo mundo pulando e cantando com a gente / O é para Outros, P é para Pessoas no templo do *scratch*." (N. da T.)

— Agora você vai me mostrar como é que você, seu irmão e seus amigos faziam — o chefe disse.

Rebobinei a fita, interpretei e dancei "OPP" descalço na areia. Não me diverti fazendo aquilo, e pela primeira vez tive que pensar na letra da música, ouvindo cada detalhe sutil dos instrumentos na batida. Nunca tinha feito aquilo antes, pois sabia os versos de cabeça e sentia a batida. Não sentia a batida dessa vez. Enquanto pulava para cima e para baixo, arquejando e mexendo braços e pés com a música, pensei em ser atirado no oceano, em como seria difícil saber que a morte era inevitável. As rugas do chefe tornavam-se menos ameaçadoras. Ele não sorriu, mas soltou um suspiro que dizia que eu era apenas uma criança. No final da música, ele coçou a barba e disse que estava impressionado com minha dança e tinha achado a cantoria "interessante". Ele pediu que a próxima fita fosse tocada. Era LL Cool J. Fiz a coreografia da canção "I Need Love".

When I'm alone in my room sometimes I stare at the wall
*and in the back of my mind I hear my conscience call**

O chefe virava a cabeça de um lado para o outro como se tentasse compreender o que eu dizia. Eu o observava para ver se sua expressão mudaria para pior, mas ela demonstrava que ele estava se divertindo. Ele mandou que meus amigos fossem desamarrados e que suas roupas fossem devolvidas. O chefe explicou a todos que tinha ocorrido um mal-entendido e que éramos só crianças procurando segurança. Ele quis saber se tínhamos ficado na cabana por nossa própria conta ou se o dono sabia sobre nós. Disse que tínhamos ficado lá por conta própria e que não tínhamos feito contato com qualquer outra pessoa até aquela manhã. O chefe disse que nos deixaria partir, mas que devíamos deixar a região imediatamente. Ele me devolveu as fitas cassete e seguimos nosso caminho. Enquanto caminhávamos, notei nossos pulsos marcados pelas cordas e comecei a rir do que acontecera, para não chorar.

* "Quando estou sozinho no meu quarto às vezes olho fixo para a parede/ e, no fundo da minha mente, escuto minha própria consciência chamar." (N. da T.)

10

Uma das coisas mais perturbadoras sobre minha jornada, mental, física e emocionalmente, era que eu não tinha certeza de quando nem onde ela ia terminar. Eu não sabia o que faria da minha vida. Sentia como se estivesse sempre recomeçando. Estava sempre me mexendo, sempre indo a algum lugar. Quando caminhávamos, às vezes eu me deixava ficar para trás, pensando sobre essas coisas todas. Sobreviver a cada dia que passava era meu objetivo na vida. Nas aldeias onde conseguíamos encontrar a felicidade de obter comida ou água fresca, eu sabia que aquilo era temporário e que estávamos apenas de passagem. Não me sentia feliz por inteiro. Era mais fácil ser triste do que viver num vaivém de emoções, e aquilo me dava certa determinação para continuar me movendo. Eu nunca me desapontava com nada, porque sempre esperava que o pior acontecesse. Havia noites em que não conseguia dormir, mas olhava para a noite escura até que meus olhos pudessem ver através dela. Pensava sobre onde podia estar minha família e se estaria viva.

Uma noite, sentado na praça de uma aldeia, pensando no tanto de caminho que já havia percorrido e no que ainda tinha à minha frente, olhei para o céu e vi como as nuvens maiores tentavam encobrir a lua, e como, apesar disso, ela reaparecia de novo e de novo para brilhar durante toda a noite. Minha jornada, de certa maneira, era como a lua — apesar de eu ter nuvens bem mais pesadas em meu caminho para entristecer meu espírito. Eu me lembrei de algo que Saidu falou numa tarde, depois que sobrevivemos a outro ataque de homens armados com arpões e machados. Jumah, Moriba e Musa estavam dormindo numa varanda que havíamos ocupado. Alhaji, Kanei, Saidu e eu estávamos acordados e ouvíamos a noite calados. A respiração pesada de Saidu tornava nosso silêncio insuportável. Depois de algumas horas, Saidu falou numa voz muito profunda, como se alguém estivesse falando através dele.

— Quantas vezes mais vamos ter que enfrentar a morte até encontrarmos segurança? — perguntou. Ele esperou alguns minutos, mas nenhum de nós três disse qualquer coisa. Ele continuou: — Toda vez que somos perseguidos por gente que quer nos matar, fecho os olhos e espero pela morte. Apesar de ainda estar vivo, sinto como se, a cada vez que aceito a morte, parte de mim morresse. Muito em breve eu vou morrer completamente e tudo que sobrar de mim será meu corpo vazio, andando com vocês. Ele será mais silencioso do que eu.

Saidu soprou as palmas de suas mãos para aquecê-las e deitou no chão. Sua respiração pesada tornou-se mais intensa e eu sabia que ele tinha adormecido. Aos poucos, Kanei e, depois, Alhaji também caíram no sono. Sentei num banco de madeira encostado à parede e pensei nas palavras de Saidu. Meus olhos ficaram cheios de lágrimas, e minha testa ficou quente, maquinando sobre o que Saidu tinha dito. Tentei não acreditar que eu também estava morrendo, lentamente, em minha busca de segurança. A única hora em que conseguia dormir era quando a brisa da manhã, que continha o apelo irresistível ao sono, me salvava dos devaneios da mente.

Apesar das dificuldades em nosso caminho, de vez em quando conseguíamos fazer alguma coisa que era trivial e nos fazia felizes por alguns instantes. Certa manhã chegamos a uma aldeia em que um grupo de homens se preparava para sair numa caçada. Eles nos convidaram a ir junto. No fim da caçada, um dos mais velhos gritou, apontando para nós:

— Nós vamos ter um banquete esta noite e os forasteiros estão convidados a ficar. — Os outros homens aplaudiram e começaram a caminhar de volta à aldeia.

Fomos andando atrás deles. Eles cantavam, carregando suas redes e em seus ombros os animais — porcos-espinhos e veados, na maioria — que tinham conseguido capturar.

Mulheres e crianças aplaudiram nossa chegada à aldeia. Passava do meio-dia. O céu estava azul e o vento começava a soprar. Alguns dos homens dividiram a carne entre diversas casas, e o restante foi entregue às mulheres, para ser cozido para a festa. Ficamos pela aldeia, pegando água para as mulheres que preparavam a comida. A maioria dos homens retornou ao trabalho em suas plantações.

Caminhei pela aldeia sozinho e encontrei uma rede numa das varandas. Deitei nela, embalando vagarosamente meus pensamentos. Comecei a pensar nas visitas que fazia a minha avó, quando eu dormia na rede da fazenda. Acordava olhando para os olhos dela enquanto ela brincava com meus cabelos. Ela me fazia cócegas e me dava um pepino para comer. Junior e eu às vezes chegávamos a brigar pela rede, e, se ele ganhava, eu o enganava, afrouxando as cordas e fazendo com que ele caísse quando se sentava. Isso o desencorajava, e ele acabava saindo pela fazenda para fazer qualquer outra coisa. Minha avó sabia das minhas estripulias e fazia troça de mim, me chamando de *carseloi*, que significa aranha. Em muitas lendas mendes, a aranha é o personagem que engana outros animais para conseguir o que quer, mas seus truques sempre acabam se voltando contra ela mesma.

Enquanto pensava nessas coisas, caí da rede. Fiquei com preguiça de me levantar, então sentei no chão mesmo, pensando em meus dois irmãos, em meu pai, minha mãe e minha avó. Queria estar com eles.

Coloquei as mãos por trás da cabeça e deitei de costas, tentando me agarrar às lembranças que tinha da minha família. Seus rostos pareciam estar em um lugar distante da minha mente, e para chegar até eles eu tinha que trazer à tona lembranças dolorosas. Tinha saudade das mãos compridas, escuras e brilhantes da minha avó; do abraço apertado da minha mãe, quando eu a visitava, como se estivesse me escondendo e protegendo de alguma coisa; da risada do meu pai quando jogávamos futebol juntos ou quando ele me perseguia à noite com um balde d'água para me obrigar a tomar banho; dos braços do meu irmão mais velho em volta de mim quando caminhávamos para a escola e quando ele me dava uma cotovelada de leve para me impedir de dizer coisas de que eu me arrependeria; e de meu irmãozinho, que se parecia muito comigo e que às vezes, quando fazia alguma coisa errada, dizia para as pessoas que seu nome era Ishmael.

Eu tinha dificuldade para evocar essas lembranças e, quando finalmente começava a explorar a memória, ficava tão triste que até meus ossos doíam. Fui até o rio, mergulhei na água e me sentei no fundo, mas meus pensamentos me seguiram.

À noite, quando todos estavam reunidos na aldeia, a comida foi trazida à praça. Era dividida em pratos e sete pessoas comiam de cada um deles. Após a refeição, o povo começou a tocar tambores, e todos demos as mãos para dançar em círculo sob a luz da lua. Em um intervalo, depois de várias cantigas, um dos homens anunciou que, quando todos estivessem cansados de dançar, "seja lá quando for", brincou, "os estrangeiros vão nos contar histórias sobre o lugar de onde vieram". Ele levantou as mãos e fez sinal para que continuassem o batuque nos tambores.

Durante a festa, pensei na maior comemoração que tínhamos na nossa cidade, no final do ano. As mulheres cantavam sobre todas as fofocas, os dramas, as brigas e tudo que havia ocorrido naquele ano.

Será que poderiam cantar sobre tudo que acontecesse até o final daquela guerra?, pensei.

Também questionava o comportamento daqueles aldeãos, por que estavam sendo tão bons conosco; mas não me demorei muito nesses pensamentos, porque queria me divertir. A dança não acabava nunca naquela noite, tínhamos que ir embora cedo no dia seguinte, então, saímos quando a maioria das pessoas dormia. Levamos conosco um galão de plástico cheio de água e um pouco da carne defumada que nos deram; e os idosos por quem passamos, sentados em suas varandas, esperando pelo calor do sol da manhã que viria lhes aquecer, acenaram e disseram:

— Que o espírito dos ancestrais esteja com vocês, crianças.

Enquanto andávamos, virei para olhar a aldeia uma última vez. Ainda não havia despertado para aquele dia. Um galo cantou para se despedir dos últimos vestígios da noite e para silenciar os grilos que não queriam abandonar seu posto na escuridão por conta própria. O sol levantava-se vagarosamente, mas já lançava sombras sobre cabanas e casas. Ainda conseguia ouvir os tambores da noite passada ecoando na minha cabeça, mas me recusava a ficar feliz. Quando tirei os olhos da aldeia, meus companheiros de viagem dançavam e brincavam na areia, imitando algumas das danças que tinham visto.

— Mostre o que você sabe fazer — eles pediam, batendo palmas ao meu redor.

Não pude recusar. Comecei a girar os quadris no ritmo das palmas, e eles me acompanharam. Colocamos as mãos em torno dos ombros uns dos outros e caminhamos abraçados, dançando ao som do que cantávamos. Estava carregando a carne defumada numa pequena bolsa que eu girava no ar para aumentar a velocidade com que jogávamos os pés de um lado para o outro. Dançamos e rimos manhã adentro. Mas aos poucos fomos parando. Era como se soubéssemos que só podíamos ser felizes por pouco tempo. Não estávamos com pressa, então caminhamos devagar e calados depois que paramos de dançar. No fim do dia, tínhamos acabado com quase tudo que estávamos carregando.

Ao cair da noite, chegamos a uma aldeia muito peculiar. Na verdade não tenho certeza se era de fato uma aldeia. Havia uma casa grande e uma cozinha a menos de um quilômetro dessa casa. As panelas eram antiquadas, e havia um pequeno depósito. O local ficava no meio do nada.

— Esta sim, é uma aldeia que os rebeldes podem invadir facilmente — Jumah disse, às gargalhadas.

Andamos por toda parte, tentando encontrar sinais da presença de alguém. Tinha havido algum tipo de produção de óleo de palmeira por ali; havia restos de sementes de palmeira em todos os lugares. No rio uma canoa abandonada flutuava cheia de *spirogyra*.* No velho casarão, discutimos onde nos acomodar para dormir. Sentamos em tocos de madeira no pé da varanda, e Musa se ofereceu para contar uma história sobre Seu Aranha.

— Não! — protestamos. Todos conheciam a história de cabo a rabo, mas mesmo assim ele continuou.

— As histórias de Seu Aranha sempre são boas, não importa quantas vezes você já as escutou — replicou Musa. — Minha mãe me disse que sempre que uma história é contada vale a pena ouvir. Então escutem, por favor. Vou contar rapidinho.

Ele tossiu e começou:

— Seu Aranha vivia numa aldeia cercada por muitas outras aldeias. No fim da estação de colheita, todas as aldeias faziam um banquete para celebrar o sucesso de suas colheitas. Tinha vinho e comida em abundância e as pessoas comiam até que pudessem ver seu próprio reflexo no estômago do outro.

— Como é que é? — protestamos todos, chocados com o detalhe extraordinário que ele adicionara à história.

— Quem está contando a história sou eu, então posso contar a *minha* versão. Esperem a vez de vocês. — Musa ficou de pé.

Ficamos atentos para ver se ele ia enfeitar a história com mais detalhes surpreendentes. Ele então se sentou outra vez e continuou:

— Cada aldeia era especializada em um prato. A aldeia de Seu Aranha fazia sopa de quiabo com óleo de palmeira e peixe. Hmm... hmm... hmm. As outras aldeias faziam folheados de mandioca com carne, batatas e por aí em diante. Cada aldeia contava vantagem sobre o quanto seu prato ficaria delicioso. Todas as aldeias estendiam o convite para suas festas às demais. Mas Seu Aranha levou isso extremamente a sério. Ele queria estar presente em todas as festas de todas as aldeias. Ele tinha que

* Alga verde de água doce. (N. da T.)

bolar um plano. Começou a catar cordas por toda a sua aldeia, e a trançá-las meses antes das festas. Enquanto as pessoas carregavam cestas cheias de arroz e feixes de madeira para a praça, e as mulheres passavam o arroz nos pilões, debulhando os grãos, Seu Aranha esticava as cordas em sua varanda e media o tamanho delas. Enquanto os homens saíam para caçar, ele estava ocupado estendendo as cordas pelas trilhas que ligavam sua aldeia a todas as outras aldeias vizinhas. Ele deu a ponta de cada corda para o chefe de cada aldeia, que amarraram as pontas às árvores mais próximas das praças locais. "Diga ao seu povo que puxe a corda quando a comida estiver pronta", pediu a cada chefe, com sua voz anasalada. Seu Aranha passou fome durante uma semana para se preparar. Quando finalmente chegou o dia da festa, Seu Aranha levantou antes de todo mundo. Sentou na sua varanda e amarrou com o maior cuidado todas as cordas a sua cintura. Ele chegava a tremer e a saliva escorria de sua boca quando o cheiro de carne defumada, peixe frito e vários cozidos saía das cozinhas das cabanas.

"Infelizmente, todas as festas começaram na mesma hora e os chefes mandaram que as cordas fossem puxadas ao mesmo tempo. Seu Aranha ficou suspenso no ar, puxado em todas as direções. Ele gritou por socorro, mas os tambores e a música de cada praça em cada aldeia abafou sua voz. Ele via toda a gente reunida em volta dos pratos e lambendo os dedos depois das refeições. As crianças correndo pelas aldeias a caminho do rio, mastigando pedaços de galinha cozida, carne de cabrito e veado. Toda vez que tentava se soltar das cordas, as pessoas nas aldeias puxavam Seu Aranha com mais força, pois pensavam que aquilo era um sinal de que ele estava pronto para visitar suas festas. No final da comemoração na aldeia de Seu Aranha, um menino o viu lá no alto e chamou os mais velhos. Eles cortaram as cordas e trouxeram Seu Aranha para o chão. Numa voz quase inaudível ele pediu um pouco de comida, mas não havia sobrado nada da festa. Os banquetes já estavam encerrados em toda parte. Seu Aranha continuou com fome e, tendo ficado tanto tempo sendo puxado com força, isso explica por que as aranhas têm uma cintura tão fina."

— Essa comida toda na história me deu fome. Mas a história é boa. Nunca tinha ouvido contarem desse jeito — Alhaji disse, espreguiçando-se. Todos rimos, porque estávamos fazendo pouco de Musa pelos detalhes extras que deu à lenda.

Assim que Musa terminou, a noite tomou conta da aldeia completamente. Parecia que o céu tinha virado lá no alto, trocando seu lado claro pelo escuro, trazendo com isso o sono para meus companheiros. Colocamos a carne defumada e o galão de água vazio perto da porta do quarto que ocupávamos. Fiquei no quarto com meus amigos, mesmo tendo permanecido acordado até as últimas horas da noite. Eu me lembrava de outras noites passadas com minha avó perto do fogo. "Você está crescendo tão rápido. Parece que foi ontem que fui a sua cerimônia de batismo." Ela me olhava, seu rosto magro brilhando, antes de contar mais uma vez a história do meu batismo. Quando cresci, fui a várias dessas cerimônias, mas minha avó sempre me falava sobre a minha.

Todo mundo da comunidade estava presente. Antes de começar, a comida era preparada em abundância com a ajuda de todos. De manhã bem cedo, os homens mataram um carneiro, tiraram sua pele e dividiram a carne entre as melhores cozinheiras, para que cada uma preparasse seu melhor prato para a cerimônia. Enquanto as mulheres cozinhavam, os homens ficavam pelo quintal dando as boas-vindas aos que chegavam, com fortes apertos de mão e risadas, cada um limpando bem a garganta, o mais alto que podiam, antes de falar. Os garotos que estavam por ali para ouvir as conversas dos adultos eram pegos para executar certas tarefas — matar galinhas atrás das cabanas onde a comida era preparada, cortar madeira.

Próximo às cozinhas, as mulheres cantavam enquanto pilavam o arroz. Faziam truques com os pilões. Cantando, elas os jogavam para o alto e batiam palmas várias vezes antes de pegá-los e continuar a pilar. As mais velhas e mais experientes não só batiam palmas várias vezes antes de pegar seus trituradores, como também faziam elaborados gestos de agradecimento, harmonizados com as músicas que cantavam. Dentro das cabanas, as meninas sentavam no chão abanando carvão incandescente com um leque de bambu ou um prato velho, ou mesmo soprando para fazer o fogo pegar debaixo das grandes panelas.

Por volta das nove da manhã a comida estava pronta. Todo mundo se vestia com as melhores roupas que tivesse. As mulheres ficavam especialmente elegantes em suas belas saias de algodão estampadas, vestidos, blusas e *lappei* — um grande lenço de algodão que amarravam em volta da cintura — e turbantes extravagantes. Todos estavam de bom humor e prontos para começar a cerimônia, que duraria até a noite.

— O imã chegou tarde — disse minha avó. A ele foi entregue uma grande bandeja de metal contendo *leweh* (pasta de arroz), sementes de *kola* alinhadas num lado e uma cabaça com água; e, depois de ter se ajeitado num banco no meio do quintal e enrolado as mangas de seu traje branco, ele misturou a *leweh* e cuidadosamente a dividiu em várias porções iguais, cada uma com uma semente de *kola* em cima. O imã então deu início à leitura de várias suras do Corão. Depois das preces ele jogou gotas d'água no chão para invocar os espíritos dos antepassados.

O imã acenou para minha mãe, pedindo que me levasse a ele. Era a primeira vez que eu saía ao ar livre. Minha mãe se ajoelhou diante do imã e me apresentou a ele. Ele esfregou um pouco da água da cabaça na minha testa e recitou mais algumas preces, seguidas pela anunciação do meu nome:

— Ishmael ele se chamará — ele disse, e todos aplaudiram.

As mulheres começaram a cantar e dançar. Minha mãe me entregou ao meu pai, que me levantou sobre a multidão antes de me passar em volta para ser tocado por todos os presentes. Eu tinha me tornado um membro da comunidade e agora era um pouco de todos e todos cuidariam de mim. A comida foi trazida para fora em pratos enormes. Os mais velhos serviram-se primeiro, todos comendo do mesmo prato. Os demais homens fizeram o mesmo, e, em seguida, os meninos, antes que mulheres e meninas recebessem sua porção. Depois do banquete houve dança e cantoria. Durante essas celebrações, me colocaram nas mãos de mulheres mais velhas que não podiam mais dançar. Elas me seguravam, sorriam para mim e me chamavam de "maridinho".

Elas começaram a contar histórias sobre nossa aldeia. Sempre que eu sorria, elas comentavam:

— Ele ama ouvir histórias. Bom, você está no lugar certo.

Cheguei a sorrir, imaginando o rosto feliz da minha avó no final da história. Alguns dos meus companheiros de viagem agora roncavam, com a brisa da madrugada pesando sobre seus olhos.

Quando acordamos na manhã seguinte, toda a carne defumada tinha sumido. Começamos a acusar uns aos outros. Kanei inspecionou a boca de Musa. Musa ficou furioso, e eles começaram a se bater. Eu estava prestes a separá-los quando Saidu apontou para a bolsa esfarrapada na extremidade da varanda.

— Essa é a bolsa, né? — ele disse, apontando para as bordas mastigadas. — Isso aí não foi obra de nenhum de nós. Olha só, a bolsa ainda está amarrada. — Ele nos mostrou. — Alguém ou alguma outra coisa comeu a carne, e seja o que for que comeu essa carne ainda está por perto. — Ele pegou um graveto e começou a andar em direção ao mato.

— Viu, não fui eu. — Musa empurrou Kanei, tirando-o do caminho, enquanto se juntava a Saindu.

— É algum bicho — Moriba disse, analisando as pegadas deixadas na terra.

Alguns de nós procuraram pela aldeia, outros seguiram as pegadas da criatura pela trilha que levava ao rio. Estávamos prestes a desistir quando Saidu gritou de trás do depósito da aldeia:

— Achei o ladrão e ele está furioso.

Corremos para ver o que era. Tratava-se de um cão, que mastigava o último pedaço da carne defumada. Ao nos ver, começou a latir e proteger a carne com as patas traseiras.

— Cachorro feio. Isso aí era nosso. — Alhaji tomou o graveto de Saidu e começou a correr atrás do animal. O cão ainda segurava o último pedaço de carne na boca quando sumiu dentro do mato. Sacudindo a cabeça, Saidu pegou o galão de água e entrou na trilha. Nós o seguimos, Alhaji ainda segurando o pedaço de pau.

Naquela tarde começamos a vasculhar a vegetação em busca de qualquer fruto que parecesse comestível. Não conversamos muito enquanto caminhávamos.

À noite paramos para descansar na trilha.

— Eu devia ter matado aquele cachorro — Alhaji disse devagar, rolando no chão, de costas.

— Por quê? — indaguei.

— É. Por quê? De que ia adiantar? — Moriba se sentou.

— Só deu vontade de matar o bicho porque ele comeu a única comida que tínhamos — Alhaji replicou com raiva.

— Teria dado uma carne ótima — Musa disse.

— Eu não acho. E mais, ia ser difícil de preparar, de qualquer jeito. — Eu me virei para Musa, que estava deitado de costas, ao meu lado. — Vocês me enojam de pensar numa coisa dessas.

Jumah cuspiu.

— Bom. — Musa ficou de pé.

— Ele vai contar outra história. — Alhaji suspirou.

Musa se virou para Alhaji.

— É, bom, não é bem uma história. — Ele fez uma pausa e continuou: — Meu pai trabalhava para uns malaios, e ele me contou que esse povo comia cachorros.

Se Alhaji tivesse matado aquele cão, eu adoraria experimentar um pouco dele. Então, quando eu visse meu pai de novo, poderia contar para ele qual era o gosto. E ele não ficaria aborrecido comigo, porque eu teria uma boa desculpa para comer carne de cachorro — Musa concluiu.

Ficamos todos calados, cada um pensando na própria família. Musa tinha provocado em nós os pensamentos que tínhamos medo de evocar.

Musa estava em casa com o pai em Mattru Jong quando o ataque aconteceu. Sua mãe tinha ido ao mercado comprar peixe para a janta. Ele e o pai tiveram que correr ao mercado e encontrar a mãe, mas, enquanto fugiam da aldeia, a mãe acabou ficando para trás. Eles perceberam que ela não estava mais com eles quando pararam para descansar na primeira aldeia que alcançaram. O pai chorou e disse a Musa que ficasse ali enquanto ele saía em busca da esposa. Musa disse que queria voltar com ele pela trilha.

— Não, meu filho, você fica aqui e eu vou trazer sua mãe de volta.

Assim que o pai saiu, a aldeia foi atacada e Musa teve que fugir. Ele continuou fugindo desde então.

Alhaji estava no rio pegando água quando os rebeldes atacaram. Ele correu para casa, só para gritar sozinho para a residência vazia o nome dos pais, dos dois irmãos e da irmã.

Kanei tinha fugido com os pais, mas perdeu duas irmãs e três irmãos em meio ao caos. Ele e os pais pularam em um bote no rio Jong junto com muitos outros. Quando o bote chegou no meio do rio, os rebeldes que estavam em terra começaram a atirar contra eles, e todos entraram em pânico, virando o bote. Kanei nadou até o outro lado do rio o mais rápido que pôde. Quando conseguiu chegar à terra, viu as pessoas se afogando na água, gritando enquanto lutavam para continuar na superfície. Os rebeldes riam dos que se afogavam. Ele chorou a noite inteira enquanto seguia os sobreviventes, que se encaminharam para a outra aldeia na beira do rio. Lá as pessoas contaram a Kanei que seus pais tinham conseguido fazer a passagem. A esperança de reencontrar a família era o que fazia Kanei seguir em frente meses a fio.

Jumah e Moriba eram vizinhos. Granadas haviam destruído suas casas durante o ataque. Eles se dirigiram com rapidez ao cais para encontrar seus pais, que eram comerciantes, mas não os acharam em parte alguma. Eles correram pela floresta onde suas famílias haviam se escondido mais cedo, mas não estavam mais lá também.

A família de Saidu não conseguiu sair da aldeia durante o ataque. Junto com os pais e três irmãs, que tinham dezenove, dezessete e quinze anos, ele se escondeu debaixo da cama durante a noite. Pela manhã os rebeldes invadiram a casa e encontraram seus pais e as três irmãs. Saidu tinha ido ao sótão pegar o que havia de arroz para a família levar na fuga, quando os rebeldes entraram. Ele ficou no sótão, sentado, segurando a respiração e escutando os gritos das irmãs, enquanto eram estupradas pelos rebeldes. O pai gritava para que parassem, e um dos rebeldes o atingiu com a coronha da arma. A mãe de Saidu chorava e pedia perdão às filhas por tê-las colocado no mundo para serem vítimas daquela loucura. Depois de estuprar as meninas várias vezes, eles juntaram os bens da família e fizeram o pai e a mãe carregar tudo. Levaram as meninas com eles.

— Até hoje eu carrego a dor que meus pais e minhas irmãs sentiram. Eu desci do sótão quando os rebeldes partiram, não consegui suportar e as lágrimas ficaram congeladas nos meus olhos. Senti como se minhas veias estivessem sendo arrancadas do corpo. Ainda me sinto assim o tempo todo, e não consigo parar de pensar naquele dia. O que foi que minhas irmãs fizeram para merecer aquilo? — Saidu disse depois de nos contar a história certa noite, numa aldeia abandonada. Até meus dentes doeram enquanto eu ouvia a história. Foi quando entendi por que ele era sempre tão calado.

— A gente devia continuar andando — Kanei disse, triste, tirando a poeira das calças.

Concordamos que devíamos recomeçar a andar à noite. De dia procuraríamos comida e revezaríamos o sono. À noite parecia que caminhávamos junto com a lua. Ela nos seguia sob nuvens densas e esperava por nós do outro lado das trilhas em florestas escuras. Desaparecia com o nascer do sol, mas sempre voltava a pairar sobre nosso caminho na noite seguinte. Seu brilho tornava-se mais sutil conforme as noites passavam. Certas noites o céu era varrido por estrelas que flutuavam e desapareciam rapidamente na escuridão antes que nossos desejos pudessem encontrá-las. Eu costumava ouvir histórias debaixo daquelas estrelas e do céu, mas agora parecia que o céu é que nos contava histórias enquanto suas estrelas caíam, colidindo violentamente umas contra as outras. A lua havia se escondido detrás das nuvens para não ver o que acontecia.

De dia, o sol se recusava a subir aos poucos, como fazia antes. Brilhava forte desde o minuto em que saía de trás das nuvens, seus raios dourados escurecendo minha visão. As nuvens navegavam o céu azul violentamente, destruindo seus desenhos.

Numa tarde, enquanto procurávamos comida numa aldeia deserta, um corvo caiu do céu. Não estava morto, mas também não podia voar. Sabíamos que aquilo não era normal, mas precisávamos comer e naquele ponto qualquer coisa serviria. Enquanto depenávamos a ave, Moriba perguntou que dia era. Pensamos um tempo sobre aquilo, tentando lembrar o último dia em que nossas vidas tinham sido normais. Kanei quebrou o silêncio.

— É feriado. — Ele riu. — Você pode chamar o dia de hoje como você quiser — ele continuou.

— Mas não é só um dia qualquer, é um dia estranho. Não tenho um bom pressentimento sobre ele — Musa disse. — Talvez a gente não devesse comer esse pássaro.

— Bem, agora, se o pássaro ter caído do céu é um sinal de maldição ou má sorte, já temos as duas coisas. Então, vou comer cada pedaço desse bicho. Você faça como quiser. — Kanei começou a cantarolar baixinho.

Quando Kanei parou, o mundo ficou estranhamente silencioso. A brisa e as nuvens pararam de se mover, as folhas nas árvores estavam imóveis, como se esperassem algo inimaginável.

Às vezes a noite tem uma forma de falar conosco, mas quase nunca ouvimos. A noite seguinte, após comermos o pássaro, foi escura demais. Não havia estrelas no céu e, enquanto caminhávamos, parecia que tudo ficava cada vez mais escuro. Não estávamos numa parte muito densa na floresta, mas mal podíamos nos ver. Seguramos as mãos uns dos outros. Continuamos a caminhar porque não podíamos parar no meio do nada, mesmo que quiséssemos. Depois de horas de caminhada, chegamos a uma ponte feita de tocos de madeira. O rio abaixo fluía calmamente, como se dormisse. Quando estávamos prestes a pisar na ponte, ouvimos passos do outro lado, vindo em nossa direção. Soltamos nossas mãos e nos escondemos atrás de arbustos próximos. Eu fiquei deitado ao lado de Alhaji, Jumah e Saidu.

Havia três pessoas. Elas vestiam camisas brancas. Duas delas tinham mais ou menos a mesma altura e a terceira era mais baixa. Elas levavam panos sob os braços. Duas delas estavam de mãos dadas e, quando saíram da ponte, pararam perto de nós, como se sentissem nossa presença. Eles murmuraram alguma coisa. Era difícil ouvir o que diziam porque suas vozes soavam como abelhas, como se o nariz deles estivesse coberto. Depois que pararam de sussurrar, as duas pessoas mais altas começaram a puxar a mais baixa. Uma queria ir na direção que estávamos seguindo e a outra insistia que eles deviam continuar na direção oposta. A discussão fez meu coração disparar, enquanto eu tentava ver seus rostos, mas estava escuro demais. Depois de cerca de um minuto, decidiram continuar na direção da qual tínhamos vindo.

Levou alguns minutos para que nós saíssemos de trás dos arbustos. Respirávamos pesadamente e ninguém conseguia falar. Kanei começou a sussurrar nossos nomes. Quando chamou por Saidu, Saidu não respondeu. Procuramos entre os arbustos. Ele estava deitado lá, imóvel. Sacudimos Saidu, chamando seu nome, mas ele permanecia em silêncio. Alhaji e Jumah começaram a chorar. Kanei e eu arrastamos Saidu até a trilha e sentamos ao lado dele. Ele continuava imóvel, deitado. Minhas mãos começaram a tremer incontrolavelmente enquanto ficávamos sentados em silêncio na noite. Minha cabeça parecia ficar mais pesada à medida que eu tentava pensar no que fazer. Não me lembro qual de nós sussurrou:

— Talvez tenha sido a ave que comemos.

A maioria começou a chorar, mas eu não consegui. Só fiquei lá sentado, olhando para a escuridão como se procurasse alguma coisa.

Não havia uma mudança gradual da noite para o dia. A escuridão apenas desaparecia rapidamente, deixando o céu jogar sua luz sobre nós. Estávamos todos sentados no meio da trilha. Saidu continuava quieto. Na sua testa ainda havia sinais de suor e sua boca estava meio aberta. Coloquei minha mão sob seu nariz para verificar se respirava. Todos ficaram de pé quando removi a mão, olhando para mim, como se esperassem que eu dissesse alguma coisa.

— Não sei — eu disse.

Todos levaram as mãos às suas cabeças. Seus rostos pareciam pedir que algo fosse dito, algo que sabíamos ser possível, mas tínhamos medo de aceitar.

— O que vamos fazer agora? — Moriba perguntou.

— Não podemos ficar parados aqui para sempre — Musa disse.

— Vamos ter que carregá-lo até a próxima aldeia, não interessa a distância — Kanei falou calmamente. — Me ajudem a levantá-lo — continuou.

Levantamos Saidu, e Kanei o carregou nas costas atravessando a ponte. O rio passara de calmo a ruidoso, batendo nas pedras e nas raízes das palmeiras. Assim que cruzamos a ponte, Saidu tossiu. Kanei o sentou no chão e ficamos todos em volta dele. Ele vomitou por alguns minutos e, limpando a boca, disse:

— Aqueles ontem à noite eram fantasmas. Eu sei.

Todos concordamos com ele.

— Devo ter desmaiado depois que eles começaram a falar. — Ele tentou se levantar, e o ajudamos.

— Estou bem. Vamos. — Ele nos afastou.

— Você se levantou dos mortos cheio de atitude — comentou Musa.

Todos rimos e retomamos a caminhada. Minhas mãos começaram a tremer de novo, agora eu não sabia por quê. O dia estava radiante e perguntávamos continuamente a Saidu se ele estava bem para prosseguir até a próxima aldeia.

Já havia passado do meio-dia quando chegamos a uma aldeia cheia de gente. Ficamos chocados com o quanto o lugar era barulhento, mesmo em meio a uma guerra. Era a maior aldeia pela qual havíamos passado até ali. Parecia uma feira. Gente tocando música e dançando, crianças correndo soltas, e havia aquele cheiro familiar de mandioca frita em óleo de palmeira.

Enquanto caminhávamos pela aldeia procurando um lugar para sentar longe da multidão, vimos alguns rostos familiares. Algumas pessoas acenavam para nós timidamente. Encontramos um tronco debaixo de uma mangueira e nos sentamos nele. Uma mulher cujo rosto não estava entre aqueles que eu considerava familiar aproximou-se e sentou à nossa frente.

— Você. — Ela apontava para mim. — Eu conheço você — ela disse.

Eu não reconhecia seu rosto, mas ela insistiu que conhecia a minha família e a mim. Ela me disse que Junior tinha passado pela aldeia poucas semanas antes a minha procura e que ela tinha visto também minha mãe, meu pai e meu irmãozinho na aldeia vizinha, que ficava a uma distância de dois dias de caminhada. Ela nos deu a direção e terminou dizendo:

— Naquela aldeia há muita gente de Mattru Jong e das minas de Serra Rutile. Pode ser que lá todos vocês encontrem suas famílias ou notícias sobre elas.

Ela se levantou e nos deixou para dançar a música *soukou* que estava tocando. Começamos a rir. Queríamos sair dali imediatamente, mas decidimos passar a noite na aldeia. Também queríamos que Saidu descansasse, apesar de ele continuar dizendo que estava bem. Fiquei muito feliz por minha mãe, meu pai e meus dois irmãos terem acabado se achando de algum jeito. Talvez minha mãe e meu pai tivessem se juntado outra vez, pensei.

Fomos nadar no rio e brincamos de esconde-esconde na água, correndo na margem e gritando a contagem dos números para começar o jogo. Agora todos riam.

À noite roubamos uma panela de arroz e folhas de mandioca. Comemos debaixo dos pés de café na fronteira da aldeia, lavamos a panela e a devolvemos. Não tínhamos lugar para dormir, então escolhemos a varanda de uma das casas dos moradores que já haviam entrado.

Não dormi naquela noite. Minhas mãos recomeçaram a tremer assim que meus amigos soltaram os primeiros roncos. Eu tinha a sensação de que alguma coisa ruim estava para acontecer. Os cachorros começaram a uivar de uma ponta da aldeia à outra.

Alhaji acordou e se sentou ao meu lado.

— Os cachorros me acordaram — ele disse.

— Eu nem comecei a dormir — respondi.

— É que você está ansioso demais para ver sua família. — Ele riu. — Eu também estou.

Alhaji ficou de pé.

— Você não acha esquisito esses cachorros todos latindo desse jeito?

Um dos cães tinha se aproximado da varanda onde estávamos sentados e gania vigorosamente. Outros cães fizeram coro. Aqueles ganidos me apertavam o coração.

— É. Eles parecem gente — eu disse.

— É a mesma coisa que eu estava pensando. — Alhaji bocejou. — Acho que os cachorros vêem coisas que a gente não vê. Tem alguma coisa errada. — Ele se sentou.

Ficamos bem quietos, olhando para a noite. Os cães gritaram madrugada adentro, e um deles continuou até que o céu estivesse totalmente claro. Aí foram os bebês que começaram a chorar. As pessoas começaram a acordar, então tivemos que deixar a varanda. Alhaji e eu começamos a acordar nossos amigos. Quando ele sacudiu Saidu, este permaneceu imóvel.

— Levanta, temos que ir agora. — Ele sacudiu Saidu com mais força quando ouvimos os donos da casa se prepararem para sair.

— Saidu, Saidu — Kanei tentava persuadi-lo. — Vai ver que ele desmaiou de novo — ele disse.

Um homem saiu e nos cumprimentou. Ele carregava um pequeno balde de água; tinha um sorriso no rosto e nos disse que sabia a noite toda que estávamos na varanda.

— Isso vai resolver. — O homem jogou um pouco de água fria do balde em Saidu.

Mas Saidu não se mexeu. Ele continuou deitado de bruços, com o rosto enfiado na terra. As palmas de suas mãos estavam viradas para cima e pareciam pálidas. O homem virou Saidu para cima e verificou seu pulso. A testa de Saidu estava suada e enrugada. Sua boca estava meio aberta e havia trilhas de lágrimas descendo pelos cantos dos olhos até as bochechas.

— Vocês conhecem alguém nesta aldeia, garotos? — o homem perguntou.

Dissemos que não, sacudindo a cabeça. Ele respirou fundo, colocou o balde no chão e levou as duas mãos à cabeça.

— Quem é o mais velho — ele perguntou, olhando para Alhaji.

Kanei levantou a mão. Eles saíram da varanda, e, lá fora, o homem disse algo no ouvido dele. Kanei começou a chorar no ombro do homem. Foi quando nós aceitamos que Saidu tinha nos deixado. Todo mundo chorou, menos eu. Fiquei tonto e senti meus olhos ficarem cheios d'água. Minhas mãos tremiam outra vez. Senti meu estômago arder e meu coração bater lento mas pesadamente. O homem e Kanei saíram juntos e, quando voltaram, trouxeram mais dois homens com eles, carregando uma maca de madeira. Eles colocaram Saidu na maca e pediram que os seguíssemos.

O corpo de Saidu foi lavado e preparado para o enterro no mesmo dia. Ele foi embrulhado em linho branco e colocado em um caixão de madeira na mesa da sala de estar do dono da varanda onde dormimos.

— Algum de vocês é da família dele? — um homem alto, esbelto e musculoso perguntou.

Ele era o encarregado dos enterros na aldeia. Sacudimos a cabeça negativamente. Senti como se estivéssemos renegando Saidu, nosso amigo, nosso companheiro de viagem. Ele tinha se tornado parte da nossa família, mas o homem queria um membro da família de verdade para autorizar seu enterro.

— Algum de vocês conhece a família dele? — O homem olhava para nós.

— Eu conheço. — Kanei levantou a mão.

O homem o chamou ao outro lado do caixão, onde estava parado. Eles começaram a conversar. Tentei compreender o que diziam, lendo os gestos elaborados que o homem fazia com a mão direita. A mão esquerda dele estava sobre o ombro de Kanei. Os lábios de Kanei se moveram um pouco, e então ele passou a concordar com a cabeça até que a conversa terminou. Kanei voltou e se sentou conosco nos bancos improvisados para o serviço fúnebre, que somente nós assistimos, além do dono da varanda onde Saidu nos deixou. O restante das pessoas da aldeia ficou sentado em suas varandas. Quando passamos em direção ao cemitério, elas se levantaram.

Não conseguia acreditar que Saidu estivesse morto. Eu me agarrara à idéia de que ele tinha apenas desmaiado e logo se levantaria de novo. Só aceitei realmente que ele não se levantaria depois que desceu completamente à cova, coberto apenas pela mortalha, e os coveiros começaram a cobri-lo com terra. O que sobrava dele era apenas a lembrança. As glândulas na minha garganta começaram a doer. Não conseguia respirar direito, então abri a boca. O homem que havia nos perguntado se éramos da família de Saidu começou a ler suras. Foi quando eu comecei a chorar baixinho. Deixei minhas lágrimas caírem na terra e a poeira do verão absorvê-las. Os homens que haviam carregado Saidu colocaram pedras ao redor da sepultura para segurar os montes de terra.

Depois do enterro, ficamos sozinhos no cemitério. Havia montes de terra em toda parte. Poucas covas tinham algo escrito sobre elas. A maioria era de anônimos. Saidu tinha acabado de se juntar a eles. Ficamos sentados no cemitério durante horas, como se esperássemos alguma coisa. Mas éramos jovens — todos nós tínhamos treze anos agora, exceto Kanei, que era três anos mais velho — e nossas emoções estavam fora de controle. Não conseguia entender o que estava sentindo. A confusão de sentimentos fez minha cabeça doer e retesou meu estômago. Saímos do cemitério ao cair da noite. A aldeia estava tranqüila. Sentamos na rua, no tronco onde havíamos nos reunido quando chegamos à aldeia. Nenhum de nós sequer pensou em dormir na varanda. Kanei nos explicou que Saidu teve que ser enterrado porque era costume naquela aldeia não velar o corpo da noite para o dia. Era enterrá-lo ou ter que carregá-lo para fora da aldeia. Ninguém respondeu a Kanei. Ele parou de falar e os cães recomeçaram a ganir. Ganiram a noite inteira, até nos deixarem nervosos.

Andamos para cima e para baixo pela aldeia. A maioria das pessoas estava acordada; ouvíamos suas vozes sussurrando quando os cães davam um intervalo ou iam ganir no outro lado da aldeia. Lembrei do que Saidu havia dito, poucas semanas antes, sobre as partes dele que morriam a cada dia que se passava, enquanto seguíamos em nossa jornada. Talvez ele inteiro tenha morrido naquela noite, quando falou naquela voz estranha depois de termos sobrevivido ao ataque dos homens com machados, foices e arpões, pensei. Eu estava preocupado e chamava os nomes dos meus amigos, para que eles não adormecessem. Tinha medo de que, se algum deles dormisse, também nos deixaria. De manhã cedo, Kanei nos disse que partiríamos em direção à aldeia vizinha logo que o sol nascesse.

— Não vou agüentar outra noite ouvindo esses cachorros. Eles me deixam apavorado — ele disse.

Naquela manhã agradecemos aos homens que haviam nos ajudado a enterrar Saidu.

— Vocês sempre saberão onde ele está descansando — um dos homens falou.

Eu concordei com a cabeça, mas sabia que as chances de voltarmos àquela aldeia eram poucas, já que não tínhamos controle sobre nosso futuro. Sabíamos apenas sobreviver.

Quando fomos embora, o povo se juntou para nos ver partir. Fiquei assustado, aquilo me lembrava o cortejo com o corpo de Saidu. Passamos pelo cemitério, que era nos limites da aldeia, seguindo o caminho que, esperávamos, nos uniria de novo a nossas famílias. O sol batia nas sepulturas e, enquanto estivemos lá parados, uma brisa leve soprou, fazendo com que as árvores se movessem graciosamente ao redor dos montes de terra. Senti um arrepio na nuca, como se alguém estivesse soprando. Um rastro de fumaça subia da aldeia, abrindo caminho até o céu. Observei seu curso até que desaparecesse. Estávamos deixando nosso amigo ou, como dizia minha avó: "Sua jornada temporária na terra havia terminado." Nós, por outro lado, tínhamos que continuar.

Quando nos distanciamos, começamos todos a soluçar. Os galos pararam de cantar só para nos deixar mais cientes de nosso próprio silêncio, o silêncio que perguntava: "Qual vai ser o próximo a nos deixar?" A pergunta estava em nossos olhos quando nos fitávamos. Andamos rápido, como se tentássemos permanecer no dia, com medo de que o cair da noite virasse algumas páginas incertas de nossas vidas.

11

Caminhamos calados a noite inteira, até pararmos para ouvir o canto matinal dos pássaros estilhaçando o silêncio das primeiras horas do dia. Quando nos sentamos à beira da trilha, Moriba voltou a soluçar. Ele sentara afastado de nós, coisa que fazia sempre junto com Saidu. Ele brincava com o pedaço de um galho, distraindo-se de seus sentimentos. Todos começaram a soluçar também, exceto eu, e se aproximaram de Moriba, que agora chorava a plenos pulmões. Eu fiquei sentado sozinho, cobrindo o rosto com as mãos para segurar as lágrimas. Depois de alguns minutos meus amigos pararam de chorar. Seguimos caminho sem dizer qualquer palavra uns aos outros. Sabíamos que tínhamos pouco tempo para lamentações se quiséssemos continuar vivos.

— Quero chegar logo a essa aldeia. Ah, eu vou dar um abraço tão apertado na minha mãe. — Alhaji sorriu e continuou: — Ela vive reclamando, mas, quando eu dou um abraço apertado nela, é assim: "Se você me ama, pára de apertar meus velhos ossos para que eu possa viver por mais tempo." Ela é engraçada.

Nós demos umas risadinhas.

— Tenho a sensação de que vamos encontrar nossas famílias, ou ao menos ter notícias sobre elas. — Kanei esticou as mãos como se tentasse alcançar o sol. Ele olhou para Alhaji, que sorria sem parar. — Ouvi dizer que você tem uma irmã linda. Eu ainda sou seu amigo, não é?

Começamos a rir. Alhaji pulou nas costas de Kanei, e eles começaram a lutar na grama. Quando pararam, retomaram o caminho atrás de nós, cantando uma música de S. E. Rogie, "*Nor look me bad eye, nor weigh me lek dat ...*".* Nós nos juntamos a eles e cantamos como se aquele fosse o momento mais glorioso de nossas vidas. Mas logo o silêncio voltou a imperar.

* "Não me olhe atravessado, nem me julgue desse jeito..." (N. da T.)

De um lado o céu estava completamente azul e, do outro, cheio de nuvens que pareciam de chumbo. O vento suave fez um galho estalar na floresta. O eco soou como um grito, uma lamúria. Não fui o único a notar, porque meus amigos pararam um instante e escutaram com atenção. O vento retomou seu ritmo. Mais galhos estalaram na floresta e a lamúria se intensificou. As folhas das árvores começaram a roçar umas nas outras, resistindo ao vento. As árvores pareciam sentir dor. Elas balançavam em todas as direções e se esbofeteavam com seus galhos. As nuvens rolavam no céu azul, que começou a escurecer. Uma chuva forte caiu em seguida, com trovoadas e relâmpagos que duraram menos de quinze minutos. Depois o céu retomou a sua cor mais azul. Caminhamos, perplexos, com nossas roupas encharcadas debaixo do sol. À noite, a chuva recomeçou. A água jorrava do céu com força, descia sobre nós como um chicote. Andamos a maior parte da noite tirando a água do rosto para enxergar. Quando ficou impossível continuar, sentamos ao pé de árvores gigantescas e esperamos. Quando os relâmpagos acendiam a floresta, eu conseguia ver onde cada um estava sentado. Todos, de braços cruzados, descansávamos o rosto sobre os joelhos.

As últimas horas da noite foram longas. Quando a chuva parou, já era dia claro. Estávamos todos tremendo, as pontas de nossos dedos pálidas e enrugadas.

— Parecemos umas galinhas ensopadas — Musa disse, rindo, quando saímos de baixo das árvores.

Encontramos uma clareira onde o sol tinha começado a bater e ali esprememos e espalhamos nossas roupas sobre os arbustos, sentados sob o sol para nos secar.

Era quase meio-dia quando vestimos nossas roupas úmidas e continuamos a caminhada. Poucas horas depois ouvimos um galo cantar à distância. Musa deu um pulo e todos começamos a rir.

Finalmente estávamos chegando perto da aldeia, onde ver nossas famílias era uma possibilidade de verdade. Eu não conseguia fechar meu sorriso. Os cafezais começaram a substituir a floresta e surgiram pegadas na trilha. Ouvimos o som de arroz sendo pilado e vozes distantes carregadas pela brisa. Apertamos o passo conforme esses sons confirmavam que havia vida adiante. Do lado oposto à plantação de café havia uma pequena fazenda de bananas, e lá cruzamos com um homem que cortava cachos de bananas maduras. Não conseguimos ver seu rosto, pois estava atrás das folhas.

— Boa tarde — disse Kanei.

O homem deu uma olhada em nós por trás de uma folha de bananeira. Ele limpou o suor da testa e andou até nosso grupo. Enquanto se aproximava, lentamente, abrindo caminho entre as barulhentas folhas de bananeira secas, a visão de seu rosto despertou alguma coisa na minha memória.

Seu rosto estava um pouco enrugado agora e ele estava muito mais magro do que quando o vira pela última vez. Seu nome era Gasemu, Ngor* Gasemu. Ele era um dos notórios solteirões da minha aldeia. Todos viviam comentando o fato de ele não ser casado. Os mais velhos sempre diziam: "Ele tem idade suficiente e é responsável o bastante para encontrar uma boa esposa, mas gosta de ficar sozinho, gosta dessa vida solta." Ele nunca replicava esses comentários nem se aborrecia com eles. Cozinhava sua própria comida e, quando estava cansado demais para cozinhar, ele comia *gari*** com mel. Certa vez passou uma semana inteira comendo *gari* com mel. Minha mãe decidiu dar a ele um prato de comida todas as noites.

— Aquela comida faz mal pra você — ela disse a ele, e ele sorriu, coçando a cabeça.

Quando Gasemu chegou à trilha, parou e examinou nossos rostos. Ele sorriu, e foi aí que tive certeza de que era mesmo o Ngor Gasemu que eu conhecia, porque lhe faltava um dente da frente.

— Os garotos querem me ajudar a carregar essas bananas até a aldeia? — ele perguntou daquele jeito que os adultos costumam usar para pedir coisas a gente mais jovem, então sabíamos que ele não aceitaria um não como resposta. — Vamos lá, garotos. — Ele fez sinal para que o seguíssemos até a plantação de bananas. Começamos a caminhar atrás dele enquanto ele seguia acenando com a mão como se nos puxasse com uma corda invisível. Quando me aproximei dele, ele colocou a mão sobre meu ombro e me fez festa na cabeça.

— Você ainda é um garoto danado? — Ele puxou meu nariz.

— Não tenho tempo para ser danado hoje em dia — respondi.

— Vejo que você está triste. Sua testa tinha um brilho natural quando você era bem menininho. Eu e seus pais sempre discutíamos como você era diferente. Achávamos que era porque você estava feliz o tempo todo. Sua mãe dizia que você sorria até quando estava dormindo. Mas, quando começou a ficar mais da-

* Termo respeitoso colocado antes do primeiro nome dos adultos. (N. de E.)

** Iguaria feita de mandioca desidratada. (N. do E.)

nadinho e ficava zangado, sua testa brilhava ainda mais. Não tínhamos qualquer outra explicação para o brilho na sua testa e como ele se relacionava com seu caráter. E aqui está você, e ela não brilha mais. — Ele parou por um instante, olhando para mim.

Ele caminhou adiante e deu instruções aos meus companheiros de viagem sobre como pegar os cachos de banana e carregá-los sobre os ombros, em vez de sobre as cabeças.

— Desse jeito vocês não os quebram ao meio — ele explicou.

Peguei algumas bananas e esperei que Gasemu apanhasse seu cântaro com água, o machado e o último cacho.

— Então, como é que você chegou... — comecei, mas ele me interrompeu.

— Seus pais e seus irmãos vão ficar muito felizes em ver você. Eles têm falado em você todos os dias e rezam pela sua segurança. Sua mãe chora todos os dias, implorando aos deuses e aos antepassados que devolvam você a ela. Seu irmão mais velho saiu a sua procura, mas retornou há cerca de uma semana. Voltou com o rosto muito triste. Acho que ele se culpa por ter perdido você.

Larguei o cacho de bananas quando ele começou a me dar as notícias. Ele continuou a andar, então peguei as bananas e fui atrás dele.

— Eles vão ficar realmente surpresos em vê-lo.

Ele caminhava bem devagar à minha frente. Minha respiração estava acelerada e eu não conseguia dizer nada. Queria largar as bananas e correr o mais rápido possível até a aldeia. Minhas pálpebras estavam tremendo, e eu sentia como se a brisa estivesse atravessando meu cérebro. Fiquei tonto. A excitação e a tristeza me deram a sensação de que meu coração poderia explodir se eu esperasse mais, mas a trilha era estreita e eu não podia ultrapassar os que estavam à minha frente.

Depois de alguns minutos, chegamos a um rio, e fiquei feliz porque quase sempre havia um nas bordas das aldeias. Mas ainda não estávamos lá.

— A aldeia fica depois daquele morro — Gasemu disse.

Era um morro grande, com pedras dos dois lados do caminho e outras que pareciam impossíveis de ser removidas, bem no meio do caminho. A trilha ia em ziguezague até o topo onde, quando finalmente o atingimos, tivemos que parar para descansar por alguns minutos. Senti raiva porque paramos para descansar, e me sentei longe do grupo, numa pedra. Meus olhos seguiam a trilha marrom empoeirada que continuava montanha abaixo e para dentro da floresta cerrada, através da qual eu conseguia enxergar pedacinhos dos telhados de palha e de zinco da aldeia. Parte de mim já estava a caminho da aldeia, outra esperava impacientemente no morro. Gasemu passou o cantil, que recusei. Quando o cantil voltou às mãos dele, pegamos nossos cachos de bananas e começamos a descer o morro. Comecei antes de todo mundo, para que pudesse acelerar na frente.

Quando descia o morro, ouvi tiros. E cães latindo. E pessoas gritando e chorando. Largamos as bananas e começamos a correr para evitar o morro aberto. Uma fumaça cerrada começou a subir da aldeia. Sobre ela, fagulhas de chamas saltavam no ar.

Ficamos escondidos atrás de arbustos e escutamos os tiros e gritos de homens, mulheres e crianças. As crianças choravam, os homens davam berros agudos que penetravam a floresta e encobriam os gritos das mulheres. Os tiros finalmente pararam, e o mundo ficou muito quieto, como se estivesse escutando. Eu disse a Gasemu que queria ir até a aldeia. Ele me segurou, mas eu o empurrei para os arbustos e corri caminho abaixo o mais rápido que pude. Não sentia minhas pernas. Quando cheguei à aldeia, ela estava completamente em chamas e havia cápsulas de balas cobrindo todo o chão como folhas de mangueira pela manhã. Não sabia por onde começar a procurar minha família. Gasemu e meus amigos tinham me seguido, e começamos todos a vasculhar pela aldeia incendiada.

Eu suava por causa do calor, mas não estava com medo de correr entre as casas. Pregos pulavam dos telhados de zinco e voavam, aterrissando sobre telhados de palha próximos, aumentando o poder do fogo. Enquanto assistíamos a um telhado de zinco voar pelos ares, em chamas, ouvimos gritos e pancadas a poucas casas dali. Corremos por trás das casas vizinhas ao cafezal e chegamos àquela de onde vinha a gritaria. Tinha gente trancada do lado de dentro. O fogo já havia tomado a casa quase inteira. Era possível ver as chamas pelas janelas e pelo teto. Pegamos um pilão e batemos na porta até abri-la, mas já era tarde. Somente duas pessoas saíram, uma mulher e uma criança pequena. Eles estavam pegando fogo, e correram para cima e para baixo pela aldeia, se debatendo contra tudo que encontravam pelo caminho e voltando pela mesma direção, fazendo o mesmo. A mulher caiu e parou de se mover. A criança deu um grito agudo e alto, e sentou ao lado de uma árvore. Ela também parou de se mover. Tudo aconteceu tão rápido que ficamos ali paralisados, grudados no chão. O guincho da criança ainda ecoava na minha cabeça, como se tivesse criado vida própria dentro de mim.

Gasemu tinha saído de perto de onde eu estava. Ele começara a gritar do outro lado da aldeia. Corremos para lá. Mais de vinte pessoas estavam deitadas com o rosto virado para o chão. Elas estavam enfileiradas, e ainda havia sangue jorrando dos buracos das balas em sua carne. Um rio de sangue corria pelo chão, cada afluente saindo debaixo de um corpo, como se assim juntasse aquelas pessoas. Os soluços de Gasemu aumentaram enquanto ele virava corpo por corpo para cima. Alguns tinham a boca e os olhos abertos em expressões que mostravam o quanto tinham se retorcido na expectativa das balas que viriam por trás. Outros tinham respirado terra, talvez em seu último suspiro. Os corpos eram, na maioria, de homens de vinte a trinta anos. Alguns poucos eram mais jovens que isso.

Noutras trilhas da aldeia havia restos quase inteiramente queimados daqueles que haviam lutado violentamente, só para morrer do lado de fora. Eles estavam jogados no chão, contorcidos em diferentes posições de dor, alguns levando as mãos à cabeça, os ossos brancos em seus maxilares à mostra, outros enrolados como uma criança no útero, congelados.

O fogo havia começado a acalmar, e eu estava correndo pela aldeia procurando alguma coisa, alguma coisa que eu não queria ver. Hesitante, tentava distinguir os rostos de corpos queimados, mas era impossível saber quem tinham sido um dia. Além disso, havia inúmeros deles.

— Eles ficavam naquela casa — Gasemu me disse, apontando em direção a uma das casas chamuscadas.

O fogo havia consumido toda a armação da porta e das janelas, e o barro que ficava entre as madeiras estava derretendo, deixando à mostra os cabos por onde as chamas continuavam abrindo caminho.

Meu corpo inteiro entrou em choque. Somente meus olhos se moviam, fechando e abrindo devagar. Tentei sacudir as pernas para fazer com que o sangue circulasse, mas caí no chão, segurando meu rosto. No chão, sentia como se meus olhos tivessem crescido demais para suas cavidades. Podia sentir que se expandiam, e a dor libertou meu corpo do choque. Corri até a casa. Sem medo algum, entrei e procurei em cada um dos cômodos cheios de fumaça.

O chão estava cheio de pilhas de cinzas; não havia qualquer forma sólida que se parecesse com um corpo lá dentro. Gritei a plenos pulmões e comecei a chorar o mais alto que pude, socando e chutando com toda a minha força as paredes em chamas, mas não sentia nada. Gasemu e os outros meninos começaram a me puxar para fora da casa. Eu continuava a chutar e socar enquanto me arrastavam para fora.

— Procurei por eles pela aldeia, mas não encontrei em lugar algum — Gasemu disse.

Eu estava sentado no chão com a cabeça enterrada nas mãos. Estava transbordando de raiva. Eu bufava e fervia, e meu coração parecia prestes a explodir. Ao mesmo tempo, sentia como se alguma coisa tivesse sido literalmente colocada dentro da minha cabeça, mais pesada do que podia imaginar, e meu pescoço começou a doer. Se não tivéssemos parado para descansar naquele morro, se não tivéssemos encontrado Gasemu, eu teria visto a minha família, pensei. Minha cabeça queimava como se estivesse pegando fogo. Coloquei minhas mãos sobre as orelhas e pressionei, em vão. Eu não sabia o que estava acontecendo comigo. Levantei, fui atrás de Gasemu, e prendi seu pescoço em meus braços. Apertei o máximo que pude.

— Não consigo respirar — ele disse, lutando.

Ele me empurrou para longe, e caí perto de um pilão. Peguei-o e golpeei Gasemu com ele. Ele caiu, e quando levantou seu nariz estava sangrando. Meus amigos me seguraram. Gasemu me olhou e disse, com tristeza:

— Não sabia que isso ia acontecer. — Ele caminhou até uma mangueira e sentou encostado nela, limpando o sangue que escorria do nariz.

Meus amigos tinham me encostado no chão, me segurando, e estavam discutindo violentamente. Alguns diziam que era culpa de Gasemu não termos conseguido ver nossos pais. Outros que não era, e que, se não fosse por ele, estaríamos todos mortos. Meus amigos começaram a brigar entre si, chutando, socando, atirando uns aos outros no chão. Alhaji empurrou Jumah numa das casas e suas calças pegaram fogo. Ele gritava enquanto rolava na terra, batendo nas calças para apagar as chamas. Quando Jumah se levantou, pegou uma pedra e atirou-a em Alhaji. Ela acertou Alhaji na parte de trás da cabeça. Corria sangue pelo seu pescoço. Quando viu o sangue, Alhaji ficou furioso e correu na direção de Jumah, mas Gasemu interveio. Ele puxou Alhaji para longe e amarrou a cabeça ensangüentada do garoto com um pedaço de pano. Ficamos todos quietos e furiosos nas ruínas da aldeia, onde nossa jornada parecia ter acabado.

— Nada disso é culpa de ninguém — Gasemu disse, vagarosamente.

Suas palavras me enfureceram mais, e eu quis pular em cima dele outra vez. Mas ouvimos vozes de gente que se aproximava da aldeia. Corremos para o cafezal próximo e deitamos na terra para observar o que acontecia.

Um grupo de mais de dez rebeldes entrou na aldeia. Eles estavam rindo e se cumprimentando com as mãos, comemorando. Pareciam um pouco mais velhos que eu. Tinham sangue em suas roupas, e um deles estava carregando a cabeça de um homem, que ele segurava pelo cabelo. A cabeça parecia ainda sentir o cabelo ser puxado. Escorria sangue do lugar onde o pescoço deveria estar. Um outro rebelde carregava um galão de gasolina e uma caixa grande de fósforos. Os rebeldes se sentaram e começaram a jogar cartas, fumar maconha e a se gabar do que tinham feito naquele dia.

— Queimamos três aldeias hoje. — Um magrelo, que parecia ser o que mais se divertia no grupo, riu.

Outro rebelde, o único que vestia uniforme militar completo, concordou com o magrelo.

— É, impressionante, em poucas horas numa tarde só. — Ele fez uma pausa, brincando com a lateral de sua arma G3. — Gostei especialmente de queimar esta aldeia aqui. Pegamos todo mundo. Ninguém escapou. De tão bom que foi. Levamos a cabo a ordem e executamos todo mundo. O comandante vai ficar satisfeito quando chegar aqui. — Ele meneou a cabeça, olhando para os outros rebeldes, que haviam parado o jogo para ouvi-lo. Todos concordaram com ele, balançando as cabeças. Bateram de novo uns nas mãos dos outros e voltaram ao jogo.

— Algumas pessoas escaparam nas outras duas aldeias — um outro rebelde, que estava de pé, falou. Ele pausou, esfregando a testa, como se ponderasse por que aquilo tinha ocorrido, e continuou: — Provavelmente eles viram a fumaça nesta aldeia e sabiam que tinha alguma coisa errada. A gente devia mudar a estratégia. Da próxima vez atacamos todas as aldeias ao mesmo tempo.

Os outros não prestaram tanta atenção agora como quando o rebelde vestindo uniforme militar completo falou. Os rebeldes continuavam a jogar cartas, batendo papo por horas, e, então, sem nenhuma razão aparente, fizeram umas duas rodadas de tiros para o ar. Alguém no meu grupo se moveu, e as folhas secas do cafezal fizeram algum barulho. Os rebeldes pararam de jogar cartas e correram em diferentes direções para buscar abrigo. Dois deles começaram a andar na nossa direção, apontando suas armas. Eles andaram rápido e então se agacharam. Como se tivéssemos planejado, levantamos e começamos a correr. As balas nos seguiam do cafezal até a floresta. Gasemu estava na frente e ele sabia aonde estava indo. Nós o seguimos. Quando atingimos os limites da floresta, Gasemu parou e esperou que o alcançássemos.

— Sigam a trilha reta — ele nos disse.

Quando cheguei perto dele, ele tentou sorrir para mim. Não sei por quê, mas aquilo me deixou mais irritado. Passei por ele correndo, e segui a trilha estreita na qual havia grama crescendo. Eu estava atrás de Alhaji, que abria caminho entre os arbustos como um mergulhador subindo à superfície para buscar ar. Algumas plantas batiam contra mim, mas eu não parava. Os tiros ficavam mais altos atrás de nós. Corremos por horas na floresta. A trilha acabara, mas continuamos correndo até que o céu engoliu o sol e fez nascer a lua. As balas continuavam a voar atrás de nós, mas agora era possível ver seus rastros vermelhos furando a mata. A lua desapareceu e levou com ela as estrelas, fazendo o céu chorar. Suas lágrimas nos salvaram das balas.

Passamos a noite respirando pesadamente, escondidos em arbustos encharcados de chuva. Os caçadores haviam desistido. Gasemu começou a chorar como criança. Eu sempre ficava com medo quando esse tipo de coisa acontecia. Quando eu era mais novo, aprendi que homens feitos só choram quando não têm outra escolha. Gasemu rolava no chão de dor. Quando finalmente reunimos coragem para levantá-lo, descobrimos por que estava chorando. Ele tinha levado um tiro em algum momento durante a fuga naquela noite. A perna direita dele sangrava e tinha começado a inchar. Ele estava segurando o flanco e não tirava a mão dali. Alhaji levantou a mão de Gasemu; sangrava pelo lado também. Aparentemente sua mão estava impedindo o sangue de jorrar. Agora o sangue corria dele como cachoeira. Ele começou a suar. Alhaji me pediu para conter o sangue colocando minha mão no ferimento lateral de Gasemu. Fiz isso, mas o sangue continuava a correr pelos meus dedos. Ele me olhava, seus olhos começando a afundar tristemente nas órbitas. Ele conseguiu levantar a mão direita, fraca, para segurar a minha mão, que segurava seu ferimento. Ele parou de soluçar, mesmo com as lágrimas ainda correndo pelos seus olhos, mas nem tanto quanto corria seu sangue. Musa não conseguia mais ver sangue. Desmaiou. Alhaji e eu tiramos a camisa de Gasemu e a amarramos no ferimento do flanco para conter o sangue. O resto do grupo assistia a tudo com os rostos tensos. Musa acordou e se juntou a eles.

Engasgando, Gasemu nos contou que havia uma *wahlee** perto e que, se voltássemos com ele na direção da fazenda, ele nos mostraria como retomar a trilha e chegar até lá. Tínhamos tomado a direção errada durante a noite. Gasemu colocou os braços ao redor do meu ombro e de Alhaji. Nós o levantamos e começamos a caminhar vagarosamente através da mata. Nós o colocamos sentado por alguns minutos e limpamos o suor de sua testa.

Passava do meio-dia quando Gasemu começou a arquejar, seu corpo inteiro tremia. Ele nos pediu para ficar sentado. Apertou seu corpo na altura do estômago e começou a rolar de dor de um lado para o outro. Os sobressaltos ficaram mais intensos, até que ele parou de rolar. Deitou de costas, encarando o céu. Seus olhos estavam fixos em algo e suas pernas vibravam e depois paravam, suas mãos faziam o mesmo, e finalmente seus dedos, mas seus olhos continuavam abertos, fixados no topo da floresta.

— Vamos levantá-lo. — A voz de Alhaji também tremia.

Coloquei o braço de Gasemu em volta do meu pescoço. Alhaji fez o mesmo, e caminhamos com ele, seus pés arrastando-se no chão. Seus braços estavam frios. Seu corpo ainda suava e ele continuava a sangrar. Não dissemos nada um ao outro. Sabíamos o que tinha acontecido.

Quando finalmente chegamos à *wahlee*, os olhos de Gasemu ainda estavam abertos. Alhaji os fechou. Sentei-me ao lado dele. Seu sangue estava na palma da minha mão e em meu pulso. Eu me arrependi de ter batido nele com o pilão. Ainda havia sangue ressecado em seu nariz. Comecei a chorar baixinho. Não conseguia chorar tanto quanto queria. O sol já estava pronto para deixar o céu. Ele tinha saído para levar Gasemu com ele. Fiquei lá sentado, ao lado dele, incapaz de pensar. Meu rosto começou a endurecer. Quando a brisa bateu contra ele, senti minha carne resistir à delícia do vento fresco. A noite inteira não tive sono algum. Meus olhos se enchiam de água e secavam sem parar. Não sabia o que dizer. Por poucos minutos tentei imaginar o que foi que Gasemu sentiu quando seus dedos vibraram para deixar a última lufada de ar sair de seu corpo.

* Um lugar fora das aldeias onde as pessoas processam café e outros grãos. (N. do E.)

12

Já devíamos estar caminhando havia dias, realmente não consigo precisar quantos, quando de repente dois homens apontaram suas armas para nós e sinalizaram para nos aproximarmos. Andamos em meio a duas fileiras de homens que carregavam armas, AK-47, G3 e LGF. Seus rostos eram escuros, como se tivessem tomado banho com carvão, e nos encaravam com intensidade incomum, com seus olhos extremamente vermelhos. Quando chegamos ao final da fila, havia quatro homens deitados no chão, seus uniformes encharcados de sangue. Um deles estava deitado de barriga para o chão, e seus olhos estavam bem abertos e parados; suas tripas estavam espalhadas pela terra. Eu me virei, e meus olhos se depararam com a cabeça esmagada de um outro homem. Algo dentro da cabeça dele ainda pulsava e ele estava respirando. Senti náuseas. Tudo começou a girar à minha volta. Um dos soldados me observava, mastigando alguma coisa e sorrindo. Ele tomou um gole de água e jogou o resto que havia na garrafa no meu rosto.

— Você vai acabar se acostumando, todo mundo se acostuma — ele disse.

Uma rajada de tiros explodiu em algum lugar próximo, e os soldados começaram a se mover, nos levando junto. Encontramos um rio onde os botes motorizados de alumínio dos soldados flutuavam. Vimos corpos de meninos de onze e treze anos de idade empilhados ao lado do rio. Viramos o rosto. Os disparos estavam ficando mais altos. Quando subíamos no bote, uma LGF, voou de dentro dos arbustos, explodindo na margem. A superfície do rio borbulhava, fervendo. Um homem que vestia calças do exército desceu correndo a trilha em direção aos barcos, jogando contra os soldados. Um dos homens no meu bote abriu fogo, jogando o homem no chão. Os botes seguiram a correnteza rio abaixo, e fomos deixados perto de um afluente. Um soldado nos guiou até Yele, a aldeia que estava ocupada pelos militares. Era uma aldeia grande, com mais de dez casas. Os soldados ocupavam a maioria delas. Eles haviam cortado a vegetação em torno da aldeia, exceto na entrada do rio pela qual chegamos. Desse jeito, os soldados explicaram, seria mais difícil para o inimigo atacar.

No começo, parecia que em Yele tínhamos finalmente encontrado segurança. A aldeia estava sempre cheia de vozes em animado bate-papo e de risadas. Os adultos, civis e militares, falavam sobre o tempo, sobre as estações de plantio, caçadas, e nada era dito sobre a guerra. Primeiro, não conseguia compreender por que as pessoas agiam daquele jeito. Mas pouco a pouco os sorrisos naqueles rostos passaram a reafirmar para nós que não havia mais nada com que nos preocupar. A única coisa que tirava o humor das pessoas naquela aldeia era ver crianças órfãs. Havia mais de trinta garotos entre as idades de sete e dezesseis anos. Eu era um deles. Fora isso, não havia qualquer indicativo de que nossa infância sofreria qualquer ameaça, muito menos de que nos seria roubada.

Ficamos em uma casa de tijolos de cimento junto com outros meninos. Uma enorme lona verde servia de teto, e dormíamos no chão de cimento em pequenos lençóis, cada um ocupado por duas pessoas. Os soldados guardavam suas guarnições em outra casa de tijolos inacabada, e conviviam entre si, separados dos civis. À noite, assistiam a filmes, ouviam música, riam e fumavam maconha. O cheiro da erva cobria a aldeia inteira. Durante o dia, eles se misturavam aos civis e nós ajudávamos na cozinha. Kanei e eu pegávamos água e lavávamos os pratos. O resto de nossos amigos ajudava a picar berinjelas, cebolas, carne, esse tipo de coisas, na cozinha. Eu gostava de me ocupar com trabalho o dia inteiro, indo ao rio e voltando, lavando pratos sem parar. Era a única maneira de me distrair dos pensamentos que estavam me dando dores de cabeça terríveis. Mas ao meio-dia já havíamos dado conta de todos os afazeres domésticos; a refeição estava pronta e só faltava ser consumida. Todos se sentavam nas varandas das casas de frente para o centro da aldeia. Os pais catavam os cabelos de seus filhos, meninas brincavam cantando e batendo palmas, e alguns dos soldados mais jovens jogavam futebol com os meninos. A alegria deles e as palmas aplaudindo podiam ser ouvidas a distância, no rio. Durante o dia, a vida era levada sem medo naquela aldeia.

Os jogos de futebol me lembravam daqueles que costumava jogar com o time quando minha família se mudou para a cidade mineira de Mogbwemo. Lembrava particularmente de uma decisão que meu time, formado por Junior e alguns amigos, venceu. Meus pais estavam naquele jogo e, no final, minha mãe aplaudia e sorria largamente, seu rosto ardendo de orgulho. Meu pai foi até mim e levantou minha mão direita para o alto, declarando que eu era seu campeão. Ele fez o mesmo com Junior. Minha mãe nos trouxe água, e bebemos enquanto ela nos abanava com a toalha que usava na cabeça. Aquela excitação toda fazia meu coração pular, e eu suava em bicas. Podia sentir o salgado das gotas que corriam da minha testa até a boca. Naquele momento, com a minha família, eu me senti leve, como se estivesse pronto para voar. Queria segurar o momento por mais tempo, não para celebrar nossa vitória, mas porque o sorriso no rosto dos meus pais fazia com que cada nervo no meu corpo acordasse e se movesse na corrente suave que passava dentro de mim.

Eu me afastei dos jogos que aconteciam na aldeia e sentei atrás das casas, olhando fixamente para o nada, até que a forte enxaqueca me desse uma trégua. Não contei a ninguém o que estava acontecendo comigo. Meus sintomas não eram mencionados pela manhã quando o "doutor sargento" — como os civis o chamavam — colocava as crianças e as famílias em fila para tratamento. O doutor sargento queria saber de febres, resfriados e muitas outras doenças, mas nunca perguntava se alguém estava sofrendo com pesadelos ou enxaquecas.

À noite, Alhaji, Jumah, Moriba e Kanei jogavam bolinhas de gude no chão de cimento, sob a luz da lua que atravessava as janelas abertas. Musa tinha se tornado popular entre os meninos e sempre encerrava a noite com uma história diferente. Eu me sentava calado num canto da sala, trincando os dentes para não demonstrar a dor que sentia por causa das enxaquecas. Na minha cabeça eu via fagulhas de chamas, partes de cenas que eu tinha testemunhado. As vozes agonizantes de crianças e mulheres tornavam-se vivas na minha mente. Eu chorava quieto enquanto minha cabeça pulsava como o badalo de um sino. Às vezes, quando a enxaqueca parava, eu conseguia dormir por pouco tempo, para ser acordado pelos pesadelos. Certa noite sonhei que levava um tiro na cabeça. Eu estava deitado em meu próprio sangue e as pessoas passavam correndo por cima de mim. Um cão se aproximava e começava a lamber meu sangue com apetite feroz. O cão mostrava seus dentes para mim enquanto meu sangue adoçava sua boca. Eu queria espantá-lo dali, mas não conseguia me mover. Acordei antes que ele começasse a fazer o que eu temia que ele fizesse comigo. Eu suava e não consegui mais dormir o resto da noite.

Certa manhã, de repente, o clima na aldeia ficou tenso. Não era claro o que havia causado a mudança, mas alguma coisa estava para acontecer. Todos os soldados reuniram-se na praça, vestidos em seus uniformes, carregando suas armas e a munição em mochilas e cintos. As baionetas pendiam das laterais de suas calças, e eles ouviam de pé, com os capacetes debaixo dos braços. "Atenção." "Descansar." "Atenção." "Descansar." Ouvi a voz do instrutor de treino enquanto caminhava até o rio com Alhaji para pegar água. Quando voltamos, o instrutor tinha parado de fazer o aquecimento com os soldados.

Em vez de aquecimento, vimos o tenente Jabati de pé em frente aos seus homens, mãos cruzadas nas costas. Ele falou por horas ao grupo antes de dispensá-lo para o almoço. Enquanto o tenente falava com seus homens, seguimos calmamente com nossas tarefas diárias, ao mesmo tempo que tentávamos escutar alguma coisa que ele dizia, mas, para ouvi-lo, teríamos que nos aproximar e entrar na fileira de soldados, o que estava fora de questão. Andamos pela aldeia o dia todo especulando sobre o que o tenente havia dito a seus homens.

No fim do dia, os soldados limparam suas armas, disparando uma ou outra rajada de tiros no ar. Esses tiros a esmo faziam as crianças menores se esconder entre as pernas dos pais. Os soldados fumavam cigarros e maconha; alguns sentavam sozinhos, enquanto outros jogavam e brincavam uns com os outros noite adentro. Alguns assistiam a um filme dentro de uma de suas grandes barracas.

O tenente Jabati estava sentado na varanda de sua casa, lendo um livro.

Ele não levantava os olhos das páginas, nem mesmo quando seus homens assobiavam alto ao ver o tamanho e a sofisticação de alguma arma num filme de guerra a que estivessem assistindo. O tenente só olhava em volta quando tudo estava calmo. Ele me pegou observando-o e me chamou para sentar com ele. Era um homem alto, praticamente sem cabelo. Seus olhos eram grandes, completados por um par de maçãs do rosto cheias, que davam a impressão de que ele tinha alguma coisa dentro da boca. Era um sujeito calado, mas sua quietude se traduzia numa autoridade vigorosa que todos os seus homens temiam e respeitavam. Seu rosto era tão sombrio que era preciso coragem para olhá-lo nos olhos.

— Você tem recebido comida suficiente aqui? — ele perguntou.

— Sim — eu respondi, enquanto tentava ver o que ele estava lendo.

— É Shakespeare. — Ele me mostrou a capa. — *Júlio César*. Já ouviu falar?

— Eu li *Júlio César* na escola — disse a ele.

— Lembra de alguma coisa do livro? — indagou.

— Covardes morrem muitas vezes antes de sua morte... — comecei, e ele recitou a fala inteira comigo.

Assim que terminamos, seu rosto retomou a expressão severa. Ele me ignorou e voltou ao livro. Observei as veias em sua testa tornarem-se transparentes sob a carne e desaparecerem enquanto ele absorvia o conteúdo do livro, ou pensava sobre qualquer outra coisa que ia pela sua cabeça. Saí na ponta dos pés, enquanto o céu trocava a luz do dia pela escuridão.

Quando eu tinha sete anos de idade, costumava ir à praça da aldeia recitar monólogos da obra de Shakespeare para os adultos da comunidade. Ao fim de cada semana, os homens se juntavam para discutir os problemas da comunidade. Eles se sentavam em bancos de madeira, e, no fim do debate, eu era chamado para recitar Shakespeare. Meu pai tossia alto, indicando aos outros adultos que fizessem silêncio, porque eu ia começar. Ele sentava na frente, de braços cruzados e com um grande sorriso no rosto que dava a impressão de que levaria anos para ser apagado. Eu ficava de pé em cima de um banco e usava um pedaço de pau para representar minha espada. Começava com Júlio César: "Amigos, romanos, patrícios, concedei-me vossa atenção..." Eu sempre recitava falas de Macbeth e Júlio César, que eram os preferidos entre os adultos. Eu estava sempre ansioso e animado para ler para eles, porque aquilo me fazia sentir que eu realmente falava inglês muito bem.

Eu estava acordado quando os soldados saíram no meio da noite, o eco de sua marcha deixando um ar sinistro na aldeia que prevaleceu até o amanhecer e pelo dia inteiro. Dez soldados foram deixados para trás para proteger a aldeia, e eles permaneceram em seus postos o dia todo. Quando a tarde acenava para a noite, chamando-a, os soldados anunciaram toque de recolher dando algumas rodadas de tiros no ar e ordenando a todos: "Entrem agora e fiquem deitados no chão." Naquela noite, Musa não contou histórias nem Moriba jogou bolinhas de gude com os outros garotos. Nós ficamos sentados, quietos, encostados à parede, ouvindo as rápidas explosões de tiros que ocorriam a distância. Pouco antes do amanhecer, a lua navegou entre as nuvens, mostrando seu rosto pela janela aberta da casa, antes de ser levada embora pelo canto de um galo.

Aquela manhã não chegou apenas com o nascer do sol; trouxe com ela os soldados, os poucos deles que conseguiram retornar à aldeia. Suas botas bem polidas estavam enlameadas e eles se sentaram isolados uns dos outros, agarrados às armas, como se fossem seu único conforto. Um dos soldados, sentado num tijolo na cozinha, curvou a cabeça entre as mãos e começou a balançar o corpo para frente e para trás. Ele se levantou, andou pela aldeia e tornou a sentar no tijolo. Ele fez isso uma vez atrás da outra o dia inteiro. O tenente Jabati estava no rádio, e a certo ponto ele atirou o aparelho contra a parede e se enfiou em seu quarto. Nós, civis, não nos falamos naquele dia. Só observamos a loucura revelar-se entre os soldados.

Ao meio-dia, um grupo de cerca de vinte soldados chegou à aldeia. O tenente ficou surpreso e satisfeito em vê-los, mas logo escondeu o que sentia. Os soldados se prepararam e saíram para lutar. Nada mais havia a ser escondido; sabíamos que a guerra estava próxima. Logo que os soldados partiram, ouvimos tiros perto da aldeia. Os soldados que vigiavam a aldeia mandaram todos para dentro.

O tiroteio seguiu tarde adentro, interrompendo o canto dos pássaros e dos grilos. À noite os soldados voltaram correndo à aldeia para buscar munição e um rápido repouso. Soldados feridos foram trazidos para morrer em cirurgias realizadas à luz de lampião. Os soldados nunca traziam seus companheiros mortos. Os prisioneiros eram colocados em fila e recebiam tiros na cabeça.

As coisas continuaram assim por vários dias, e, toda vez que os soldados iam para a frente de batalha, poucos retornavam. Aqueles que haviam ficado para trás, na aldeia, tornavam-se cada vez mais agitados, passando a atirar até mesmo em civis que encontravam a caminho do banheiro, no meio da noite. O tenente mandou que seus homens reunissem todo mundo na praça.

— Naquela floresta existem homens dispostos a acabar com nossas vidas. Lutamos contra eles o máximo que pudemos, mas agora eles são maioria. Eles cercaram toda a aldeia. — O tenente fez um círculo no ar com a mão. — Eles não vão desistir até que consigam capturar esta aldeia. Eles querem nossa comida e nossa munição. — Ele fez uma pausa, e continuou, falando devagar: — Alguns de vocês estão aqui porque eles mataram seus pais ou suas famílias inteiras, outros porque este é um local seguro. Bem, não é mais tão seguro. É por isso que preciso de homens e meninos para nos ajudar a enfrentar esses caras, para que possamos manter esta aldeia segura. Se vocês não quiserem lutar ou ajudar, está bem. Mas não receberão comida nem poderão permanecer na aldeia. Estão livres para partir, porque só queremos aqui gente que possa ajudar a cozinhar, a preparar munição e a lutar. Há mulheres suficientes para cuidar da cozinha, então precisamos da ajuda de garotos e de homens capazes de lutar contra esses rebeldes. Esta é sua hora de vingar as mortes de suas famílias e garantir que outras crianças não percam as famílias delas. — Ele respirou fundo. — Amanhã de manhã vocês devem formar uma fila aqui, e nós vamos selecionar gente para as diversas tarefas que precisam ser executadas. — Ele deixou a praça, seguido por seus homens.

Ficamos em silêncio por um tempo e lentamente cada um foi para seu lugar de dormir, conforme o toque de recolher se aproximava. Lá dentro, Jumah, Alhaji, Moriba, Musa e eu discutimos calmamente o que fazer.

— Os rebeldes vão matar todo mundo nesta aldeia porque eles vão considerar que cada um de nós é seu inimigo, que somos espiões, ou que nos juntamos ao outro lado da guerra. Foi isso que o sargento falou — Alhaji disse, explicando o dilema que enfrentávamos. Os outros garotos, que estavam deitados em suas esteiras, levantaram-se e se juntaram a nós, enquanto Alhaji continuava: — É melhor ficar aqui e lutar, por enquanto. — Ele suspirou. Não tínhamos escolha. Sair da aldeia era a mesma coisa que morrer.

— Atenção. Esta é uma ordem do tenente. Todos devem se reunir na praça imediatamente. — A voz de um soldado soou em um megafone.

Antes que tivesse terminado sua última palavra, a praça estava cheia. Todos estavam esperando por aquele momento, que determinaria o que faríamos por nossa segurança. Antes do anúncio, sentei com meus amigos perto da janela da cozinha. Seus rostos estavam vazios; não demonstravam qualquer emoção, mas seus olhos estavam pálidos de tristeza. Tentei fazer com que me olhassem, mas eles viravam o rosto. Tentei tomar meu café-da-manhã, mas o medo tinha tirado meu apetite.

Ao encontrarmos lugares nas últimas fileiras da multidão, tiros encheram o ar, e, em seguida, caiu um silêncio mais insuportável que as notícias. O tenente ficou de pé em cima de uma pilha de tijolos, para que pudesse ser visto por todos. Ele deixou que o silêncio se assentasse em nossos ossos, então acenou para alguns soldados, que trouxeram a nossa frente dois corpos — um homem e um menino que moravam na aldeia. O sangue que encharcava suas roupas ainda estava fresco e seus olhos estavam abertos. As pessoas viraram o rosto, crianças pequenas e bebês começaram a chorar. O tenente limpou a garganta e começou a falar cortando os gritos, que, por fim, pararam, enquanto ele continuava.

— Sinto muito por ter que mostrar esses corpos repulsivos, especialmente com suas crianças aqui presentes. Mas, de qualquer jeito, todos nós aqui já vimos a morte ou até mesmo apertamos sua mão. — Ele se virou para os cadáveres e continuou, suavemente: — Esse homem e esta criança decidiram deixar a aldeia pela manhã, apesar de termos avisado a eles que era perigoso. O homem insistiu que não queria fazer parte de nossa guerra, então fizemos o que ele queria e deixamos que partisse. Olhem só o que aconteceu. Os rebeldes atiraram neles na clareira. Meus homens os trouxeram de volta, e decidi mostrá-los a vocês, para que compreendessem a situação em que estamos.

O tenente continuou falando por mais de uma hora, descrevendo como os rebeldes haviam cortado as cabeças de membros de algumas famílias e feito os parentes assistirem àquilo, como tinham queimado aldeias inteiras, com os habitantes nelas, forçado filhos a penetrarem suas mães, partido corpos de bebês recém-nascidos ao meio porque choravam demais, aberto a barriga de grávidas para arrancar os fetos e matá-los... O tenente cuspiu no chão e prosseguiu, até que teve certeza de que tinha mencionado todas as maneiras que os rebeldes tinham de machucar cada pessoa presente na reunião.

— Eles perderam tudo que fazia deles humanos. Eles não merecem viver. É por isso que devemos matar cada um deles. Pensem nisso como a destruição de um grande mal. É o mais honrado serviço que podem prestar a seu país. — O tenente puxou sua pistola e deu dois tiros no ar. Algumas pessoas começaram a gritar:

— Temos que matar todos eles. Vamos varrer essa gente da face da terra.

Todos nós odiávamos os rebeldes, e estávamos mais do que determinados a impedir que capturassem a aldeia. O rosto de todos parecia agora mais triste e tenso. A aura na aldeia mudou rapidamente após o discurso. O sol da manhã desapareceu e o dia ficou sombrio. Parecia que o céu ia se partir e cair sobre a terra. Eu estava furioso e com medo, assim como meus amigos. Jumah olhava na direção da floresta com as mãos para trás, Moriba segurava a cabeça, Kanei olhava para o chão, Musa abraçava o próprio corpo, e eu tinha as mãos na cintura, com os cotovelos para fora, tentando impedir que minhas pernas tremessem mais. Todas as mulheres e crianças foram chamadas à cozinha; homens e garotos, ao depósito de munições, onde os soldados assistiam a seus filmes e fumavam maconha.

Enquanto caminhávamos até o depósito, um soldado que carregava uma G3 saiu e ficou na entrada. Ele sorriu para nós, levantou sua arma e deu vários tiros para o alto. Nós nos jogamos no chão, e ele riu de nós quando entramos. Passamos pela porta e vimos as diversas barracas que havia ali dentro. Não havia teto exceto pela lona impermeabilizada que cobria as caixas de munição e as armas empilhadas contra a parede; na única área comum, havia uma enorme TV em cima de um tambor arrebentado. A poucos metros da TV ficava um gerador, junto a galões de gasolina. Os soldados começaram a sair de suas tendas enquanto o sargento nos levava até o fundo da casa, onde nenhum de nós tinha estado antes. Havia mais de trinta meninos lá, e dois deles, Sheku e Josiah, tinham sete e onze anos de idade. O resto de nós tinha entre treze e dezesseis anos, exceto Kanei, que agora tinha dezessete.

Um soldado que vestia roupas de civil, com um apito em volta do pescoço, andou até uma estante cheia de rifles AK-47 e deu um para cada um de nós. Quando o soldado ficou na minha frente, evitei encará-lo, e ele ajeitou minha cabeça até que meus olhos encontrassem os dele. Ele me entregou a arma. Eu a segurei com mãos trêmulas. Então, ele colocou a câmara, e eu tremi mais ainda.

— Parece que todos vocês têm uma coisa em comum — o soldado disse, depois que terminou de nos testar. — Vocês têm medo de olhar um homem nos olhos e têm medo de segurar uma arma. Suas mãos tremem como se a arma estivesse apontada para a cabeça de vocês. — Ele andou de um lado para o outro da fila por um tempo e continuou: — Esta arma — ele segurou o AK-47 no alto — em breve pertencerá a vocês, então é melhor não terem medo dela. Isso é tudo por hoje.

Naquela noite eu fiquei na porta da minha barraca por um tempo, esperando que meus amigos viessem conversar, mas ninguém saiu. Alhaji chegou a sair e olhou na minha direção por alguns instantes, mas aí ele baixou a cabeça e ficou encarando o chão. Eu estava quase andando até ele quando ele voltou para dentro da barraca. Aspirei a brisa noturna, que trazia o cheiro da maconha. Suspirei, voltei para minha barraca e sentei sobre a lona durante a noite toda, incapaz de dormir. Apenas fiquei lá, sentado, com a cabeça entre as mãos, sem pensamentos. Era a primeira noite que passava acordado sem uma enxaqueca. Assim que comecei a refletir sobre o motivo daquilo, um galo começou a cantar, embora ainda estivesse escuro lá fora. O galo confuso continuou cantando noite adentro até que a manhã finalmente chegou.

Meus dois companheiros de tenda, Sheku e Josiah, os dois meninos mais jovens, ainda estavam dormindo quando a campainha soou às seis da manhã indicando que devíamos levantar para o treino.

— Andem, vamos lá. — Eu tentei acordá-los com uma sacudida sutil.

Eles apenas viraram para o lado e continuaram a dormir. Tive que os arrastar para fora da esteira pelas pernas e dar tapas nos dois até que acordassem. Os soldados já passavam de barraca em barraca arrastando aqueles que ainda estavam dormindo e jogando baldes d'água neles.

Nós nos encontramos no pátio de treinamento e novos tênis foram distribuídos, assim como bermudas do exército e camisetas de todas as cores. Alguns ganharam Adidas, outros ganharam Nikes. Eu ganhei um Reebok Pump preto e estava mais feliz por conta de meus tênis novos do que qualquer outra coisa que estava acontecendo. Tirei minhas calças velhas, que tinham as fitas cassete. Enquanto eu vestia minha bermuda nova, um soldado pegou minhas calças velhas e atirou-as numa fogueira acesa para queimar nossos pertences antigos. Corri até a fogueira, mas as fitas já estavam derretendo. Meus olhos ficaram cheios d'água, e meus lábios estremeceram quando dei as costas para o fogo.

Depois que vestimos a nova indumentária, formamos uma fila horizontal com as pernas separadas e as mãos coladas aos flancos. Enquanto esperávamos, alguns soldados voltaram do *front* e recarregaram suas armas e os pacotes de munição. Alguns tinham sangue nos uniformes e no rosto, mas eles não pareciam notar aquilo ou simplesmente o ignoravam. Eles comeram o café-da-manhã rapidamente e se encaminharam outra vez para onde não pareciam querer voltar. Cada soldado ficou de frente para a parede, respirou fundo diversas vezes e se agarrou firme à arma antes de começar a correr de volta em direção à clareira.

Sheku e Josiah ficaram ao meu lado, como se o fato de dividirmos uma barraca significasse que eu tinha me tornado seu irmão mais velho. Eles me observavam durante os exercícios e me seguiam, em vez de seguirem o soldado que havia se apresentado como cabo Gadafi. Ele era um cara jovem, mais jovem que o tenente e o sargento, mas era careca e sua postura o fazia parecer bem mais velho. Ele tinha uma expressão tensa, até mesmo quando sorria, como se estivesse mastigando alguma coisa amarga.

Primeiro corremos em volta do depósito por alguns minutos e, em seguida, começamos a aprender a rastejar até os arbustos próximos. O cabo Gadafi levantava o punho e, quando o baixava, nós nos jogávamos dentro da vegetação e rastejávamos rapidamente, sem fazer muito barulho, até que chegássemos numa determinada árvore. Depois, tínhamos que voltar correndo para o pátio de treino. O cabo não falava muito durante a fase inicial de treinamento. Tudo que ele dizia era "Nada mal", "Horrível" e "Mais rápido". A maior parte do tempo ele usava gestos, avisando que seria a única coisa usada quando estivéssemos lá fora. Ele apontava para a clareira, onde "palavras podem te custar uma bala na cabeça". Então, ele sorria secamente e abria bem os olhos para rirmos com ele. Depois que já tínhamos corrido, rastejado e agachado muitas vezes, podíamos comer um pouco de pão e mingau. O cabo nos dava um minuto para pegar a comida e ingerir. O que não tivéssemos comido era tirado de nós depois de sessenta segundos. Nenhum de nós conseguiu terminar de comer no primeiro dia, mas numa semana engolíamos qualquer comida em um minuto. Era a única parte do treino em que éramos mestres.

Depois de um café-da-manhã tardio, ficamos em forma de frente para o cabo, que nos entregou os AK-47. Quando chegou minha vez, ele me lançou um olhar intenso, como se tentasse me dizer que estava prestes a me dar uma coisa que merecia ser muito bem cuidada. Ele cutucou meu peito e andou em volta de mim. Quando voltou à frente da fila, me encarou um pouco mais, seus olhos vermelhos e o rosto sombrio contraindo-se. Mostrou os dentes como se estivesse se preparando para atacar, e minhas pernas tinham começado a tremer, quando ele esboçou um sorriso. Antes que eu pudesse sorrir de volta, ele havia parado, e as veias em sua testa incharam. Ainda me encarando, ele meteu a mão em um caixote de madeira e de dentro tirou a arma. Ele pegou a câmara e me entregou o AK com as duas mãos. Eu hesitei um pouco, mas ele empurrou a arma contra meu peito. Com as mãos trêmulas, peguei a arma, prestei continência e corri para o fim da fila, ainda segurando a arma mas com medo de olhar para ela. Nunca tinha segurado uma arma em minha vida por tanto tempo e aquilo me assustava. A coisa mais próxima de uma arma havia sido uma de brinquedo feita de bambu, quando eu tinha sete anos. Meus amiguinhos e eu tínhamos feito a arma à mão e brincávamos de guerra nos cafezais e nas casas inacabadas da aldeia da minha avó. *Pou pou*, a gente gritava, e quem fizesse *pou pou* primeiro anunciava aos outros quem ele havia matado.

Continuamos os exercícios de treinamento que havíamos feito pela manhã, mas agora carregávamos AK-47 sem munição. Rastejávamos com a arma nas costas, nas mãos, e corríamos em torno do depósito a carregando. As armas eram um pouco pesadas para Sheku e Josiah, que sempre as deixavam cair e as pegavam de volta enquanto fazíamos o exercício. Paramos para um almoço de um minuto e começamos um treino diferente. Fomos levados a uma plantação de bananas próxima, onde praticamos ataques às bananeiras usando baionetas.

— Visualizem a bananeira como o inimigo, os rebeldes que mataram seus pais, sua família, e aqueles responsáveis por tudo que aconteceu a vocês — o cabo gritou. — É assim que você vai apunhalar alguém que matou sua família? — ele perguntou. — É assim que se faz. — Ele pegou a baioneta e começou a gritar e esfaquear a bananeira. — Primeiro eu furo o estômago, aí furo o pescoço, e o coração dele, e aí eu arranco o coração e o mostro pra ele, depois arranco seus olhos. Lembrem de uma coisa: ele provavelmente matou os pais de vocês de um jeito muito pior. Continuem. — Ele limpou sua faca com folhas de bananeira. Depois que ele falou aquelas coisas, ficamos cheios de ódio e enfiamos nossas facas várias vezes nas bananeiras até que as árvores caíssem no chão. — Bom — ele disse, balançando a cabeça, satisfeito, e ponderando sobre alguma coisa que o fazia sorrir por mais tempo que de costume. Durante nosso treinamento, ele repetiu várias vezes a mesma frase: *Visualizem o inimigo, os rebeldes que mataram seus pais, sua família, e aqueles responsáveis por tudo que aconteceu a vocês.*

Naquela tarde aprendemos a colocar a câmara na arma e outras coisas básicas. Ignorem o pino de segurança, eles diziam, ele só vai atrasar vocês. No finalzinho da tarde, aprendemos a atirar com as armas, mirando em pranchas de madeira compensada presa a galhos de árvores pequenas na floresta. Sheku e Josiah não eram fortes o suficiente para levantar as armas, então o cabo deu um banco para cada um apoiar a sua e evitar que caíssem. Ao fim do exercício de tiro, fomos ensinados a desmontar nossas armas e colocar óleo nelas, porque os AK eram tão velhos que às vezes podiam disparar sozinhos ou simplesmente parar de funcionar completamente.

Naquela noite, assim que entramos na cabana, meus companheiros desmaiaram. Em vez de sorrir enquanto dormiam, Sheku fazia "pou pou, bum", e Josiah fazia "um, dois", os números que repetíamos enquanto esfaqueávamos bananeiras. Apesar de estar exausto, não consegui dormir. O ruído dos tiros das armas ecoava nos meus tímpanos, meu corpo todo doía, meu dedo indicador estava esfolado. Não tinha tido tempo para pensar durante o dia inteiro, mas agora eu podia. Eu podia ficar furioso, sim, começar a imaginar cenas em que fuzilava ou esfaqueava um rebelde. "Os rebeldes são responsáveis por tudo que aconteceu a vocês." Imaginava capturar vários rebeldes de uma só vez, trancá-los numa casa, espalhar gasolina nela e jogar um fósforo aceso. Veríamos tudo pegar fogo, dando risada.

Um garoto chamado Lansana cantava baixinho, e aquilo me distraiu. Ele estava a umas três barracas de mim e às vezes cantarolava até dormir melodias de canções que eu nunca tinha escutado. Ele começou a fazer isso depois do primeiro treino de tiro. A voz dele ecoava na floresta escura, e, sempre que ele parava, a noite ficava mais tranqüila.

13

Acho que foi num domingo de manhã que o cabo nos deu uma folga no treino. Ele bateu a palma da mão nas costas da baioneta.

— Se vocês forem religiosos, quero dizer, cristãos, louvem o seu Senhor hoje, porque vocês podem não ter uma outra chance. Dispensados.

Fomos à praça vestidos com nossas bermudas do exército e os tênis que deram para nós. Começamos um jogo de futebol e, enquanto jogávamos, o tenente apareceu para se sentar na varanda de sua casa. Paramos o jogo e prestamos continência para ele.

— Continuem o jogo. Agora eu estou aqui para ver meus soldados jogar futebol. — Ele se sentou num degrau e começou a ler *Júlio César*.

Quando o jogo acabou, decidimos nadar um pouco no rio. Era um dia ensolarado, e, enquanto corríamos em direção ao rio, senti a brisa fresca secar o suor do meu corpo. Brincamos na água por alguns minutos, e então nos dividimos em dois times para um jogo de emboscada. O primeiro grupo a capturar todos os membros do outro grupo ganharia.

— Vamos lá, soldados, acabou o feriado — o cabo nos chamou das margens do rio. Paramos a brincadeira e o seguimos até a aldeia. Enquanto corríamos para alcançá-lo, tropeçamos de palhaçada e empurramos uns aos outros nos arbustos.

Na aldeia, recebemos o comando para montar rapidamente nossos AK-47. Mochilas e cintos de munição foram distribuídos entre os meninos enquanto limpávamos as armas. Dois caixotes de munição foram abertos, um contendo câmaras carregadas, o outro, balas. O cabo ordenou que pegássemos o máximo de munição que pudéssemos carregar.

— Mas não levem demais. Queremos que vocês sejam capazes de correr bastante — ele ressaltou. Enchi minha mochila e os cintos, olhei para os outros e vi que faziam o mesmo. Minhas mãos começaram a chacoalhar e meu coração pulava dentro do peito. Todos os outros garotos, exceto Alhaji, estavam achando aquilo divertido, pensando que se preparavam para mais um treinamento, mas eu sabia que não estávamos indo só até o pátio; e Alhaji se recostou na parede do depósito agarrado à arma como uma mãe que segura o filho. Ele também sabia.

— Fiquem de pé, soldados — o cabo falou. Ele tinha nos deixado por alguns minutos para se trocar. Agora vestia o uniforme militar completo, com a mochila e o cinto de munição cheio. Carregava sua G3 e o capacete debaixo dos braços. Nos colocamos em forma para a inspeção. Todos os meninos vestiam bermudas do exército e camisetas verdes. O cabo distribuiu bandanas verdes e disse: — Se vocês virem qualquer um sem uma bandana dessa cor ou sem um capacete igual ao meu, atirem. — Ele gritou a última palavra. Então, ficou claro para todos que não estávamos nos preparando para um treino. Quando amarrávamos as bandanas, Sheku, que estava ao meu lado, caiu para trás. Ele tinha pegado munição demais. O cabo retirou algumas câmaras da mochila do menino e o levantou. A testa de Sheku estava molhada de suor, e suas mãos não paravam de tremer. O cabo deu um tapinha na cabeça dele e continuou falando. — Os outros homens — ele apontou para os soldados mais velhos — vão carregar caixas de munição extra, então vocês não precisam se sobrecarregar. Agora relaxem, vamos sair dentro de alguns minutos.

O cabo se afastou do grupo. Sentamos no chão, e cada um se perdeu em seus próprios pensamentos. O canto dos pássaros havia desaparecido, substituído agora pelo barulho do encaixe das alavancas de armas de fogo, enquanto os soldados se preparavam. Sheku e Josiah estavam sentados ao meu lado, seus olhos chorosos e tristes. Tudo que pude fazer foi passar a mão na cabeça de cada um para garantir que talvez tudo ficaria bem. Levantei e fui até Alhaji e o resto dos meus amigos. Fizemos um pacto: não importava o que acontecesse, tentaríamos continuar juntos.

Um soldado mais jovem trouxe um saco plástico cheio de uma espécie de tabletes. Pareciam cápsulas, eram totalmente brancos. Ele deu um para cada garoto, com um copo d'água.

— O cabo disse que isso vai dar uma alavancada na energia de vocês — o soldado anunciou, com um sorrisinho reticente no rosto.

Tomamos os tabletes e já era hora de partir. Os adultos conduziam o grupo. Alguns carregavam caixas de munição do tamanho de dois tijolos de cimento, outros levavam lança-granadas. Eu segurava meu AK-47 com a mão direita, o cano apontado para o chão. Tinha prendido uma câmara extra na lateral da arma com fita adesiva. Carregava a baioneta no quadril esquerdo e algumas câmaras e balas na bolsa presa ao cinto. Na mochila tinha mais câmaras e balas. Josiah e Sheku arrastavam a ponta de suas armas pelo chão, ainda não eram fortes o suficiente para carregá-las e as armas eram maiores que eles. Devíamos estar de volta no fim do dia, então não levaríamos nem comida nem água.

— Há muitos córregos pela floresta — o tenente lembrou, afastando-se, deixando que o cabo terminasse o que ele havia começado.

— É melhor carregar mais munição do que comida e água. Porque, com mais munição, poderemos procurar água e comida, mas com mais água e comida não chegaremos ao fim do dia — o cabo explicou.

As mulheres e os idosos da aldeia apareceram em suas varandas e assistiram a tudo enquanto fomos levados pelos soldados adultos para a clareira na floresta. Um bebê chorava sem parar nos braços da mãe, como se soubesse o que nos esperava à frente. O brilho do sol pintou nossas sombras no chão.

Nunca na minha vida tinha sentido tanto medo de ir a um lugar como naquele dia. Mesmo um lagarto correndo, naquele momento, me deixava apavorado por inteiro. Uma brisa leve soprou e atravessou minha cabeça, afiada, de uma vez só, fazendo meus dentes ranger de dor. Lutei contra as lágrimas que se formavam nos meus olhos e agarrei minha arma para me confortar.

Andamos para os braços da floresta, agarrados a nossas armas como se elas fossem a única coisa capaz de nos dar força. Até nossa respiração era silenciosa, temíamos que ela pudesse causar nossa morte. O tenente liderava a fila em que eu estava. Ele levantou um punho e paramos de nos mover. Então, lentamente ele abaixou a mão, e nos sentamos em nossos calcanhares, nossos olhos inspecionando a floresta. Queria olhar em volta para ver os rostos dos meus amigos, mas não podia. Continuamos a nos mover rapidamente entre os arbustos até que chegamos à margem do pântano. Deitamos de barriga no chão e esperamos. Eu estava deitado ao lado de Josiah. Depois havia Sheku e um soldado adulto entre mim, Jumah e Musa. Olhei em volta para ver se eles me olhavam também, mas estavam concentrados no alvo invisível no pântano. Minha testa começou a doer, e a dor subiu devagar até a cabeça. Minhas orelhas ficaram quentes e agora as lágrimas corriam pelas minhas bochechas, sem que eu fizesse ruído de choro. As veias saltaram nos meus braços e eu as sentia pulsar como se tivessem começado a respirar por conta própria. Esperamos quietos, como fazem os caçadores, nossos dedos acariciando os gatilhos. O silêncio me atormentava.

As árvores baixas do pântano começaram a sacudir quando os rebeldes passavam por elas. Eles ainda não estavam visíveis, mas o tenente passou a ordem num sussurro que chegou a todos em efeito dominó:

— Atirem quando eu mandar.

Enquanto observávamos, um grupo de homens vestindo roupas civis emergiu dos arbustos. Eles acenaram e mais rebeldes surgiram. Alguns eram meninos, tão jovens quanto nós. Eles se sentaram juntos em fila, gesticulando, planejando uma estratégia. O tenente mandou que disparássemos uma granada, mas o comandante dos rebeldes escutou-a zunindo através da floresta quando foi lançada.

— Retroceder! — ele ordenou a seus homens. A explosão da granada só atingiu poucos deles, e pedaços de seus corpos voaram pelos ares.

A explosão foi seguida por uma troca de fogo entre os dois lados. Fiquei ali, deitado, com minha arma apontada para a frente, incapaz de atirar. Meu dedo indicador estava dormente. A floresta começou a girar. Senti como se o chão estivesse de cabeça para baixo, e eu, prestes a cair, me agarrei a um tronco de árvore com uma das mãos. Eu não conseguia pensar, mas podia ouvir os sons que as armas faziam ao longe e os gritos de dor das pessoas que morriam. Comecei a cair em uma espécie de pesadelo. Um jato de sangue atingiu meu rosto. No meu devaneio, abri um pouco a boca, e cheguei a provar o gosto do sangue. Cuspi e limpei meu rosto, e então vi o soldado de quem o sangue havia saído. O sangue vazava dos buracos de bala nele como água correndo de afluentes recém-abertos. Seus olhos ainda estavam abertos; ele ainda segurava a arma. Meus olhos estavam fixos nele quando ouvi Josiah gritar. Ele chorava, chamando pela mãe na voz mais cortante que já ouvi. Ela vibrou dentro da minha cabeça a ponto de eu sentir meu cérebro ser sacudido e se desprender de sua estrutura.

O sol mostrava partes de canos de armas e balas voando em nossa direção. Corpos tinham começado a se empilhar, uns por cima dos outros, perto de uma palmeira baixa em que sangue pingava da folhagem. Procurei Josiah. Uma granada havia lançado seu pequeno corpo do chão, fazendo aterrissar num toco de árvore. Ele sacudiu as pernas, e seu grito foi se calando pouco a pouco. Havia sangue por toda parte. Parecia que as balas estavam caindo na floresta por todos os ângulos.

Rastejei até Josiah e olhei em seus olhos. Estavam cheios de lágrimas e seus lábios tremiam, mas ele não conseguia falar.

Enquanto eu o observava, as lágrimas foram substituídas por sangue em seus olhos, que logo passaram de castanhos a vermelhos. Ele tentou alcançar meu ombro, como se quisesse se segurar nele e se levantar. Mas no meio do caminho ele parou. Os tiros pareceram distantes na minha cabeça, e era como se meu coração tivesse desistido de bater e o mundo inteiro estivesse paralisado. Cobri seus olhos com meus dedos e o puxei do toco de árvore. Sua espinha dorsal estava estraçalhada. Coloquei-o no chão e peguei minha arma. Não tinha me dado conta ainda de que havia me levantado para tirar Josiah do toco de árvore. Senti alguém cutucando meu pé. Era o cabo; ele estava dizendo algo que eu não conseguia entender. Sua boca se movia e ele parecia horrorizado. Ele me puxou para baixo e, quando bati no chão, senti meu cérebro chacoalhar dentro da cabeça outra vez e minha surdez desapareceu.

— Abaixe-se — ele estava gritando. — Atire — ele disse, enquanto rastejava para longe de mim, de volta ao seu posto.

Quando olhei para onde ele estava, meus olhos notaram Musa, que tinha a cabeça coberta de sangue. Levantei minha arma e puxei o gatilho, e matei um homem. De repente, como se alguém estivesse disparando aquilo tudo dentro do meu cérebro, todos os massacres que eu já havia testemunhado desde o primeiro dia em que a guerra me tocou começaram a passar em flashes na minha cabeça. Cada vez que eu parava de atirar para trocar as câmaras e via meus dois amigos mortos, apontava com ódio a arma para o pântano e matava mais gente. Atirei em tudo que se movia, até que recebemos a ordem para retirada porque precisávamos de uma nova estratégia.

Pegamos as armas e a munição que estavam com os corpos dos meus amigos e os deixamos na floresta, que havia criado vida própria, como se tivesse prendido as almas que abandonaram os mortos. Os galhos das árvores pareciam mãos entrelaçadas, e suas copas, cabeças que balançavam numa prece. Agachamos na floresta e armamos outra emboscada a poucos metros de nossa posição inicial. Mais uma vez esperamos. Estávamos entre o fim da tarde e o começo da noite. Um grilo solitário tentou começar a cantar mas nenhum de seus companheiros quis participar; então, ele parou, para deixar o silêncio trazer a noite. Deitei ao lado do cabo, cujos olhos estavam mais vermelhos do que de costume. Ele ignorou meu olhar. Ouvimos passos sobre as folhas secas e imediatamente armamos pontaria. Um grupo de atiradores e meninos emergiu de trás dos arbustos e se escondeu rapidamente atrás de árvores. Quando se aproximaram, abrimos fogo, derrubando aqueles que vieram na frente. Seguimos o resto até o pântano, onde os perdemos. Lá, os caranguejos já se refestelavam com os olhos dos mortos. Tripas e crânios fragmentados boiavam na superfície do pântano, e a água havia sido substituída por sangue. Viramos os corpos para cima e pegamos suas munições e armas.

Eu não tinha medo daqueles corpos sem vida. Desprezava e chutava cada um deles para virá-los. Encontrei uma G3, alguma munição e um revólver, que o cabo guardou para si mesmo. Notei que a maioria dos atiradores e garotos mortos usava um monte de jóias no pescoço e nos pulsos. Alguns usavam até mesmo mais de cinco relógios de ouro num só pulso. Um menino, cujo cabelo eriçado agora estava encharcado de sangue, vestia uma camiseta de Tupac Shakur com os dizeres: "*All Eyez on Me.*" Perdemos alguns soldados adultos do nosso lado, e meus amigos Musa e Josiah. Musa, o contador de histórias, estava morto. Não havia mais ninguém por perto para contar histórias e nos fazer rir quando precisássemos. E Josiah — se eu tivesse deixado que ele continuasse dormindo no primeiro dia de treinamento, talvez ele nunca tivesse ido parar na frente de batalha.

Chegamos à aldeia ao anoitecer e nos sentamos encostados à parede do depósito. Estava tudo quieto, e, como se tivéssemos medo do silêncio, começamos a limpar o sangue de nossas armas e das que havíamos trazido conosco, polindo e lubrificando as câmaras. Atiramos para o alto para testar o poder das armas. Compareci ao jantar naquela noite, mas não consegui comer. Só bebi água e nada senti. Quando voltava para minha tenda, topei contra uma parede de cimento. Meu joelho sangrou, mas também não senti nada. Deitei de costas na cabana com meu AK-47 encostado no peito e a G3 que havia trazido comigo encostada no pino da barraca. Nada acontecia na minha cabeça. Havia um vácuo, e encarei o teto da barraca até que miraculosamente consegui apagar. Tive um sonho em que eu estava pegando Josiah do toco de árvore e um atirador aparecia na minha frente. Ele colocava a arma na minha testa. Imediatamente acordei do sonho e comecei a atirar dentro da cabana, até que os trinta tiros da câmara se esgotaram. O cabo e o tenente vieram logo em seguida e me levaram para fora. Eu suava, e eles jogaram água no meu rosto e me deram mais algumas pílulas brancas. Fiquei acordado a noite inteira e não consegui dormir durante a semana. Saímos mais umas duas vezes naquela semana e eu não tive qualquer problema para atirar com minha arma.

14

As dores lancinantes na minha cabeça, ou o que depois passei a conhecer como enxaquecas, pararam à medida que minhas tarefas diárias foram substituídas por atividades mais ligadas à vida militar. Durante o dia, em vez de jogar futebol na praça da aldeia, eu me revezava entre os postos de vigilância pela aldeia, fumando maconha e cheirando *brown brown*, cocaína misturada com pólvora, que estava sempre espalhada pela mesa, e, claro, tomando mais daquelas pílulas brancas, em que estava viciado. Elas me davam bastante energia. Na primeira vez que usei todas essas drogas ao mesmo tempo, comecei a transpirar tanto que tirei minha roupa inteira. Meu corpo chacoalhava, minha visão se tornou embaçada e perdi a audição por vários minutos. Vaguei sem rumo pela aldeia, me sentindo irrequieto porque tinha recebido, ao mesmo tempo, uma carga excepcional de energia e de torpor. Mas, depois de várias doses dessas drogas, tudo que passei a sentir foi torpor, uma dormência em relação a tudo, e tinha tanta energia que não consegui dormir durante semanas. À noite, assistíamos a alguns filmes. Filmes de guerra, *Rambo: programado para matar*, *Rambo II*, *Comando para matar*, e por aí em diante, com auxílio de um gerador ou às vezes de uma bateria de carro. Todos queríamos ser iguais ao Rambo; mal podíamos esperar para aplicar as técnicas dele.

Mas, quando ficávamos sem comida, drogas, munição e gasolina para assistir aos filmes de guerra, invadíamos acampamentos rebeldes, em cidades, aldeias e florestas. Também atacávamos aldeias de civis para capturar recrutas e pegar o que conseguíssemos achar.

— Temos boas notícias dos nossos informantes. Vamos sair dentro de cinco minutos para matar alguns rebeldes e pegar seus suprimentos, que na verdade nos pertencem — o tenente anunciava.

Seu rosto revelava confiança; seus sorrisos desapareciam antes de ficarem inteiros. Amarrávamos na cabeça a bandana verde que nos distinguia dos rebeldes, e nós, os meninos, íamos à frente. Não havia mapas nem perguntas a ser feitas. Simplesmente nos diziam para seguir a trilha até que recebêssemos instruções sobre o que fazer em seguida. Caminhávamos por horas a fio, parando apenas para comer sardinhas e bife conservados em salmoura com *gari*, cheirar coca e *brown brown* e tomar algumas pílulas brancas. A combinação dessas drogas nos dava muita energia e nos tornava ferozes. A idéia de morrer não passava pela minha cabeça em momento algum e matar tinha se tornado tão trivial quanto beber água. Minha mente não apenas havia sofrido uma ruptura no primeiro assassinato, mas também havia parado de registrar remorsos, ou ao menos parecia ter parado. Depois de comer e usar as drogas, vigiávamos o perímetro enquanto os adultos descansavam um pouco. Eu dividia um posto com Alhaji, e marcávamos o tempo que cada um levava para retirar uma câmara e trocá-la por outra.

— Um dia eu vou tomar uma aldeia inteira sozinho, igual ao Rambo — Alhaji me disse, sorrindo com o novo objetivo que tinha criado em sua vida.

— Eu quero umas bazucas para mim, iguais àquelas do *Comando para matar*. Ia ser lindo — eu disse, e rimos.

Antes de chegarmos a um acampamento rebelde, desviávamos da trilha e andávamos por dentro da floresta. Assim que o acampamento estivesse à vista, cercávamos a área e esperávamos até que o tenente desse o comando. Os rebeldes perambulavam; alguns ficavam sentados contra um muro, cochilando, outros, meninos como nós, ficavam em postos de vigilância, com um cigarro de maconha circulando. Sempre que eu observava os rebeldes antes dos ataques, o ódio crescia em mim, porque eles me pareciam iguais aos rebeldes que jogavam cartas na aldeia onde eu havia perdido minha família. Então, quando o tenente dava as ordens, eu atirava contra tantos quanto podia, mas não me sentia melhor. Depois de cada tiroteio, entrávamos na aldeia para matar os feridos. Então, vasculhávamos as casas e juntávamos galões de gasolina, quantidades enormes de maconha e cocaína, trouxas de roupa, tênis, relógios, arroz, peixe, sal, *gari* e muitas outras coisas. Reuníamos os civis — homens, mulheres, meninos e meninas — escondidos nas cabanas e casas, e os fazíamos carregar a pilhagem até nossa base.

Em um desses ataques, capturamos alguns rebeldes depois de um longo tiroteio e de muitos civis mortos. Despimos os prisioneiros e os amarramos até que a pele em seus peitos parecesse tesa como a de um tambor.

— Onde arranjaram essa munição toda? — o cabo perguntou a um dos prisioneiros, um homem que tinha *dreadlocks* até na barba.

Ele cuspiu no rosto do cabo, e o cabo imediatamente deu um tiro a curta distância na cabeça do homem. Ele caiu no chão e o sangue vazou lentamente de sua cabeça. Fizemos festa, fascinados pela crueldade do cabo, e o saudamos quando passou por nós. De repente, Lansana, um dos meninos, foi atingido no peito e na cabeça por um rebelde escondido nos arbustos. Dispersamos pela aldeia em busca do atirador. Quando o rebelde, um jovem musculoso, foi capturado, o tenente cortou sua garganta com a baioneta. O rebelde correu de um lado para outro da aldeia até cair no chão e parar de se mover. Comemoramos de novo, levantando nossas armas, gritando e assobiando.

— Se alguém ficar de gracinha, atirem nele. — O tenente olhou para os prisioneiros. Ateamos fogo nos telhados de palha e saímos, levando conosco os prisioneiros. As chamas naqueles telhados se despediram de nós dançando com o vento que varria a tarde, como se sofressem em agonia.

— Nós — o tenente apontou para o nosso grupo — estamos aqui para protegêlos e faremos tudo que for possível para que nada aconteça a vocês. — Ele apontou para os civis. — Nosso trabalho é sério e temos soldados dos mais capacitados, que farão qualquer coisa para defender este país. Não somos como os rebeldes, aqueles cretinos que matam gente sem motivo algum. Nós os matamos pelo bem e para o progresso deste país. Então, respeitem esses homens — novamente, ele apontou para nós — por oferecerem seus serviços. — O tenente continuou seu discurso, que era uma combinação entre incutir nos civis a noção de que estávamos fazendo o correto e levantar o moral de seus homens, incluindo nós, os meninos. Fiquei ali, segurando minha arma e me sentindo especial porque fazia parte de algo que me levava a sério e não estava mais fugindo de ninguém. Agora eu tinha minha arma e, como o cabo sempre dizia: "Esta arma vai proteger e dar a você tudo que precisar, se você souber usá-la direito."

Não me lembro do que fez o tenente começar aquele discurso. Muitas coisas eram feitas sem motivo ou explicação. Às vezes mandavam que saíssemos para guerrear no meio de um filme. Voltávamos horas depois, tendo matado um bocado de gente, e continuávamos a assistir ao filme como se a guerra tivesse sido o intervalo comercial. Vivíamos ou na frente de batalha, ou assistindo aos filmes ou usando drogas. Não havia tempo para ficar sozinho ou pensar. Quando conversávamos, o assunto era filmes de guerra ou como estávamos fascinados pela maneira como o tenente, o cabo ou um de nós havia matado alguém. Era como se nada mais existisse fora da nossa realidade.

Na manhã seguinte ao discurso do tenente, procuramos praticar o jeito como o tenente tinha matado o prisioneiro. Havia cinco prisioneiros e muitos candidatos ansiosos. Então, o cabo escolheu apenas alguns entre nós. Ele pegou a mim, Kanei e três outros garotos para o show de matança. Os cinco homens ficaram em fila à nossa frente no pátio de treinamento, com as mãos amarradas. Devíamos cortar suas gargantas ao comando do tenente. A pessoa que cortasse mais rápido a garganta do seu prisioneiro venceria o concurso. Tínhamos colocado para fora as baionetas e devíamos encarar o rosto do prisioneiro quando o tirássemos deste mundo. Eu já tinha começado a olhar para o meu prisioneiro. Seu rosto estava inchado da surra que tinha levado, e seus olhos pareciam enxergar através de mim. Seu maxilar era a única parte tensa do rosto inteiro; tudo mais parecia relaxado. Não sentia nada por ele, não pensava muito sobre o que eu estava fazendo. Só esperava pela ordem do cabo. O prisioneiro era apenas mais um rebelde responsável pela morte da minha família, como eu tinha passado a crer cegamente. O cabo deu o sinal com um tiro de pistola e eu agarrei a cabeça do homem e cortei sua garganta com um movimento fluido. Seu pomo-de-adão cedeu passagem à lâmina afiada, e girei a ponta ziguezagueada da baioneta quando a puxei para fora. Seus olhos giraram e olharam dentro dos meus antes de se congelarem em um olhar assustado, como se ele tivesse sido pego de surpresa. O prisioneiro jogou seu peso contra mim ao dar o último suspiro. Deixei-o cair no chão e limpei minha baioneta nele. Reportei a morte ao cabo, que segurava um cronômetro. Os corpos dos outros prisioneiros resistiam nos braços dos outros meninos, e alguns continuaram a se sacudir no chão por um tempo. Eu fui declarado o vencedor, e Kanei foi o segundo. Os meninos e os outros soldados que estavam na platéia aplaudiram como se eu tivesse acabado de realizar uma das maiores conquistas da vida. Fui nomeado subtenente, e Kanei, subsargento. Comemoramos a vitória daquele dia com mais drogas e mais filmes.

Eu tinha uma cabana só para mim, na qual eu nunca dormia porque nunca tinha sono. Às vezes, tarde da noite, o vento suave trazia aos meus ouvidos o cantarolar de Lansana. Parecia que as árvores sussurravam as melodias que ele cantava. Eu ouvia por um tempo e, então, disparava alguns tiros dentro da noite, afastando a cantoria.

15

As aldeias que invadíamos e transformávamos em nossas bases enquanto avançávamos e as florestas onde dormíamos tornaram-se minha casa. Meu pelotão era minha família, minha arma era meu provedor e protetor, e minha lei era matar ou ser morto. Meus pensamentos não iam muito além disso. Estávamos lutando havia mais de dois anos, e a matança tinha se tornado uma atividade diária. Eu não tinha pena de ninguém. Minha infância tinha passado sem que eu soubesse, e parecia que meu coração havia congelado. Eu sabia que noite e dia iam e vinham por causa da presença da lua e do sol, mas não tinha a menor idéia se era domingo ou sexta-feira.

Na minha cabeça, minha vida era normal. Mas tudo começou a mudar nas últimas semanas de janeiro de 1996. Eu estava com quinze anos.

Saí para buscar munição numa manhã, acompanhado de mais ou menos vinte membros do pelotão, na pequena cidade de Bauya, que ficava a um dia de caminhada de onde estávamos. Estávamos loucos para ver Jumah, que agora estava baseado lá. Queríamos ouvir as histórias de guerra dele, saber quantas pessoas tinha matado. Também queria ver o tenente. Tinha esperança de poder conversar com ele um pouco sobre Shakespeare.

Caminhamos em duas fileiras ao lado de uma trilha de terra, nossos olhos vermelhos vigiando a densa vegetação cerrada. Chegamos nos limites de Bauya pouco antes do pôr-do-sol e esperamos dentro dos arbustos enquanto nosso comandante ia na frente para garantir que nossos colegas não atirassem contra nós. Sentamos encostados em árvores vigiando a trilha. O comandante voltou minutos depois e fez sinal para que entrássemos na cidade. Levantei a arma no ombro e entrei na base caminhando ao lado de Kanei e Alhaji. As casas de cimento naquela cidade eram maiores que as que tínhamos visto em outras aldeias, e em toda parte que olhávamos havia rostos desconhecidos. Cumprimentamos outros soldados enquanto andávamos pela cidade procurando Jumah. Nós o encontramos sentado na varanda de uma casa de cimento, encarando a floresta. Havia uma semi-automática ao lado dele e ele parecia perdido nos próprios pensamentos. Andamos devagar até ele, mas, antes que pudéssemos assustá-lo, ele ouviu nossos passos e se virou. Seu rosto parecia ter envelhecido e ele tinha parado de balançar a cabeça quando falava. Apertamos sua mão e examinamos sua arma.

— Vejo que hoje em dia você anda carregando armas pesadas — Alhaji brincou com ele.

— Bem, que é que eu posso dizer?, estou sendo promovido dos AKs — ele respondeu, e todos nós demos risada.

Dissemos que voltaríamos para sentar com ele em alguns minutos e fomos encher nossas bolsas de munição e comida para levar à outra base. Quando estávamos no depósito de munição, nosso comandante contou que o tenente tinha pedido para passarmos a noite lá e que o jantar estava pronto. Eu não estava com fome, então voltei para ver Jumah enquanto Kanei e Alhaji foram comer. Ficamos um tempo quietos até que ele começou a falar.

— Vou sair para um ataque amanhã pela manhã, então pode ser que eu não veja mais você antes de você partir. — Ele fez uma pausa, passou os dedos na arma, e continuou: — Matei o dono desta arma no último ataque. Ele levou vários de nós antes de eu conseguir pegá-lo. Agora eu é que faço uns estragos com ela. — Ele deu uma risada, e comemoramos às gargalhadas.

Logo depois veio a ordem para nos juntarmos à reunião noturna no pátio central da cidade. Era um evento dos comandantes, para se socializarem com o resto do grupo. Jumah pegou a arma e colocou o braço em torno do meu ombro enquanto caminhávamos para o pátio. Alhaji e Kanei já estavam lá; e já tinham começado a fumar. O tenente Jabati também estava presente, e ele parecia até um pouco alegre naquela noite. A maioria dos colegas dele tinha morrido, além do sargento Mansaray e do cabo Gadafi, mas, por milagre, o tenente tinha conseguido sobreviver sem uma cicatriz sequer. Ele também havia conseguido substituir seus colegas mortos por outros homens cruéis e disciplinados. Queria conversar com o tenente sobre Shakespeare, mas ele estava ocupado cumprimentando todos pelo pátio. Quando finalmente parou diante de mim, apertou minha mão com firmeza e disse:

— Macbeth jamais será vencido até que o grande bosque de Birnam e a elevada montanha Dunsinane marchem contra ele. — Ele me cumprimentou com a cabeça e falou para que todos ouvissem: — Devo deixá-los agora, bons cavalheiros. — Ele inclinou a cabeça outra vez e acenou ao sair.

Levantamos nossas armas e fizemos festa. Depois que ele partiu, começamos a cantar o hino nacional: "*High we exalt thee, realm of the free, great is the love we have for thee...*",* e marchamos, fumamos maconha e cheiramos cocaína e *brown brown*, que eram abundantes em Bauya. Batemos papo a noite toda sobre como as drogas eram boas.

Antes de o dia nascer, Jumah e alguns outros partiram para o ataque. Alhaji, Kanei e eu apertamos sua mão e prometemos colocar a conversa em dia na nossa próxima visita. Jumah sorriu, agarrou sua arma e saiu correndo para dentro da escuridão.

Poucas horas depois um caminhão chegou à aldeia. Dele pularam quatro homens usando jeans limpos e camisetas brancas em que se lia Unicef em grandes letras azuis. Um deles era um homem branco e outro também tinha pele clara, talvez fosse libanês. Os outros dois eram locais, um deles tinha marcas tribais nas bochechas, o outro tinha marcas nas mãos iguais às que meu avô havia me dado para me proteger de mordidas de cobra. Os homens estavam limpos demais para quem estava numa guerra. Mostraram para eles onde era a casa do tenente. Ele os aguardava. Enquanto se sentaram conversando na varanda, observamos tudo sentados debaixo de uma mangueira, onde limpávamos nossas armas. Depois de algum tempo, o tenente apertou as mãos dos dois estrangeiros e chamou o soldado que vigiava o encontro. O soldado correu em nossa direção e nos disse para nos colocarmos em forma. Ele andou pela aldeia reunindo todos os meninos, exclamando:

— É ordem do tenente!

Estávamos habituados a seguir ordens e fizemos exatamente o que nos foi mandado. Formamos uma fila horizontal e esperamos.

O tenente parou na nossa frente e prestamos continência para ele, esperando ouvir algo sobre nosso próximo ataque a um acampamento rebelde.

— Descansar, garotos — ele disse. O tenente, então, caminhou de uma ponta a outra da formação, os visitantes uns poucos passos atrás dele, sorrindo.

* "Alto te exaltamos, reino da liberdade, grande é o amor que temos por ti..." (N. da T.)

— Quando eu apontar para um de vocês, saia e forme outra fila ao lado do soldado. Entendido? — O tenente nos deu essa ordem parado ao final da fila.

— Sim, senhor — gritamos, e prestamos continência. Os sorrisos dos visitantes desapareceram.

— Descansar.

— Você, você... — o tenente apontava, caminhando pela fila. Quando me escolheu, encarei-o, mas ele me ignorou e seguiu com o processo de seleção. Alhaji também foi escolhido, mas Kanei ficou para trás, talvez porque fosse mais velho. Quinze de nós fomos selecionados. O tenente comandou: — Removam as câmaras, acionem as travas de segurança em suas armas e coloquem as armas no chão. — Pusemos as armas para baixo, e os visitantes, especialmente os dois estrangeiros, tornaram a sorrir.

— Atenção. Em frente. Marche — um soldado comandou, e seguimos o tenente até o caminhão que havia trazido os visitantes. Paramos quando o tenente se virou para nos encarar.

— Vocês foram grandes soldados e todos vocês sabem que fazem parte desta irmandade. Tenho muito orgulho de ter servido ao meu país ao lado de vocês, garotos. Mas seu trabalho aqui está encerrado, e eu preciso mandá-los embora. Estes homens irão colocá-los na escola e encontrar para vocês uma nova vida. — Foi tudo que ele disse; depois, sorriu e se afastou, pedindo aos soldados que recolhessem nosso equipamento militar.

Escondi minha baioneta dentro das calças e uma granada no bolso. Quando um dos soldados veio me revistar, eu o afastei e disse que, se me tocasse, eu o mataria. Ele se afastou de mim e se pôs a revistar o garoto que estava ao meu lado.

O que estava acontecendo? Nossos olhares seguiram o tenente enquanto ele caminhava de volta para sua casa. Por que o tenente estava nos entregando para aqueles civis? Pensamos que seríamos parte da guerra até o fim. O pelotão era minha família. Agora éramos levados, sem mais nem menos, nenhuma explicação dada. Uns poucos soldados juntaram nossas armas e outros nos vigiavam, para garantir que não tentaríamos pegar as armas de volta. Quando nos levavam até o caminhão, me virei para olhar a varanda de onde o tenente agora encarava a floresta, as mãos cruzadas nas costas. Eu ainda não tinha compreendido o que estava acontecendo, mas começava a ficar com raiva, ansioso. Não tinha me separado da minha arma desde o dia em que havia me tornado um soldado.

No caminhão havia três PEs — policiais do exército. Dava para saber que eram da cidade porque seus uniformes e suas armas eram impecáveis. Suas calças estavam enfiadas por dentro das botas e as camisetas estavam para dentro das calças. Seus rostos não haviam sido endurecidos pela guerra, e suas armas estavam tão limpas que eu podia jurar que nunca haviam disparado um tiro. As armas estavam com trava de segurança. Os PEs pularam do caminhão e fizeram sinal para que subíssemos. Nós nos dividimos entre dois longos bancos dentro do caminhão, encarando uns aos outros, e dois dos homens pularam para sentar conosco — aquele com as marcas nas bochechas e o que tinha cara de estrangeiro libanês. Então, os três PEs se ajeitaram na ponta, segurando na porta lá atrás, com um pé dentro do caminhão e outro fora.

Quando o caminhão começou a se afastar da base, eu fervia de raiva por não conseguir entender ainda o que estava acontecendo. Alhaji olhava para mim com uma expressão confusa. Eu olhava para as armas dos PEs e tinha inveja deles. Os homens que tinham vindo nos buscar sorriam enquanto o caminhão acelerava pela estrada de terra, levantando a poeira marrom que cobria os arbustos ao longo da estrada. Eu não fazia a menor idéia de para onde estávamos indo.

Passamos horas naquela estrada. Eu tinha me acostumado a caminhar para todos os lugares e fazia muito tempo que não me sentava num caminhão nem ficava à toa em qualquer lugar por tantas horas. Odiei aquilo. Pensei em seqüestrar o caminhão e dirigir de volta para Bauya. Mas, sempre que eu estava prestes a arrancar as armas dos PEs, o caminhão reduzia a velocidade em um posto de checagem e os soldados saltavam. Eu tinha me esquecido da granada no bolso lateral da minha bermuda do exército. Passei a viagem inteira irrequieto e já tinha começado a ansiar pelas paradas nos postos (havia muitos deles, até demais) para que pudesse levantar e sair um pouco da chatice do caminhão. Não nos falávamos, nem uma palavra era trocada. Permanecemos sentados em silêncio, exceto quando eu pisquei para Alhaji enquanto esperávamos pelo momento certo de tomar as armas dos PEs e empurrá-los do caminhão.

O último posto por onde passamos naquele dia era ocupado por soldados vestidos com indumentária militar completa. A madeira marrom bem polida de seus AKs estava brilhando e os rifles eram novinhos. Eles eram soldados da cidade, que, como os PEs que viajavam conosco no caminhão, não haviam passado pela guerra. Eles não têm idéia, pensei, do que acontece realmente lá no meio dos arbustos pelo país inteiro.

O caminhão passou desse posto para fora da estrada de terra, para uma rua asfaltada e movimentada. Em toda parte para onde eu olhava havia veículos passando em todas as direções. Eu nunca tinha visto tantos carros, caminhões e ônibus na minha vida. Toyotas, Mazdas, Chevrolets buzinavam impacientemente agora que estávamos em Freetown, a capital de Serra Leoa. Mas eu não sabia por que estávamos ali.

Estava escurecendo. O caminhão balançava lentamente pela rua movimentada, as luzes da cidade piscavam. Até as lojas e os quiosques estavam acesos. Eu fiquei surpreso com a quantidade de luzes acesas que havia sem o zumbido de um gerador. Eu estava maravilhado com a paisagem resplandecente da cidade quando o caminhão fez uma curva na rua e começou a trepidar com tanta força que nos fez tremer como se estivéssemos sentados numa britadeira. Isso continuou durante alguns minutos, e então paramos. Os PEs nos pediram para descer do caminhão e seguir os quatro homens sorridentes que vestiam camisetas do Unicef.

Entramos num complexo protegido por cercas, onde havia várias fileiras de casas. As casas tinham as luzes acesas, e meninos da nossa idade, de quinze anos e mais velhos, estavam sentados nas varandas ou nos degraus. Eles nos ignoraram, pois, como nós, pareciam confusos a respeito do motivo de estarem ali. O estrangeiro que parecia libanês, com o rosto exultante, fez sinal para entrarmos numa casa atrás dele. Era um salão aberto com duas fileiras de camas de casal. Ele estava visivelmente feliz em apontar a cada um de nós a cama que nos cabia e os armários, cada qual com sabonete, pasta de dentes, uma tolha, uma camisa limpa e camisetas. As camas tinham travesseiros, lençóis limpos, cobertores. Nenhum de nós estava tão interessado nas coisas que ele nos mostrava como ele parecia estar.

— Temos um carregamento de tênis novos para vocês. Amanhã vocês vão escolher um do seu tamanho. — Ele nos deixou no salão e foi para fora assobiando uma melodia. Ficamos lá, parados, olhando para aquelas camas como se nunca na vida tivéssemos visto uma coisa daquelas.

— Venham comigo até a cozinha para comer alguma coisa — o homem de Serra Leoa com marcas tribais disse.

Nós o seguimos, sob os olhares curiosos dos meninos que haviam chegado antes de nós. Seus olhos eram tão vermelhos quanto os nossos e, apesar de usarem roupas de civis, eles pareciam sujos e tinham a mesma expressão tensa que mostrávamos. Eu conseguia sentir neles o cheiro da floresta.

Na cozinha, sentamos num dos lados da longa mesa de jantar. O homem entrou numa salinha no final da cozinha, onde cantarolou uma canção familiar, distribuiu arroz em muitas tigelas e trouxe uma leva dessas tigelas numa bandeja. Cada um de nós pegou uma tigela e começamos a comer. Ele voltou à salinha e, quando retornou à mesa com sua própria tigela de comida, já tínhamos terminado. Ele estava chocado e olhava em volta para ver se tínhamos feito alguma outra coisa com a comida. Ele se recompôs e, quando estava prestes a comer a primeira garfada, os dois estrangeiros sorridentes entraram no refeitório e pediram que ele os acompanhasse. Ele pegou a tigela de arroz e acompanhou os estrangeiros, que já saíam da cozinha. Sentamos quietos por um instante até que Alhaji perguntou se alguém por acaso tinha trazido maconha ou cocaína. Um dos garotos tinha um pouco de maconha e passou ao redor, mas não foi suficiente.

— Onde é que a gente consegue boas drogas neste lugar? — um dos garotos perguntou.

Enquanto pensávamos a respeito daquilo, o homem que havia nos trazido à cozinha voltou trazendo consigo outro grupo de meninos, mais de vinte deles.

— Estes são os recém-chegados — ele nos disse. Virando-se para os novos meninos, falou: — Vou trazer comida para vocês e, por favor, não tenham pressa. Não há motivo para comer rápido. — Os meninos sentaram no lado oposto da mesa de jantar e comeram tão rápido quanto nós. O homem farejou o ar e perguntou: — Quem andou fumando maconha aqui? — Mas ninguém deu atenção alguma a ele, então ele sentou e ficou quieto. Nós encarávamos os garotos novos e eles a nós.

Alhaji quebrou o silêncio.

— De onde vocês são? — ele perguntou. Os garotos arregalaram os olhos para Alhaji como se ele tivesse perguntado alguma coisa muito errada. Um deles, que parecia um pouco mais velho e não tinha um fio de cabelo na cabeça, ficou de pé com os punhos cerrados.

— E quem é você, porra? A gente tem cara de quem tá aqui pra responder perguntas de um bastardo *pekin* que nem você? — Ele se inclinou sobre a mesa e encarou Alhaji de cima a baixo.

Alhaji ficou de pé e lhe deu um empurrão. O garoto caiu e, quando se levantou, puxou uma baioneta e pulou sobre a mesa para cima de Alhaji. Todos nós nos levantamos, prontos para brigar. Um homem gritou: — Parem com isso, meninos! —, mas ninguém lhe deu ouvidos. Peguei minha granada e coloquei meus dedos no pino.

— Vocês querem que esta seja sua última refeição ou querem responder a pergunta dele? — eu ameacei o outro grupo de garotos.

— Somos do distrito de Kono — o que segurava a baioneta respondeu.

— Ah, zona dos diamantes! — Alhaji disse. Eu continuava segurando a granada.

— Vocês lutaram com o exército ou com os rebeldes? — eu perguntei rispidamente.

— Você acha que eu tenho cara de rebelde? — ele disse. — Lutei com o exército. Os rebeldes queimaram minha aldeia e mataram meus pais, e você se parece com eles.

— Então nós todos lutamos do mesmo lado na guerra — Alhaji disse, e todos sentamos, ainda lançando olhares uns aos outros.

Quando ficamos sabendo que havíamos lutado para o mesmo suposto exército, em diferentes partes do país, nós nos acalmamos e conversamos sobre as bases de onde tínhamos vindo. Nenhum de nós tinha ouvido falar dos esquadrões ou das bases dos outros, ou dos tenentes que comandavam esses esquadrões. Nenhum de nós sabia por que nossos comandantes tinham nos mandado embora. Éramos excelentes no combate e estávamos dispostos a lutar aquela guerra até o fim. Um dos garotos nos disse que achava que os estrangeiros tinham dado dinheiro aos nossos comandantes em troca de nos levar. Ninguém fez comentário algum sobre isso. Eu ainda segurava a granada enquanto conversávamos. Algum tempo depois da conversa, virei para o homem que havia nos levado à cozinha. Ele estava sentado na beira da mesa, trêmulo. Suava profusamente pela testa.

— Você sabe por que nossos comandantes nos entregaram para um bando de civis covardes? — perguntei ao homem, apontando para ele a granada. Ele pôs sua cabeça embaixo da mesa, como se eu fosse jogar a granada nele. O homem estava nervoso demais para me dar uma resposta.

— Esse aí é um civil covarde, vamos perguntar aos outros garotos — o que havia puxado a baioneta sugeriu.

Seu nome era Mambu, e depois fiz amizade com ele. Deixamos o homem, que ainda estava debaixo da mesa da cozinha, e seguimos para a varanda. Quando alcançamos os degraus, vimos os três PEs sentados na entrada do complexo, batendo papo e nos ignorando. Os dois estrangeiros tinham ido embora. Fomos até os garotos que estavam sentados, quietos, na varanda.

— Vocês sabem por que nossos comandantes nos entregaram para esses civis? — Alhaji perguntou, e todos os garotos ficaram de pé e viraram seus rostos cheios de ódio para ele, encarando-o em silêncio. — Vocês são surdos? — Alhaji continuou. Ele se virou para mim. — Eles não sabem de nada.

— Não queremos ser incomodados — um dos garotos falou numa voz grave. — E não queremos responder a nenhuma pergunta feita por civil.

— Nós não somos civis — Mambu disse, irritado, andando na direção do garoto. — Se alguém aqui é civil, são vocês aí. Vocês estão usando roupas de civis. Que tipo de militar só veste roupa de civil? Ou esses civis boiolas que trouxeram vocês aqui fizeram vocês vestirem essas roupas? Se foi isso, vocês devem ser uns soldados bem fracos.

— Lutamos pelo RUF; o exército é o inimigo. Lutamos pela liberdade, e o exército matou minha família e destruiu minha aldeia. Mato qualquer soldadinho de merda deles sempre que tenho a chance. — O garoto tirou a camisa para lutar com Mambu, e em seu braço estava a tatuagem do RUF.

— Eles são rebeldes — Mambu gritou, e antes que pudesse alcançar sua baioneta o garoto já tinha lhe acertado um soco na cara.

Ele caiu, e, quando se levantou, seu nariz sangrava. Os garotos rebeldes sacaram algumas baionetas que tinham escondidas e avançaram em nossa direção. Era a guerra outra vez. É possível que os estrangeiros tenham sido suficientemente ingênuos a ponto de pensar que, nos tirando da guerra, nos livrariam do ódio que sentíamos pelos rebeldes do RUF. Não havia passado pela cabeça deles que uma mudança de ambiente não poderia imediatamente nos transformar em garotos normais; éramos perigosos, e tínhamos recebido uma lavagem cerebral que nos havia tornado assassinos. Eles estavam só começando seu projeto de reabilitação, então aquela foi a primeira lição que aprenderam sobre o processo.

Quando os garotos avançaram, joguei a granada pra cima deles, mas a explosão não aconteceu. Saímos de baixo da sacada onde nos protegíamos e pulamos no pátio aberto, onde começamos a brigar. Alguns de nós tinham baionetas, outros não. Um garoto sem baioneta agarrou meu pescoço por trás. Ele estava apertando para matar e eu não podia usar minha baioneta direito, então comecei a lhe aplicar cotoveladas com toda a força até que ele me soltasse. Ele estava apertando meu tronco quando me virei. Acertei seu pé em cheio. A baioneta ficou presa, então a puxei de volta com força. Ele caiu e comecei a chutar seu rosto. Quando ia dar o último golpe usando minha baioneta, alguém veio por trás de mim e cortou minha mão com uma faca. Era um garoto rebelde, e ele estava prestes a me chutar até eu tombar no chão, quando ele mesmo caiu de cara. Alhaji tinha enfiado uma faca nas costas dele. Ele puxou a faca de volta, e nós dois continuamos a chutar o garoto até que ele parou de se mover. Eu não estava certo se ele tinha morrido ou só estava inconsciente. Eu não dava a mínima. Ninguém gritou ou chorou durante a briga. Afinal, já fazíamos aquelas coisas há anos e ainda estávamos todos chapados de drogas.

Os três PEs e os dois locais que tinham nos trazido ao centro vieram correndo para o pátio minutos depois que a briga começou.

— Parem, parem — eles gritaram, apartando os garotos, e carregaram os feridos para um canto.

Foi uma péssima idéia. Nós pulamos em cima dos PEs, jogamos os três no chão e tomamos suas armas. Os garotos do exército, nós, pegamos um; os rebeldes pegaram outro. O terceiro PE fugiu antes que o grupo conseguisse agarrá-lo.

Mambu estava com a arma, e, antes que o garoto rebelde que tinha a outra arma pudesse destravá-la, Mambu atirou nele. Ele caiu, largando a arma. Outros garotos rebeldes tentaram pegá-la, mas Mambu atirou em cada um que tentou. Ele matou uns poucos e feriu muitos. Mas os rebeldes eram persistentes, e finalmente um deles pegou a arma e atirou em dois garotos do nosso lado. O segundo garoto, que recebeu o tiro à queima-roupa, esfaqueou o garoto rebelde no estômago antes de cair. O rebelde largou a arma e caiu no chão também.

Mais PEs corriam portão adentro agora, em direção à briga. Já estávamos lutando por quase vinte minutos, apunhalando e esfaqueando uns aos outros e aos homens que tentavam nos apartar. Os PEs fizeram alguns disparos no ar para pararmos, mas a briga continuava, então tiveram que radicalizar. Eles apontaram as armas para alguns de nós e chutaram seis outros até que se separassem. Seis pessoas estavam mortas: dois do nosso lado e quatro do lado dos rebeldes; havia vários feridos, incluindo dois dos homens que tinham nos trazido. As ambulâncias militares partiram, gemendo com nossos mortos e feridos dentro da noite que acabara de cair. Suas luzes lampejaram e me deixaram tonto. Eu tinha um pequeno ferimento na mão, que escondi porque não queria ser levado para o hospital, e era só um corte de nada. Lavei o sangue, coloquei um pouco de sal na ferida e amarrei a mão com um pedaço de pano. Durante a briga, Mambu cegou um garoto, ao enfiar a baioneta e puxar seu olho para fora. Depois soubemos que o garoto foi levado para fora do país para fazer uma cirurgia e tinha ganhado um olho de gato no lugar do original, ou coisa parecida. Depois da noite da briga, admiramos a postura de matador de Mambu. Teria sido bom tê-lo no meu pelotão, pensei.

Enquanto os vigias montavam guarda para garantir que não íamos começar outra batalha, a garotada do exército, nós, fomos à cozinha procurar comida. Comemos e conversamos sobre a briga. Mambu nos contou que, quando arrancou o olho do menino, ele ainda correu para acertar um soco, mas, como não conseguia enxergar, acabou correndo na direção errada, bateu com força a cabeça numa parede e caiu, desmaiado. Demos muita risada, pegamos e levantamos Mambu no ar. Precisávamos de violência para levantar os ânimos depois de um dia inteiro de viagem sem graça e toda aquela dúvida sobre por que nossos superiores tinham nos mandado embora.

A comemoração terminou quando um grupo de PEs entrou na cozinha e mandou que nós os seguíssemos. Eles tinham as armas apontadas para nós, mas rimos deles e caminhamos para fora, onde estavam os carros militares, e esperamos ser levados para algum lugar. Estávamos tão felizes por causa do confronto com os garotos rebeldes que nem pensamos em atacar os PEs. Além disso, havia muitos deles agora. Parecia que tinham entendido a mensagem de que não éramos as crianças com quem gostariam de brincar. Alguns PEs estavam parados ao lado dos carros agarrados a suas armas e de olhos bem abertos em cima de nós.

— Pode ser que eles estejam nos levando de volta para a base — Alhaji disse, e por algum motivo nós todos começamos a cantar o hino nacional, marchando até os veículos.

Mas não fomos levados de volta às bases; em vez disso, nos levaram para o Lar Benin, outro centro de reabilitação em Kissy Town, nos limites de Freetown, ao leste, longe da cidade. O Lar Benin já tinha se chamado Approve School, quando era um centro para jovens controlado pelo governo. Os PEs fizeram questão de nos revistar antes de entrarmos no centro. O sangue de nossas vítimas e nossos inimigos ainda estava fresco em nossos braços e roupas. As palavras do tenente ainda ecoavam na minha cabeça: "De agora em diante, matamos qualquer rebelde que encontrarmos, sem prisioneiros." Eu dei um sorrisinho, feliz porque tínhamos dado conta dos garotos rebeldes, mas comecei a pensar de novo: por que tinham levado a gente até ali? Os PEs vigiaram nosso grupo enquanto permanecíamos sentados na varanda da nossa ala, olhando para a noite. Tudo em que conseguia pensar era no que aconteceria com a minha G3 e que filme meu pelotão estava vendo naquela noite, se tinham maconha e cocaína da boa à disposição.

— Ei, algum dos colegas aí tem um pouco de *tafe* (maconha) pra gente? — Mambu perguntou aos PEs, que o ignoraram. Eu tinha começado a tremer. O efeito das drogas que tinha tomado nas noites anteriores, antes de sermos trazidos para a cidade, estava acabando. Andei para cima e para baixo pela varanda, irrequieto em meu novo habitat. Minha cabeça começou a doer.

16

Era revoltante receber ordens de civis. Suas vozes, até mesmo quando nos chamavam para o café-da-manhã, me deixavam tão louco de ódio que eu dava socos na parede, no meu armário, em qualquer coisa que estivesse por perto. Poucos dias antes, podíamos decidir se eles viveriam ou morreriam. Por causa disso, nos recusávamos a fazer qualquer coisa que nos pedissem, exceto comer. Tínhamos pão e chá para o café-da-manhã, arroz e sopa tanto para o almoço quanto para o jantar. As sopas eram de folhas de mandioca, folhas de batata, quiabo, e assim por diante. Estávamos infelizes porque precisávamos de nossas armas e nossas drogas.

Ao fim de cada refeição, as enfermeiras e membros da equipe vinham conversar conosco para comparecermos aos exames médicos marcados no mini-hospital do Lar Benin e às sessões individuais de terapia, que detestávamos. Mal começavam a falar, jogávamos tigelas, colheres, comida e até bancos em cima deles. Botávamos todos para correr do refeitório e ainda batíamos neles. Uma tarde, depois que demos uma carreira nas enfermeiras e no resto da equipe, colocamos um balde virado na cabeça do cozinheiro e o empurramos pela cozinha até que ele queimou a mão numa panela fervendo e aceitou colocar mais leite no nosso chá. Por causa desse tipo de coisas, ficamos basicamente soltos para vagabundear em nosso novo habitat na primeira semana inteira. Naquela semana, quase não havia mais resquícios das drogas no nosso organismo. Eu sofria com a abstinência, precisava tanto de cocaína e maconha que enrolava um pedaço de papel comum e fumava aquilo. Às vezes procurava migalhas de maconha ou cocaína nos bolsos da minha bermuda do exército, que eu ainda usava. Chegamos a invadir o mini-hospital para roubar alguns analgésicos — pílulas brancas e amareladas — e cápsulas vermelhas e amarelas. Esvaziamos as cápsulas, esfarelamos as pílulas e misturamos tudo. Mas a mistura não deu o efeito que esperávamos. Ficamos mais desesperados a cada dia e, por isso, recorremos a mais violência. Pela manhã, batíamos nas pessoas da vizinhança que estavam a caminho de uma bomba próxima onde pegavam água. Se não conseguíamos alcançá-los, atirávamos pedras neles. Às vezes eles deixavam seus baldes caírem quando corriam de nós. Dávamos gargalhadas enquanto destruíamos os baldes. Os vizinhos logo pararam de andar nas proximidades do nosso centro, já que tínhamos mandado alguns deles para o hospital. O pessoal da equipe nos evitava ainda mais. Começamos a brigar dia e noite.

Brigávamos durante horas entre as refeições, sem motivo algum. Nessas brigas, destruíamos quase todos os móveis e jogávamos os colchões no pátio. Parávamos para limpar o sangue da boca, dos braços e das pernas só quando a sirene tocava anunciando alguma refeição. À noite, cansados de brigar, sentávamos tranqüilamente em nossos colchões do lado de fora até o dia raiar e chegar a hora do café-da-manhã. Toda vez que terminávamos o café-da-manhã, os colchões que tínhamos levado para fora na noite anterior estavam de volta em nossas camas. Enraivecidos, levávamos tudo de volta para fora, xingando quem tivesse desfeito nossa arrumação. Uma noite começou a chover quando estávamos sentados lá fora em cima dos colchões. Continuamos ali, limpando o rosto e ouvindo o som da chuva batendo nos telhados de latão e os jatos de água no chão. Choveu por cerca de uma hora apenas, mas mesmo depois que parou continuamos lá fora sentados, durante a noite inteira, em cima das esponjas ensopadas que antes eram nossos colchões.

Na manhã seguinte, quando voltamos do café-da-manhã, os colchões ainda estavam do lado de fora. Não fazia sol suficiente naquele dia, e eles não tinham secado durante a madrugada. Ficamos nervosos e fomos procurar Poppay, o homem encarregado do almoxarifado. Ele era um ex-militar com um olho vesgo. Quando o encontramos, exigimos colchões secos.

— Vocês vão ter que esperar que sequem aqueles que vocês deixaram lá fora — ele disse.

— Não podemos deixar um civil falar assim com a gente — alguém protestou, e todos gritamos concordando e avançando em cima do homem. Desfechamos socos nele. Um dos garotos enfiou uma faca no pé dele e ele caiu. Poppay protegeu a cabeça com as mãos enquanto o chutávamos sem parar e o deixamos no chão sangrando, inconsciente. Gritamos de excitação quando voltamos para a varanda. Pouco a pouco, fomos ficando quietos. Eu estava irritado, porque sentia falta do meu pelotão e precisava de mais violência. Um cara da segurança que vigiava o centro levou Poppay para o hospital. Vários dias depois, Poppay voltou na hora do almoço, mancando mas com um sorriso no rosto.

— Não é culpa de vocês que tenham feito aquilo comigo — ele disse, enquanto passava pelo refeitório. Isso nos deixou mais irritados, porque queríamos que os civis, como nos referíamos a toda a equipe, nos respeitassem como soldados capazes de machucá-los sem a menor compaixão. A maioria dos membros da equipe agia daquela maneira, voltava sorrindo depois que os machucávamos. Era como se tivessem feito um pacto para não desistirem de nós. Seus sorrisos nos faziam odiá-los ainda mais.

Minhas mãos tinham recomeçado a tremer, descontroladamente, e a enxaqueca tinha voltado com força total. Era como se um ferreiro tivesse colocado uma bigorna na minha cabeça. Eu ouvia e sentia como se martelassem um metal dentro da minha cabeça, e aqueles ruídos insuportáveis deixavam minhas veias e meus músculos doloridos. Eu me curvava e rolava pelo chão ao lado da minha cama ou às vezes na varanda. Ninguém dava atenção, já que cada um estava ocupado lidando com seus próprios estágios de abstinência de maneiras diferentes. Alhaji, por exemplo, socava uma pilastra de cimento de um dos prédios até que seus punhos sangrassem e o osso começasse a aparecer. Ele era levado a nossa enfermaria e o colocavam para dormir por vários dias para que parasse de se machucar.

Um dia decidimos quebrar as janelas de vidro das nossas salas de aula. Não me lembro por quê, mas, em vez de achar pedras para quebrar as janelas, como todo mundo, soquei o vidro com meu punho. Consegui quebrar várias vidraças antes de prender minha mão num pedaço de vidro e começar a sangrar sem parar. Tive que ir para o hospital. Meu plano era roubar um kit de primeiros socorros e me tratar sozinho, mas a enfermeira estava lá. Ela me fez sentar num balcão enquanto removia os pedaços de vidro da minha pele. Ela contorcia o rosto sempre que retirava um pedaço de vidro de dentro da carne. Mas, quando olhava para mim, parecia calma. Procurava no meu rosto sinais de que eu estivesse sentindo dor. Ela ficou confusa porque eu nada demonstrava, mas continuou a remover os cacos de vidro cuidadosamente da minha mão ensangüentada. Eu não sentia nada. Só queria que parasse de sangrar.

— Isso vai doer — a enfermeira disse, antes de começar a limpar os cortes. — Qual o seu nome? — ela perguntou, enquanto enfaixava minha mão. Eu não respondi. — Volte amanhã para trocar a bandagem. O.k.? — Ela começou a fazer carinho na minha cabeça, mas eu afastei sua mão e saí.

Eu não voltei ao hospital no dia seguinte, acabei voltando naquele mesmo dia, quando desmaiei de enxaqueca sentado na varanda. Acordei numa cama no hospital. A enfermeira estava limpando minha cabeça com uma toalha molhada. Peguei sua mão, afastei-a e fui embora outra vez. Sentei do lado de fora, no sol, balançando o corpo para frente e para trás. Meu corpo inteiro doía, minha garganta estava seca e eu me sentia enjoado. Vomitei algo verde e viscoso, e desmaiei de novo. Quando acordei horas depois, a mesma enfermeira estava lá. Ela me entregou um copo de água.

— Você pode ir se quiser, mas sugiro que fique na cama esta noite — ela disse, apontando o dedo para mim da maneira que uma mãe faria com uma criança teimosa.

Peguei a água da mão dela, bebi e atirei o copo contra a parede. A enfermeira deu um pulo da cadeira. Tentei me levantar, mas não consegui sentar na cama. Ela sorriu, se aproximou e me deu uma injeção, então puxou o cobertor sobre mim e começou a varrer os cacos de vidro. Eu queria tirar o cobertor, mas não conseguia mover minhas mãos. Estava fraco e minhas pálpebras tinham ficado pesadas.

Acordei ouvindo os sussurros da enfermeira e de mais alguém. Eu estava confuso e não sabia que dia ou que horas eram. Senti minha cabeça pulsar um pouco.

— Há quanto tempo estou aqui? — perguntei à enfermeira, batendo minha mão na lateral da cama para chamar a atenção dela.

— Olha quem está falando, e cuidado com sua mão — ela disse.

Quando me sentei um pouco, vi que havia um soldado no quarto. Pensei por um minuto que ele estava lá para me levar de volta às frentes. Mas então olhei outra vez e soube que ele estava no hospital por outros motivos. Ele era claramente um soldado da cidade, bem-vestido e desarmado. Ele era um tenente e estava ali supostamente para verificar como estávamos sendo tratados pelos medicamentos e psicologicamente, mas parecia mais interessado na enfermeira. Eu já fui tenente, pensei, um "subtenente", para ser mais preciso.

Como subtenente eu era encarregado de uma unidade composta de meninos para executar missões rápidas. O tenente e o cabo Gadafi tinham selecionado todo o restante dos meus amigos — Alhaji, Kanei, Jumah e Moriba — para formar a unidade, e lá estávamos nós, juntos de novo. Mas dessa vez não estávamos fugindo da guerra. Estávamos nela e à procura de aldeias que tivessem comida, drogas, munição, gasolina e outras coisas de que precisávamos. Eu relatava nossos achados ao cabo, e então o esquadrão inteiro atacava a aldeia que tínhamos espionado, matando todo mundo para que nós pudéssemos sobreviver.

Numa de nossas expedições de busca, por acaso achamos uma aldeia que pensamos estar a três dias de nós; mas, depois de uma caminhada de apenas um dia e meio, começamos a sentir no ar o aroma de óleo de palmeira cozinhando. Era um dia bonito, quando o verão nos dava seus últimos raios. Saíamos da trilha imediatamente e entramos nos arbustos em direção à aldeia. Quando avistamos os telhados de sapê, rastejamos até bem perto da aldeia, para podermos ver o que estava acontecendo. Havia alguns poucos atiradores preguiçosamente relaxando por lá. Além disso, havia montes de trouxas nas portas de cada casa. Parecia que os rebeldes estavam se preparando para se mudar da aldeia. Se voltássemos para a base para buscar o resto do pelotão, perderíamos a oportunidade de pegar seu suprimento de comida. Então, decidimos atacar. Eu dei ordens a todos para que se espalhassem em volta da aldeia em posições estratégicas antes de começarmos a nos aproximar mais ainda, rastejando, pelos dois lados. Nós tínhamos dois lançadores e cinco granadas. Tínhamos nos aproximado o suficiente, e apontei minha arma para o grupo pelo qual eu pretendia começar, quando Alhaji bateu no meu ombro. Ele cochichou que queria colocar em prática suas táticas de Rambo antes de começarmos a atirar. Antes que eu dissesse qualquer coisa, ele já estava esfregando lama no rosto, usando uma mistura de saliva e um pouco da água de seu cantil para molhar a terra. Ele amarrou a arma às costas e pôs a baioneta para fora, passando o dedo na ponta lisa, segurando-a em frente ao rosto. Ele começou a rastejar vagarosamente debaixo do sol do meio-dia que iluminava a aldeia uma última vez antes de levarmos a escuridão sobre ela.

Quando Alhaji estava fora de vista, apontei o lançador de granada para a aldeia, no ponto onde estava sentada a maioria dos homens, para dar cobertura a ele. Minutos depois, eu o vi rastejar e agachar entre algumas casas. Ele se sentava encostado em paredes para evitar ser visto. Ele tinha rastejado lentamente por trás de um guarda preguiçoso que lagarteava tomando sol com a arma no colo. Alhaji agarrou a boca do guarda e cortou seu pescoço com a baioneta. Ele fez a mesma coisa com mais alguns guardas. Mas cometeu um erro: não escondeu os corpos daqueles que tinha conseguido matar. Eu estava curtindo suas manobras quando um dos guardas, voltando ao seu posto, viu o corpo de um colega e começou a correr de volta para avisar os outros. Eu não podia deixar que chegasse lá, então atirei nele com minha G3 e rapidamente detonei duas granadas entre os atiradores.

Quando começamos a troca de fogo, eu não sabia onde estava Alhaji, mas enquanto eu atirava ele veio rastejando até a mim. Quase atirei nele mas acabei reconhecendo sua cara enlameada de Rambo. Fomos ao trabalho, matando todo mundo que cruzasse nosso caminho. Não desperdiçamos uma única bala. Todos tínhamos melhorado a artilharia, e nosso tamanho nos dava uma vantagem, porque conseguíamos nos esconder atrás dos menores arbustos e matávamos sem que os homens conseguissem desconfiar de onde as balas tinham vindo. Para conseguir controle total sobre a aldeia, Alhaji e eu atiramos as últimas granadas antes de entrarmos.

Andamos pela aldeia e matamos todos que saíam de suas casas e cabanas. Depois nos demos conta de que não havia ninguém para levar as cargas. Tínhamos matado todo mundo. Então mandei Kanei e Moriba de volta à base para buscar ajuda. Eles saíram levando a munição dos atiradores mortos; alguns deles ainda estavam agarrados às armas. Três de nós ficamos na aldeia. Em vez de sentarmos entre cadáveres, caixotes de munição e bolsas de drogas, nos escondemos nos arbustos que havia por perto e vigiamos a aldeia. Também nos revezamos, indo até lá buscar alguma coisa para comer e drogas. Sentamos em silêncio nos arbustos e esperamos.

Dois dias depois Kanei e Moriba voltaram com o cabo, alguns soldados e civis que carregaram a bagagem de comida, drogas e munição até a base.

— Temos o suficiente de tudo para durar por uns meses. Bom trabalho, soldados — o cabo nos elogiou.

Prestamos continência e seguimos caminho. Por causa daquele ataque, Alhaji ganhou o apelido "Rambinho", e ele fez tudo que pôde nos ataques seguintes para continuar merecedor daquele nome. Meu apelido era "Cobra Verde", porque eu me esgueirava sorrateiramente até a posição mais vantajosa e tomava uma aldeia inteira escondido atrás de um arbusto minúsculo sem ser notado. O tenente me batizou com aquele nome. Ele falou:

— Você não parece perigoso, mas é, mistura-se com a natureza como uma cobra verde, engana e é mortal quando quer. — Fiquei feliz com meu nome, e em todos os ataques fazia questão de agir como o nome pedia.

Havia uma rachadura no teto branco do quarto, e eu podia ouvir vagamente a voz do tenente afrescalhado e as risadinhas da enfermeira. Virei minha cabeça para o lado e olhei na direção deles. A enfermeira tinha um sorriso no rosto e parecia estar interessada nas piadas do tenente. Levantei e comecei a sair.

— Beba bastante água e você vai ficar bem. Volte amanhã à noite para um check-up — a enfermeira falou quando eu saía.

— O que você acha daqui? — o tenente me perguntou.

Olhei para ele com nojo e cuspi no chão. Ele deu de ombros.

Mais um soldado engomadinho da cidade, pensei enquanto andava de volta ao quarto. Quando cheguei lá, dois garotos estavam jogando pingue-pongue na varanda. Todos pareciam ligados no jogo. Já fazia mais de um mês, e alguns de nós já tinham quase ultrapassado o estágio de abstinência, apesar de ainda haver alguns episódios de vômito e colapsos em momentos inesperados. Essas crises terminaram, para a maioria de nós, ao fim do segundo mês. Mas ainda estávamos traumatizados e, agora que tínhamos tempo para pensar, o manto de nossas memórias de guerra começou a se abrir.

Sempre que eu ligava a torneira, em vez de água tudo que eu conseguia ver era um jato de sangue. Eu olhava aquilo fixamente até que se parecesse com água outra vez, antes de beber ou tomar banho. Às vezes passavam garotos correndo pelo corredor gritando: "Os rebeldes estão vindo!" Ou então os garotos mais novinhos sentavam ao lado de algumas pedras e choravam, dizendo que as pedras eram seus familiares mortos. E havia ainda surtos em que fazíamos emboscadas para o pessoal da equipe, amarrávamos e interrogávamos todos sobre a localização de seus pelotões, onde conseguiam seus suprimentos de armas e munição, drogas e comida. Foi também durante esse período que nos deram material escolar — livros, canetas e lápis — e nos avisaram que teríamos aulas todos os dias da semana, entre dez horas da manhã e meio-dia. Fizemos fogueiras com eles, e na manhã seguinte outra leva de material foi trazida para nós. Queimamos tudo outra vez. A equipe seguiu repondo o material. Dessa vez não disseram "A culpa não é de vocês", como antes, quando fazíamos algo que consideravam errado e infantil.

Uma tarde, depois que a equipe acabou de arrumar uma leva de material escolar na varanda, Mambu sugeriu que vendêssemos tudo.

— Quem vai comprar isso? Todo mundo tem medo da gente — alguns dos meninos perguntaram.

— Podemos achar um comerciante que queira fazer negócio — Mambu assegurou.

Enfiamos o material em sacos plásticos, e seis de nós fomos a uma feira próxima, onde os repassamos a um vendedor de rua. O homem ficou empolgado e disse que sempre compraria mais da gente.

— Não me interessa se vocês roubaram isso; tenho a grana e vocês têm a mercadoria, fazemos negócio — nos disse o homem ao entregar a Mambu um maço de dinheiro.

Mambu contou as notas novinhas com um sorriso aberto no rosto.

— Esse dinheiro é bom. Sei diferenciar — ele falou.

Então, voltamos correndo ao Lar para dar tempo de pegarmos o almoço. Imediatamente depois de comermos, Mambu deu a cada garoto sua parte do dinheiro. Os corredores ficaram barulhentos enquanto todos falavam sobre o que fariam com o dinheiro. Aquilo era definitivamente mais animado do que queimar o material.

Enquanto alguns compraram com o dinheiro Coca-Cola, balas e outras coisas parecidas, Mambu, Alhaji e eu planejamos uma viagem a Freetown. Tudo que sabíamos era que tínhamos que pegar o transporte público no centro da cidade. Naquela manhã engolimos nosso café e saímos um de cada vez do refeitório. Eu fingi que estava indo fazer um check-up no mini-hospital, Mambu entrou na cozinha como se fosse pegar mais comida e saiu pela janela, Alhaji andou até os banheiros. Não queríamos que os outros garotos soubessem, ficamos preocupados que pudessem querer ir junto, o que deixaria a equipe em pânico. Nós três nos encontramos num cruzamento próximo ao Lar e ficamos na fila esperando um ônibus.

— Vocês já foram à cidade antes? — Alhaji nos perguntou.

— Não — eu respondi.

— Eu ia freqüentar uma escola em Freetown, mas aí a guerra começou. Ouvi dizer que é uma cidade bonita — Alhaji disse.

— Bem, vamos descobrir logo, logo. O ônibus já chegou — Mambu anunciou.

Dentro do ônibus estava tocando música *soukou*, e as pessoas batiam papo alto, como se fosse uma feira. Sentamos no fundo e ficamos olhando as casas e os quiosques passarem. Um homem começou a dançar no corredor. Uns poucos passageiros, incluindo Mambu, se juntaram a ele. Todos rimos e aplaudimos os dançarinos.

Descemos do ônibus em Kissy Street, uma área movimentada perto do coração da cidade. As pessoas passavam apressadas, tocando suas rotinas, como se nada estivesse acontecendo no país. Havia grandes lojas dos dois lados da rua, e os camelôs lotavam as calçadas estreitas. Nossos olhos se refestelaram, e logo estávamos confusos com aquilo tudo.

— Eu disse pra vocês que ia ser o máximo — Mambu deu um pulo no ar.

— Olha que enorme! — Apontei para um prédio.

— E aquele outro ali é tão alto — Alhaji falou.

— Quantas pessoas devem subir lá? — Mambu indagou.

Andamos devagar, admirados com a quantidade de carros, as lojas libanesas cheias de todo tipo de comidas. Meu pescoço doía de tanto olhar os prédios altos. Havia minimercados em toda parte, vendendo roupas, comida, fitas cassete, aparelhos de som estéreo, e muitas outras coisas. A cidade era barulhenta demais, como se as pessoas discutissem em todos os lugares simultaneamente. Caminhamos até a Cotton Tree, símbolo nacional de Serra Leoa e marco da capital. Ficamos boquiabertos olhando a árvore gigantesca que só conhecíamos do verso da nossa moeda. Agora estávamos debaixo dela, num cruzamento da Siaka Stevens Street com Pademba Road, o centro da cidade. Suas folhas eram verdes mas a casca parecia bastante envelhecida.

— Ninguém vai acreditar quando a gente contar — Alhaji comentou, enquanto nos afastávamos.

Andamos o dia inteiro, comprando sorvete e refrescos Vimto. Era difícil tomar sorvete porque ele derretia muito rápido no sol quente. Passei a maior parte do tempo lambendo os resíduos de sorvete dos cotovelos e entre os dedos em vez de o comer direto na casquinha. Enquanto caminhávamos pelo centro da cidade, a quantidade de carros e de gente aumentou. Não conhecíamos ninguém e todos pareciam estar com pressa. Mambu e Alhaji andavam atrás de mim o tempo todo e me perguntavam como deviam proceder, quando deviam parar... parecia que estávamos na frente de batalha e eu era o líder do pelotão.

A tarde já chegava ao fim e tínhamos que voltar ao Lar a tempo de pegar a janta. Quando fomos pegar o ônibus, nos demos conta de que não tínhamos dinheiro para pagar.

— A gente pode sentar na frente e, quando chegar nosso ponto, pulamos para fora e corremos — Mambu sugeriu.

Sentamos calados no ônibus, de olho no homem que pegava o dinheiro da passagem antes de cada ponto. Quando o ônibus estava prestes a chegar no nosso, o trocador pediu que aqueles que fossem saltar ali levantassem as mãos. Ele andou pelo corredor coletando o dinheiro. Então, o ônibus parou, e ele se deteve na porta, para garantir que ninguém saísse sem pagar. Fui até ele, uma das mãos no meu bolso, como se estivesse pegando o dinheiro. De repente, empurrei-o para o lado e fugimos correndo. Ele nos perseguiu por um tempo e, então, desistiu. Naquela noite contamos a todos os garotos sobre os prédios altos da cidade, o barulho, os carros e os mercados. Depois disso, todos ficaram animados e queriam ir à cidade. A equipe não teve escolha senão organizar excursões de fim de semana para o centro da cidade, para que parássemos de ir por conta própria. Mas aquilo não era suficiente para alguns de nós, que queriam visitar a cidade mais de uma vez por semana.

Eu não sei o que aconteceu, mas as pessoas pararam de comprar de nós o material escolar. Mesmo quando oferecíamos por um preço bem mais baixo, não conseguíamos encontrar compradores. Já que não tínhamos qualquer outro meio de conseguir nosso dinheiro, não podíamos mais ir sozinhos ao centro da cidade, nem com a freqüência que quiséssemos. Além disso, freqüentar as aulas tornou-se requisito para as excursões de fim de semana até a cidade. Por tudo isso, começamos a ir à escola.

Era uma escola informal. Em matemática, aprendíamos a somar, diminuir, multiplicar e a resolver equações complicadas. Em inglês, líamos trechos de livros, aprendíamos a soletrar palavras e às vezes o professor lia histórias, que copiávamos no caderno. Era só um jeito de "refrescar nossa memória", como dizia o professor. Não prestávamos atenção às aulas. Só queríamos estar presentes para não perdermos as viagens para a cidade. Brigávamos no meio das lições, às vezes um enfiava o lápis na mão do outro. O professor continuava a falar e por fim parávamos com a brigalhada. Aí começávamos a falar dos navios que tínhamos visto no cais de Kroo Bay, do helicóptero que passou voando enquanto caminhávamos pela Lightfoot Boston Street, e, ao final da aula, o professor dizia:

— Não é culpa de vocês que não consigam sentar quietos na sala de aula. Logo vocês vão conseguir.

Ficávamos revoltados e jogávamos nossos lápis nele ao sair da sala.

Depois, almoçávamos e nos ocupávamos jogando pingue-pongue. Mas à noite alguns de nós acordavam no meio de pesadelos, suando, gritando e dando socos na própria cabeça para afastar as imagens que continuavam a nos atormentar mesmo quando não estávamos mais dormindo. Outros meninos acordavam, atacavam e começavam a enforcar quem estivesse na cama ao lado; aí saíam correndo pela noite tentando contê-los. A equipe estava sempre de guarda para controlar esses surtos esporádicos. Apesar disso, toda manhã encontravam alguns meninos escondidos no mato, no campinho de futebol. Não lembrávamos como tínhamos chegado até ali.

Levou vários meses até que comecei a reaprender a dormir sem ajuda de medicamentos. Mas, mesmo quando finalmente me tornei capaz de dormir novamente, eu acordava menos de uma hora depois. Sonhava que um homem sem rosto tinha me amarrado e começava a rasgar minha garganta com a lâmina em ziguezague de sua baioneta. Sentia a dor que a faca infligia enquanto o homem serrava meu pescoço. Eu acordava suando e socando o ar. Corria para fora, até o meio do campo de futebol, e ficava balançando meu corpo para frente e para trás, meus braços envolvendo as pernas. Tentava desesperadamente pensar na minha infância, mas não conseguia. As reminiscências da guerra tinham formado uma barreira que eu precisava quebrar para que conseguisse me lembrar de qualquer momento em minha vida anterior à guerra.

A estação das chuvas em Serra Leoa cai entre maio e outubro, com as chuvas mais pesadas caindo em julho, agosto e setembro. Meu esquadrão tinha perdido a base onde eu treinara, e durante o tiroteio Moriba foi morto. Nós o deixamos sentado contra uma parede, sangue saindo pela boca, e não pensamos muito sobre ele depois daquilo. Chorar pelos mortos não era parte do negócio de matar e tentar ficar vivo. Após a morte de Moriba, vagamos pela floresta procurando uma nova base antes que a estação de chuvas começasse. A maioria das aldeias que encontrávamos não servia, já que tínhamos destruído todas elas em certo momento. O tenente estava nervoso por não conseguir encontrar a base, então anunciou que não pararíamos de andar até achar uma.

No início, a chuva começava e parava. Até que começou a chover sem parar. Andamos até a parte mais densa da floresta e tentamos escapar da enxurrada debaixo das árvores, mas chovia tanto que as árvores não conseguiam mais segurar a água. Andamos pela floresta alagada durante semanas.

Chovia forte demais numa manhã quando, de repente, estávamos no meio de um tiroteio. As granadas que detonamos falharam e não explodiram. Por isso, nos recolhemos. O grupo que atacou não nos seguiu até muito longe, então nos reagrupamos outra vez, e o tenente disse que tínhamos que contra-atacar imediatamente para poder segui-los.

— Eles vão nos levar até sua base — ele nos falou, e avançamos na direção dos rebeldes. Lutamos durante um dia inteiro debaixo de chuva. A floresta estava encharcada e a chuva lavava o sangue das folhas, como se estivesse limpando a superfície da floresta, mas os cadáveres permaneciam sob os arbustos e o sangue que jorrava deles ficava em cima da terra molhada, como se o solo se recusasse a absorver mais sangue naquele dia.

Mais ou menos ao cair da noite, os rebeldes começaram a recuar. Enquanto corriam, deixaram um ferido para trás. Quando avançamos para cima dele, o tenente perguntou onde ficava sua base. Ele não respondia, então alguém o arrastou, com uma corda em volta do pescoço, enquanto perseguíamos os rebeldes que haviam nos atacado. Ele não sobreviveu a ser arrastado. À noite, os rebeldes suspenderam o recuo. Eles estavam nos limites de sua base e lutavam violentamente porque não queriam abrir mão dela.

— É bater-e-correr, tática *kalo-kalo* — o tenente mandou.

Fizemos dois grupos e deslanchamos o ataque. O primeiro grupo abriu fogo e fingiu recuar. Os rebeldes os perseguiram, correndo em meio à emboscada formada pelo segundo grupo. Em silêncio nos levantamos e corremos atrás dos rebeldes, atirando neles pelas costas. Repetimos a mesma tática ao longo da noite e enfraquecemos consideravelmente os rebeldes. Na manhã seguinte invadimos a aldeia e matamos os remanescentes, que não queriam sair. Capturamos oito de seus homens, amarramos suas mãos e suas pernas, e os deixamos na chuva.

Havia fogueiras na aldeia e montes de madeira e comida. Os rebeldes tinham feito um estoque para a estação das chuvas, mas agora éramos os herdeiros da comida e das demais provisões armazenadas. Trocamos nossas roupas molhadas pelas secas que conseguimos encontrar e sentamos ao redor do fogo, nos aquecendo e secando as roupas encharcadas. Agarrei minha arma e sorri por um segundo, feliz por termos encontrado abrigo. Estiquei os dedos dos pés em direção ao fogo para aquecê-los, e vi que eles estavam pálidos e tinham começado a apodrecer.

Estávamos na aldeia havia poucos minutos quando os rebeldes atacaram novamente. Não íamos desistir daquele lugar tão facilmente. Nós nos entreolhamos, sentados ao redor do fogo, e, enfurecidos, trocamos as câmaras e saímos para nos livrar dos rebeldes de uma vez por todas. Lutamos noite adentro e durante o dia seguinte. Um grupo não queria abrir mão da aldeia para o outro, mas no fim matamos a maior parte dos rebeldes e capturamos alguns outros. O restante fugiu para dentro da floresta fria e chuvosa. Estávamos tão furiosos com eles que não atiramos, mas, em vez disso, decidimos puni-los mais severamente.

— Vai ser um desperdício de balas atirar neles — o tenente disse.

Então distribuímos algumas pás e mandamos, com armas apontadas para eles, que cavassem suas próprias sepulturas. Sentamos debaixo das cabanas fumando maconha e assistimos a eles cavando na chuva. A cada vez que reduziam o ritmo, dávamos tiros ao redor deles e eles voltavam a cavar rapidamente. Quando terminaram de cavar, nós os amarramos e enfiamos nossas baionetas em suas pernas. Alguns deles gritaram, e nós os chutamos para que se calassem. Então, rolamos cada homem para dentro de seu buraco e os cobrimos com lama encharcada. Todos estavam apavorados, e tentavam levantar e sair do buraco enquanto jogávamos terra de novo sobre eles, mas, quando viram as pontas das nossas armas apontadas para cada buraco, eles recostaram e nos observaram com seus olhos pálidos e tristes. Eles lutaram debaixo da terra com toda a sua força. Eu os ouvi enquanto grunhiam tentando respirar. Pouco a pouco, desistiram, e saímos.

— Pelo menos foram enterrados — um dos soldados falou e todos rimos. Eu ainda estava rindo quando voltamos ao fogo para nos aquecer.

Perto do fogo, me dei conta de que tinha hematomas nos braços e num dos pés. Alhaji me ajudou a cuidar deles com algumas bandagens e remédios que os rebeldes tinham deixado para trás. Descobrimos que os machucados eram ferimentos de balas que haviam pegado minha pele de raspão em vez de me matarem. Eu estava drogado e traumatizado demais para perceber o que tinha acabado de acontecer. Eu ria enquanto Alhaji me mostrava a quantidade de ferimentos no meu corpo.

Pela manhã eu sentia alguém da equipe do Lar me embrulhando em um cobertor.

— Não é sua culpa, você sabe. Realmente não é. Você vai conseguir passar por isso. — Aí me levantavam e me levavam de volta ao dormitório.

17

Eu ainda não havia voltado ao hospital desde a vez em que, poucos meses antes, saí enquanto a enfermeira conversava com o tenente engomadinho da cidade, e ela havia desistido de me fazer voltar para um exame. Mas numa tarde, durante um jogo de pingue-pongue em que toda a equipe estava presente, senti alguém bater no meu ombro. Era a enfermeira. Ela estava vestida com uniforme e chapéu brancos. Era a primeira vez que eu olhava direito para ela. Seus dentes brancos contrastavam com a pele negra, brilhante, e, quando ela sorria, seu rosto não só ficava mais bonito, mas também irradiava charme. Ela era alta e tinha olhos castanhos, que eram gentis e convidativos. Ela me deu uma garrafa de Coca-Cola.

— Venha me visitar quando você tiver vontade — ela disse, sorrindo, enquanto se afastava.

A garrafa de Coca-Cola estava gelada e senti um choque ao segurá-la. Saí do sala de jogos com Alhaji e fomos para fora, onde sentamos numa pedra bebendo refrigerante.

— Ela gosta de você — Alhaji provocou. Eu não disse nada. — Bem, e você gosta dela? — ele perguntou.

— Não sei. Ela é mais velha e é nossa enfermeira — eu respondi.

— Você quer dizer que tem medo de mulher — Alhaji replicou, balançando a cabeça.

— Não acho que ela goste de mim do jeito que você está pensando. — Olhei para Alhaji, que estava rindo do que eu tinha dito.

Quando terminamos a garrafa, Alhaji saiu e eu decidi ir ao hospital. Na entrada, espreitei e vi a enfermeira ao telefone. Ela fez sinal para eu entrar e sentar. Ela sorriu e fez questão de que eu notasse que era por minha presença e não por causa do telefonema. Olhei em volta e vi um quadro na parede com os nomes de todos os meninos do Lar. Nos quadrados ao lado de quase todos os nomes havia um sinal indicando que haviam comparecido ao menos a uma sessão. Não havia nada nos quadradinhos correspondentes ao meu nome. A enfermeira pegou o quadro e o colocou em uma gaveta enquanto desligava o telefone. Ela puxou a cadeira para perto de mim e pensei que ia me perguntar alguma coisa sobre a guerra, mas, em vez disso, ela calmamente indagou:

— Qual é o seu nome?

Eu fiquei surpreso, já que estava certo de que sabia meu nome.

— Você sabe meu nome — respondi, enervado.

— Talvez eu saiba, mas quero que você me diga seu nome — ela insistiu, abrindo os olhos.

— O.k., o.k., Ishmael — eu respondi.

— Grande nome. — Ela balançou a cabeça e continuou: — Meu nome é Esther e acho que podemos ser amigos.

— Tem certeza de que você quer ser minha amiga? — perguntei.

Ela pensou por um tempo e disse:

— Talvez não.

Ficamos quietos por um tempo, já que eu não sabia o que dizer e ainda não confiava em ninguém naquela altura. Eu tinha aprendido a sobreviver e a tomar conta de mim mesmo. Eu tinha feito aquilo por todo o meu curto período de vida até então, sem ninguém em quem confiar, e, francamente, gostava de ficar sozinho, já que facilitava a sobrevivência. Gente como o tenente, a quem eu havia obedecido e em que havia confiado, me tinha feito questionar a confiança depositada em qualquer pessoa, especialmente adultos. Eu duvidava das intenções das pessoas. Acreditava que as pessoas só faziam amizade com as outras para explorá-las. Então, ignorei a enfermeira e fiquei olhando para fora pela janela.

— Sou sua enfermeira e é só isso. Se você quiser ser meu amigo, você vai ter que me pedir e eu vou ter que confiar em você primeiro — ela disse.

Eu sorri, porque estava pensando a mesma coisa. Ela ficou perplexa com aquele sorriso repentino. Mas aí falou:

— Você tem um sorriso lindo, devia mostrá-lo mais.

Então, parei imediatamente de sorrir e fechei a cara.

— Tem alguma coisa que você queira da cidade? — ela perguntou, mas eu não respondi. — Por hoje é só — ela disse.

Alguns dias depois dessa conversa, a enfermeira me deu um presente. Eu estava olhando alguns garotos desenrolarem uma rede de vôlei no pátio. Alhaji voltou de uma consulta no hospital e me disse que a enfermeira Esther havia pedido que eu fosse vê-la. Eu queria ficar assistindo ao jogo de vôlei mas Alhaji começou a me puxar e não me soltou até chegarmos à porta do hospital. Lá, ele me empurrou para dentro e correu dando risadas. Jogado no chão, olhei para cima e vi Esther sentada atrás de sua mesa, sorrindo.

— Alhaji disse que você queria me ver — falei, ficando de pé.

Ela me atirou um embrulho. Eu o segurei, tentando imaginar o que era e por que ela tinha comprado aquilo para mim. Ela me olhava, esperando que eu o abrisse. Quando o desembrulhei, dei um pulo e a abracei, mas imediatamente segurei minha felicidade. Perguntei friamente:

— Por que você me comprou esse walkman e essa fita se não somos amigos? E como você sabe que eu gosto de rap?

— Por favor, sente-se — ela disse, pegando o pacote, colocando pilhas e a fita no walkman, e me entregando de volta.

Coloquei os fones e deles saiu o Run-D.M.C. com "*It's like that, and that the way it is...*" Comecei a balançar a cabeça no ritmo e ela levantou meus fones para dizer:

— Eu tenho que examinar você enquanto escuta música.

Eu concordei, e tirei a camisa, subi na balança e ela examinou minha língua, apontou uma lanterninha para dentro dos meus olhos... eu não me incomodei porque a música tinha me dominado, e eu escutava cada palavra com muita atenção. Mas, quando começou a examinar minhas pernas e viu as cicatrizes na minha canela esquerda, ela levantou meus fones outra vez e perguntou:

— Como você conseguiu essas cicatrizes?

— Ferimentos de balas — respondi despreocupadamente.

Seu rosto se encheu de tristeza e a voz saiu trêmula quando disse:

— Você tem que me contar o que aconteceu para que eu possa passar o medicamento.

A princípio eu relutei, mas ela disse que só poderia me medicar direito se eu contasse o que havia acontecido, especialmente como haviam tratado minhas feridas de balas.

Então, contei toda a história de como tinha levado os tiros, não porque eu realmente quisesse, mas pensei que se contasse a ela toda a terrível verdade sobre meus anos de guerra ela teria medo de mim e não faria mais perguntas. Ela ouviu atentamente quando comecei a falar. Seus olhos estavam colados em mim, e eu baixava a cabeça enquanto mergulhava no meu passado recente.

Durante a segunda estação seca dos meus anos de guerra, ficamos com pouca comida e munição. Então, como de costume, decidimos atacar outra aldeia. Primeiro, fui espionar uma aldeia com meu pelotão. Observamos o local durante todo o dia e vimos que havia mais homens que nós e que, além de estarem bem armados, suas armas eram mais novas. Não tenho certeza se eram rebeldes, porque havia menos meninos que quaisquer outros grupos que havíamos atacado. Metade vestia uniformes e metade tinha roupas de civis. Retornamos à base e eu reportei ao tenente o que encontramos. Saímos imediatamente para a aldeia, que ficava a uns três dias de caminhada de onde estávamos. O plano era primeiro cercar a aldeia, e depois permanecer lá, formando uma nova base em vez de carregar os suprimentos para a outra.

Deixamos nossa aldeia naquela noite, alternando entre passos rápidos e corridas pela trilha a noite inteira. Durante a viagem de três dias, paramos uma vez para comer, beber e usar drogas. Carregamos toda a nossa munição, as armas e as semi-automáticas. Cada um de nós levava duas armas, uma presa às costas, e a outra segurávamos na mão. Deixamos para trás dois homens vigiando a base. Na manhã do terceiro dia, o tenente nos fez descansar mais do que nos dias anteriores. Depois caminhamos o dia inteiro e noite adentro até que avistamos a aldeia.

Havia muitas mangueiras, laranjeiras e goiabeiras na aldeia, que parecia ter sido uma fazenda. Nós a cercamos e aguardamos a ordem do tenente. Enquanto permanecíamos deitados de tocaia, nos demos conta de que o lugar estava vazio. Eu estava ao lado do tenente e ele me olhou confuso. Sussurrei que a aldeia estava cheia de atiradores dias antes, apesar de agora parecer deserta. Enquanto continuávamos observando, um cão cruzou a aldeia, latindo ao entrar na trilha. Cerca de uma hora depois, cinco atiradores entraram na aldeia. Eles pegaram baldes na varanda de uma das casas e tomaram a direção do rio. Estávamos começando a desconfiar de que alguma coisa estava errada, quando um tiro foi disparado atrás de nós. Agora era óbvio: nós tínhamos caído numa emboscada. Os atiradores queriam nos forçar a entrar na aldeia, onde poderiam nos pegar a céu aberto.

Trocamos tiros a noite inteira, até o amanhecer, quando não houve escolha senão recuar até a aldeia, onde eles nos queriam. Já tínhamos perdido cinco homens e os rebeldes estavam vindo na nossa direção. Eles tinham subido em mangueiras, laranjeiras e goiabeiras, prontos para fazer chover tiros sobre nós. Meu pelotão dispersou, correndo de uma ponta da aldeia à outra, agachando atrás das casas. Tínhamos que sair dali antes que fosse tarde, mas primeiro precisávamos nos livrar dos atiradores nas árvores, o que conseguimos mandando uma saraivada de balas na direção dos galhos, derrubando os rebeldes deles. Aqueles que não morreram imediatamente, atiramos neles antes que caíssem no chão. Para evitar a área aberta e reagrupar na floresta, era preciso abrir caminho; havia muito poder de fogo em torno de nós. Então, concentramos nosso fogo em uma única área da floresta até que todos ali estivessem mortos. Assim que tivemos tempo para nos reunir outra vez, o tenente fez seu pequeno discurso sobre por que devíamos lutar ferozmente para dominar aquela aldeia, ou teríamos que vagar pela floresta atrás de outra base.

Alguns estavam feridos, mas não tão gravemente que não pudessem continuar lutando; outros, como eu, tinham muitos ferimentos de bala que passaram despercebidos. Nosso primeiro contra-ataque foi feito para obter a munição dos mortos. Então, lançamos o segundo ataque violento para ganhar o controle da aldeia. Por mais de vinte e quatro horas recuamos e atacamos, usando armas e munição daqueles que eram mortos. Finalmente pareceu que tínhamos conseguido vencer nossos rivais. Os tiros tinham parado. Os arbustos atrás das mangueiras estavam imóveis. A aldeia, parecia, era nossa.

Eu estava enchendo minha mochila com munição tirada de uma cabana quando as balas começaram a chover sobre a aldeia outra vez. Fui atingido três vezes no pé esquerdo. As duas primeiras balas entraram e saíram, e a última ficou dentro do meu pé. Não conseguia andar, então deitei no chão e atirei na direção dos arbustos de onde tinham vindo as balas que me atingiram. Descarreguei um pente inteiro naquela área. Lembro-me de ter sentido um formigamento na espinha, mas eu estava muito drogado para sentir dor, mesmo quando meu pé começou a inchar. O médico-sargento do meu pelotão me arrastou para uma das casas e tentou retirar a bala. Cada vez que ele tirava as mãos do meu ferimento, eu via sangue cobrindo seus dedos. Ele limpava minha testa com uma toalha molhada o tempo todo. Meus olhos ficaram pesados e eu desmaiei.

Não sei o que aconteceu, mas, quando acordei no dia seguinte, senti como se minhas unhas tivessem sido marteladas nos ossos do meu pé e minhas veias estivessem congelando. Senti tanta dor que não conseguia sequer chorar alto; as lágrimas simplesmente rolavam pelo meu rosto. O teto de sapê da casa onde eu estava, deitado numa cama, era um borrão no alto. Meus olhos lutavam para se familiarizar com o lugar. O tiroteio tinha terminado e a aldeia estava quieta, então deduzi que tínhamos conseguido afastar os rebeldes. Aquilo me deu um alívio momentâneo, mas a dor no pé voltou logo, fazendo todas as veias do meu corpo contraírem. Mordi os lábios, fechei minhas pálpebras pesadas e agarrei com força as barras da cama de madeira. Ouvi passos de gente entrando na casa. Eles pararam ao lado da minha cama, e assim que começaram a falar, reconheci suas vozes.

— O garoto está sofrendo e não temos remédio para diminuir a dor. Está tudo na nossa antiga base. — O médico-sargento suspirou e continuou: — Vai levar seis dias para alguém ir e voltar com remédios. Ele vai morrer de dor até lá.

— Temos que mandá-lo para a base antiga, então. Precisamos de provisões daquela base, de qualquer maneira. Faça tudo que puder para garantir que esse garoto consiga sobreviver — o tenente disse, e se afastou.

— Sim, senhor — o médico-sargento falou, e deu um suspiro ainda mais longo.

Abri meus olhos lentamente, e dessa vez consegui ver com clareza. Olhei para o rosto suado do médico e tentei sorrir um pouco. Depois de ouvir o que diziam, jurei para mim mesmo que lutaria com todas as minhas forças e faria tudo pelo meu pelotão depois que curassem meu pé.

— Vamos conseguir ajuda. Continue firme aí, rapaz — o sargento falou, gentil, sentando ao meu lado na cama e examinando minha perna.

— Sim, senhor — respondi, e tentei levantar minha mão para prestar continência, mas ele a colocou de leve para baixo.

Dois soldados entraram na casa e contaram ao sargento que o tenente os tinha enviado para que o ajudassem a me levar de volta à outra base. Eles me tiraram da cama, me colocaram sobre um carrinho e me levaram para fora. A princípio, o sol me cegou, e depois as copas das árvores começaram a girar enquanto me carregavam para fora da aldeia. A viagem pareceu durar um mês. Desmaiei e acordei muitas vezes, e, a cada vez que abria os olhos, parecia que as vozes daqueles que me carregavam desapareciam ao longe.

Finalmente chegamos à base e o médico-sargento começou a trabalhar em mim. Ele me deu algum tipo de injeção. Eu não fazia a menor idéia de que tínhamos agulhas na base, mas na minha condição não podia sequer perguntar o que estava acontecendo. Deram-me cocaína, que eu pedia desesperadamente. O médico começou a me operar antes das drogas fazerem efeito. Os soldados seguraram minhas mãos e puseram um trapo embolado dentro da minha boca. O médico enfiou uma tesoura torta no meu ferimento e a moveu lá dentro, para pescar a bala. Eu senti a ponta do metal dentro de mim. Meu corpo inteiro sofria com a dor. Meus ossos ficaram doloridos. Quando eu pensava que já tinha suportado dor demais, o médico puxou a bala abruptamente. Uma dor aguda correu pela minha espinha da cintura até a nuca. Desmaiei.

Quando retomei a consciência, era a manhã do dia seguinte e as drogas já faziam efeito. Olhei pela sala e vi sobre uma mesa os instrumentos que haviam sido usados na minha cirurgia. Próximo aos instrumentos, havia um pedaço de pano encharcado de sangue, e me perguntei quanto eu havia perdido durante a operação. Estiquei as mãos até meu pé e senti a bandagem antes de ficar de pé e mancar até o lado de fora, onde alguns soldados e o sargento estavam sentados.

— Onde está minha arma? — perguntei a eles.

O sargento me entregou a G3 que estava em cima de um pilão e a limpei. Dei algumas rodadas de tiros contra uma parede, ignorando a bandagem no meu pé e os outros. Fumei maconha, comi, cheirei cocaína e *brown brown*. Foi tudo o que fiz por três dias, até que saímos para ocupar a nova base que havíamos conquistado. Quando partimos, atirei querosene nas casas de sapê, incendiei tudo com fósforos e joguei algumas granadas contra as paredes. Sempre destruíamos as bases que abandonávamos para que outros pelotões não pudessem usá-las. Dois soldados me carregaram de carrinho, mas dessa vez eu tinha a arma e olhava para os lados enquanto cruzávamos a trilha da floresta.

Na base nova, fiquei fora de combate por três semanas e indiquei Alhaji para liderar meu pelotão de buscas. Eu me ocupava com as drogas e a limpeza da minha arma. O sargento limpava minhas feridas e dizia:

— Você deu sorte.

Naquela época eu não me achava sortudo, eu me achava corajoso e bom de combate. Mal sabia que sobreviver à guerra em que eu estava, ou a qualquer outro tipo de guerra, não era questão de se sentir bem treinado ou valente. Essas coisas só me faziam sentir imune à morte.

Ao fim de duas semanas, tivemos a primeira leva de ofensivas; o tenente sabia que eles estavam vindo. Apertei a bandagem em torno do pé, peguei minha arma e segui meu pelotão numa tocaia para pegá-los antes que chegassem a qualquer ponto próximo da aldeia. Matamos quase todos eles e capturamos alguns poucos, que levamos de volta à base.

— Esses homens são os responsáveis pelos buracos de bala no seu pé. É hora de você tomar uma providência para que eles nunca mais atirem em você ou nos seus colegas. — O tenente apontou para os prisioneiros.

Não tenho certeza se um deles era mesmo o que havia atirado em mim, mas àquela altura qualquer um no cativeiro serviria. Então, todos eles ficaram em fila, seis homens, com as mãos atadas. Atirei nos pés deles e assisti ao seu sofrimento por um dia inteiro antes de finalmente disparar em suas cabeças para que parassem de chorar. Antes de atirar em cada homem, eu olhava para ele e via como seus olhos já haviam perdido a esperança e se aquietavam antes de eu puxar o gatilho. Eu achava irritantes aqueles olhos sombrios.

Quando terminei de contar a história para Esther, ela não conseguia decidir se passava a mão nos meus cabelos ou se me abraçava. No final, acabou não fazendo nem uma coisa nem outra, mas disse:

— Nada do que aconteceu foi culpa sua. Você era só um garotinho, e, sempre que quiser me contar qualquer coisa, eu estou aqui para ouvir.

Ela fixou os olhos em mim, tentando encontrar os meus para me dar certeza do que havia acabado de me dizer. Fiquei com raiva e me arrependi de ter contado a alguém, a uma civil, sobre minha experiência. Detestava aquele bordão deles, "Não é sua culpa", que todos os membros da equipe repetiam toda vez que se falava sobre a guerra.

Levantei e, assim que saía do hospital, Esther começou a falar:

— Vou arranjar um check-up completo para você no Hospital Connaught. — Ela fez uma pausa e continuou: — Deixa eu guardar seu walkman. Você não vai querer que os outros fiquem com inveja e tentem roubar. Vou estar aqui todos os dias, então você pode vir e escutar quando quiser. — Atirei o walkman em cima dela, tapando os ouvidos em seguida para não a ouvir dizer "Não é sua culpa".

Naquela noite, quando sentei na varanda ouvindo a conversa de alguns meninos sobre o jogo de vôlei que eu tinha perdido, tentei pensar sobre minha infância, mas era impossível, pois as cenas da primeira vez em que eu cortei a garganta de um homem invadiam meus pensamentos. A cena insistia em emergir da minha memória como um trovão numa noite escura e chuvosa, e, a cada vez que isso acontecia, eu ouvia um grito lancinante na minha cabeça que fazia minha espinha doer. Entrei e sentei na cama olhando para a parede, tentando parar de pensar, mas acabei tendo uma forte crise de enxaqueca naquela noite. Rolava a cabeça no chão frio de cimento, mas não parava. Fui ao banheiro coletivo e coloquei minha cabeça debaixo da água fria, mas aquilo também não adiantava. A dor de cabeça ficou tão aguda que eu não conseguia mais andar. Comecei a chorar alto. A enfermeira da noite foi chamada. Ela me deu algumas pílulas para dormir, mas não consegui adormecer, nem mesmo depois que a enxaqueca parou. Não conseguia encarar os pesadelos que eu sabia que viriam.

Esther conseguiu que eu contasse a ela alguns dos meus pesadelos. Ela só ficava sentada ao meu lado e ouvia em silêncio. Se quisesse me dizer algo, ela primeiro perguntava:

— Você quer que eu fale alguma coisa sobre seu sonho?

Na maioria das vezes eu dizia que não e pedia o walkman.

Numa tarde em que Esther não estava escalada para trabalhar, ela apareceu no Lar vestindo uma saia jeans em vez de seu uniforme branco comum. Ela entrou numa Toyota branca com dois homens. Um dos homens era o motorista e o outro trabalhava para a Children Associated with the War (CAW, Crianças Associadas à Guerra). Era uma organização católica que atuava em parceria com o Unicef e ONGs para criar mais centros como o nosso.

— Vamos ao hospital para seu exame e depois vamos te levar para um passeio pela cidade. — Esther estava animada. — O que você me diz?

— O.k. — concordei. Eu estava sempre animado para ir para a cidade. — Meu amigo Alhaji pode vir junto? — perguntei.

— Claro — ela disse, como se soubesse que eu pediria.

A caminho de Freetown, o homem da CAW se apresentou:

— Meu nome é Leslie, é um prazer conhecê-los, cavalheiros.

Do banco da frente, virou-se para apertar nossas mãos. Quando se endireitou novamente no assento, passou a nos estudar pelo espelho retrovisor. Esther sentou no banco de trás comigo e Alhaji. Ela nos fez cócegas e às vezes colocava os braços em volta de nós. Eu resistia àquela afeição e aí ela abraçava apenas Alhaji. Eu olhava para o outro lado e ela me cutucava de leve com o cotovelo antes de tornar a me abraçar.

No centro da cidade, Esther mostrou o posto dos correios, as lojas, o prédio das Nações Unidas e a Cotton Tree. Na Wallace Johnson Street, os camelôs tocavam música alta e sinos para atrair clientes. Meninos e meninas com caixas de isopor na cabeça gritavam "Sorvete gelado, sorvete gelado...", "Cerveja gelada de gengibre...". A cidade sempre me surpreendia, com sua gente ocupada, indo com pressa para cima e para baixo, e seus vendedores barulhentos criando juntos um único som. Eu observava um deles tocar um sino e atirar ao ar as roupas de segunda mão que vendia, para chamar a atenção dos pedestres, quando nosso carro parou no hospital onde eu seria examinado.

O doutor não parava de perguntar: "Sente alguma coisa aqui?", enquanto ia tocando e apertando partes do meu corpo onde eu havia sofrido um ferimento ou recebido um tiro. Eu estava começando a ficar aborrecido quando ele me disse que tinha acabado. Vesti minhas roupas e fui até a sala de espera, onde Esther me encontrou e apertou meu nariz para me animar. Passeamos pela feira que tínhamos visto do carro. Passei a maior parte do tempo olhando uma pilha de fitas cassete num quiosque. Esther e Alhaji olhavam uniformes de times de futebol, e ela comprou um. Leslie comprou uma fita do Bob Marley para mim. Era o álbum *Exodus*. Cresci com reggae, mas fazia um tempo que não ouvia. Olhando para a fita, tentei me lembrar das músicas, e minha cabeça começou a doer. Esther deve ter notado o que estava acontecendo comigo porque pegou a fita e a colocou dentro da bolsa.

— Quem quer Coca-Cola? — ela perguntou.

Eu estava animado e corri para a barraca da Coca-Cola. Ela comprou uma garrafa para cada um de nós. Estava gelada e meus dentes sentiram um pouco. Fui tomando o refrigerante na volta ao centro de reabilitação. Estava de bom humor, rindo durante o caminho todo.

Leslie aproveitou essa oportunidade para me dizer que tinha sido encarregado de mim e de outros meninos. Parte do seu trabalho era encontrar um lugar para eu viver depois de completar meu período de reabilitação.

— Se você precisar falar comigo a qualquer hora, vá à sala da Esther que ela me chama, o.k.?

Concordei com a cabeça, a garrafa de Coca-Cola na minha boca.

Antes de Esther entrar no carro naquela noite para ir para casa, ela me puxou para um lado e agachou para me olhar nos olhos. Evitei encará-la, mas ela não perdeu a coragem. Ela disse:

— Vou ficar com a fita do Bob Marley e trazê-la de volta amanhã. Aí você aparece para escutar. — Ela entrou no carro e acenou enquanto se afastava. Alhaji já estava vestido com sua camisa de time de futebol e corria pelo pátio num jogo imaginário. Quando voltamos à varanda, a garotada toda admirava a camisa nova de Alhaji. Era verde, branca e azul, as cores da bandeira nacional, e tinha o número 11 nas costas. Alhaji andou para cima e para baixo pela varanda, se exibindo. Então, finalmente parou para fazer o anúncio:

— Conheço a cidade como a palma da minha mão. Sei onde conseguir as coisas.

Ele usou a camisa por uma semana direto, tirando apenas para tomar banho, porque sabia que alguém tentaria roubá-la. Começou a fazer negócio com a camisa. Ele a emprestava aos garotos por algumas horas em troca de pasta de dente, sabão, almoço, etc. Ao fim da semana, ele tinha um bocado de pastas de dente e outros itens, que vendia no mercado mais distante do centro.

No dia seguinte à nossa visita à cidade, fui ao hospital assim que a aula terminou e esperei por Esther. Ela ficou surpresa ao me ver aguardando por ela no degrau da porta. Ela passou a mão na minha cabeça e disse:

— Tenho boas notícias. Saíram os resultados dos seus exames. O doutor falou que não tem nada de muito sério. Você só tem que tomar direitinho alguns remédios e em poucos meses faremos outro check-up. — Ela abriu a porta e eu entrei logo depois, sem dizer nada. Ela sabia o que eu queria. Ela me deu a fita do Bob Marley e o walkman, junto com um caderno bem legal e uma caneta.

— Você pode escrever as letras das músicas que você gosta desta fita e podemos aprender a cantar juntos, se quiser. — Ela terminou nossa conversa para fazer uma ligação.

Como ela sabia que eu adorava escrever as letras das músicas?, pensei, mas não falei alto. Mais tarde, depois que fui reabilitado, soube que Esther conhecia minhas preferências através do programa de ensino informal do Lar. Nas aulas curtas que tivemos, entregaram uns questionários como se fossem um teste. As perguntas eram gerais no começo. Não evocavam memórias difíceis. Que tipo de música você gosta? Você gosta de reggae? Se gosta, quais os artistas prefere? Por que você escuta música? Eram desse tipo as perguntas que debatíamos na sala de aula ou respondíamos nos questionários. Nossas respostas eram dadas às enfermeiras ou qualquer pessoa encarregada de nossas sessões de aconselhamento individual.

Comecei a ficar ansioso pela chegada de Esther toda tarde. Cantava para ela as partes das músicas que tinha memorizado naquele dia. Decorar as letras quase não me deixava tempo para pensar nas coisas que tinham acontecido na guerra. Quando me acostumei com Esther, comecei a conversar com ela principalmente sobre letras de Bob Marley, e Run-D.M.C. também. A maior parte do tempo ela apenas ouvia. Duas vezes por semana Leslie vinha e repassava as letras comigo. Ele adorava me contar a história dos rastafáris. Amei a história da Etiópia e a história do encontro da rainha de Sabá com o rei Salomão. Eu me identificava com o longo caminho que eles haviam percorrido e sua determinação em encontrar seu destino. Queria que minha jornada tivesse sido tão significativa e divertida quanto a deles.

Aconteceu uma noite depois que eu adormeci enquanto lia a letra de uma música. Eu não dormia tão bem havia meses, e, até então, tinha conseguido evitar meus pesadelos me ocupando dia e noite com a música, ouvindo e anotando as letras de Bob Marley. Mas naquela noite tive um pesadelo que era diferente dos outros que costumava ter. Começou comigo nadando no rio em Mattru Jong com meu irmão Junior. Mergulhamos até o fundo do rio e trouxemos ostras. Colocamos todas sobre uma pedra e tornamos a nos jogar nas profundezas do rio outra vez. Estávamos competindo. No final Junior pegou mais ostras que eu. Corremos para jantar em casa, apostando quem chegava primeiro. Quando chegamos lá, a comida estava nas panelas mas não havia ninguém à vista. Virei para perguntar ao meu irmão o que era aquilo, e ele não estava mais lá. Fiquei sozinho e estava escuro. Procurei um lampião e o encontrei, mas estava com medo. Minha testa estava suada. Levei o lampião até a sala, onde havia uma caixa de fósforos sobre a mesa. Acendi o lampião, e, assim que a sala se iluminou, vi um grupo de homens de pé por toda parte. Eles tinham me cercado no escuro. Eu podia ver seus corpos — exceto pelos rostos, que eram mais escuros, como se fossem seres sem cabeça capazes de andar. Alguns estavam descalços, outros usavam botas do exército. Todos tinham armas e facas. Eles começaram a atirar e esfaquear e cortar as gargantas uns dos outros. Mas eles se levantavam e eram mortos outra vez. O sangue começou a encher a sala, sua maré subindo rapidamente. Eles gemiam e eu ficava muito agoniado. Tapei os ouvidos para evitar escutá-los, mas comecei a sentir as dores deles. Cada vez que uma pessoa era esfaqueada, eu me sentia pior; eu via o sangue pingando de mim na mesma parte do corpo que a vítima sangrava. Comecei a chorar enquanto o sangue alagava a sala. Os homens desapareceram, e a porta se abriu imediatamente, deixando o sangue jorrar para fora num jato. Saí encharcado de sangue e vi minha mãe, meu pai, meus irmãos, o mais velho e o mais novo. Eles todos estavam sorrindo como se nada tivesse acontecido, como se estivéssemos juntos todo o tempo.

— Sente-se, sr. Confusão — meu pai disse.

— Não ligue para ele — minha mãe riu.

Sentei olhando para meu pai, mas não podia comer com eles. Meu corpo tinha ficado dormente, e minha família não parecia notar que eu estava coberto de sangue. Começou a chover, e minha família correu para dentro de casa, me deixando do lado de fora. Sentei na chuva por um tempo, deixando que ela limpasse o sangue de mim. Quando me levantei para entrar na casa, ela não estava mais lá. Tinha desaparecido.

Olhei em volta, confuso, quando acordei do sonho. Tinha caído da cama.

Levantei-me, saí e me sentei num degrau, olhando para a noite. Ainda estava confuso, porque não conseguia saber se tinha sonhado ou não. Era a primeira vez que sonhava com minha família desde que começara a fugir da guerra.

Na tarde seguinte fui ver Esther, e ela pressentiu que alguma coisa estava me chateando.

— Você quer se deitar? — ela perguntou, quase sussurrando.

— Eu tive um sonho na noite passada. Não sei o que pensar dele — eu disse, olhando para o outro lado.

Ela veio, sentou ao meu lado e perguntou:

— Quer me contar sobre o sonho?

Não respondi.

— Ou só falar sobre ele alto e eu finjo que não estou aqui. Não vou dizer nada. Só se você pedir. — Ela se sentou, quieta, ao meu lado. O silêncio durou algum tempo, e então, por algum motivo, comecei a contar meu sonho a ela.

Primeiro ela apenas me ouviu, e então, aos poucos, começou a me fazer perguntas que me levaram a falar sobre a vida que eu tinha levado antes da guerra.

— Nenhuma dessas coisas é sua culpa — ela dizia com determinação ao fim de cada conversa.

Apesar de eu ter ouvido aquela frase de todos os membros da equipe — e, francamente, sempre tinha odiado aquilo —, comecei naquele dia a acreditar nela. Foi o tom verdadeiro na voz de Esther que fez aquilo finalmente começar a penetrar na minha cabeça e no meu coração. Aquilo não me imunizou contra a culpa que eu sentia por tudo que havia feito. Apesar disso, eu reacendia o fardo da minha memória e me dei força para pensar naquelas coisas. Quanto mais falava com Esther sobre as minhas experiências, mais eu me apegava a alguns detalhes abomináveis, apesar de não deixar que ela soubesse. Eu não confiava completamente nela. Só gostava de falar com Esther porque ela parecia não me julgar por tudo de que participei; ela me olhava com os mesmos olhos convidativos e o sorriso caloroso que me diziam que eu era uma criança.

Uma noite ela me levou a sua casa e preparou um jantar para mim. Depois do jantar fomos passear na cidade. Fomos ao cais no fim da Rawdon Street. A lua estava no céu naquela noite e sentamos no quebra-mar para observá-la. Contei a Esther sobre as formas que costumava ver na lua quando era bem mais novo. Ela ficou fascinada. Olhamos para a lua e descrevemos o que víamos. Vi a mulher com um bebê no colo, exatamente como a via antes.

No caminho de volta à casa dela, não olhei mais para as luzes da cidade. Olhei para o céu e senti que a lua nos seguia. Quando eu era criança, minha avó me contou que o céu falava com aqueles que lhe dessem ouvidos. Ela dizia:

— No céu estão sempre todas as respostas e explicações para tudo: cada dor, cada sofrimento, alegria e confusão.

Naquela noite eu quis que o céu falasse comigo.

18

Um dia, no meu quinto mês no Lar Benin, eu estava sentado numa pedra atrás das salas de aula quando Esther chegou. Ela sentou ao meu lado em silêncio. Tinha meu caderno de letras de música na mão.

— Sinto como se não houvesse mais motivo para eu continuar vivo — eu disse, devagar. — Não tenho família, sou sozinho. Não tenho mais ninguém que conte histórias sobre quando eu era pequeno. — Funguei um pouco.

Esther colocou os braços em volta de mim e me puxou para perto. Ela me deu uma sacudida de leve para conseguir minha atenção completa antes de começar.

— Pense em mim como sua família, sua irmã.

— Mas eu não tinha irmã — respondi.

— Bom, agora você tem. Sabe, é isso que é bonito em começar uma família nova. Você pode ter outros tipos de parentes. — Ela olhou para mim diretamente nos olhos, esperando que eu dissesse alguma coisa.

— O.k., você pode ser minha irmã, provisoriamente — falei, enfatizando a última palavra.

— Por mim tudo bem. Então, amanhã você vem visitar sua irmã provisória, por favor? — Ela cobriu o rosto como se fosse ficar triste se eu dissesse que não.

— O.k., o.k., não tem motivo para ficar triste — eu disse, e nós dois rimos um pouco.

A risada de Esther sempre me lembrou de Abigail, a garota com quem eu saía durante meus dois primeiros semestres na escola em Bo Town. Às vezes eu queria que Esther fosse Abigail, para que pudesse falar com ela sobre antigamente, antes da guerra. Queria que nós ríssemos com todo o nosso ser, por mais tempo e sem quaisquer preocupações, como tinha feito com Abigail, mas não podia mais fazer. Ao final de cada risada havia sempre uma ponta de tristeza de que eu não conseguia escapar. Às vezes eu observava Esther enquanto ela estava ocupada com a parte burocrática do trabalho. Sempre que sentia meus olhos sobre ela, ela atirava um papel amassado na minha direção sem me olhar. Eu sorria e guardava o pedaço de papel no meu bolso, fingindo que o papel em branco era um bilhete especial que ela tinha escrito para mim.

Naquela tarde, quando Esther se afastava da pedra em que eu estava sentado, ela virou várias vezes para trás para acenar para mim, até que desapareceu atrás de um dos muros. Sorri de volta e esqueci por um momento da minha solidão.

No dia seguinte Esther me disse que o Lar estava para receber alguns visitantes. A equipe pediu aos garotos que preparassem um show de talentos. Podíamos fazer qualquer coisa em que fôssemos bons.

— Você pode cantar reggae — Esther sugeriu.

— E um monólogo de Shakespeare? — perguntei.

— O.k., mas acho que você devia cantar uma música. — Ela me abraçou.

Eu tinha me apegado muito a Esther, mas me recusava a demonstrar. Sempre que ela me abraçava ou colocava um braço em volta de mim, eu rapidamente me desembaraçava dela. Sempre que ela ia embora, no entanto, eu a olhava sair. Ela tinha um jeito único e gracioso de andar. Era como se ela singrasse o chão. Eu sempre corria para vê-la depois das aulas e contar sobre meu dia. Meus amigos, Mambu e Alhaji, caçoavam de mim. "Sua namorada está aqui, Ishmael. Será que vamos ver você um pouco hoje à tarde?"

Certa tarde, os visitantes da Comissão Européia, das Nações Unidas, do Unicef e de várias ONGs chegaram ao Lar num comboio de carros. Eles vestiam terno e gravata e trocaram apertos de mão antes de começarem a andar pelo centro. Alguns dos meninos foram atrás deles, enquanto eu continuei sentado na varanda com Mambu. Todos os visitantes sorriam, alguns ajeitavam a gravata ou tomavam notas nos bloquinhos que carregavam. Alguns deles olhavam para dentro de nossos dormitórios, outros tiravam os paletós para brincar de queda-de-braço e cabo-de-guerra com os meninos. Depois, eles foram levados até o refeitório, que tinha sido preparado com capricho para o show de talentos. O sr. Kamara, diretor do Lar, fez algumas observações e então os meninos começaram a contar histórias do Seu Aranha e de monstros e a apresentar danças tribais. Eu li um monólogo de *Júlio*

César e atuei em um pequeno esquete de hip-hop que eu tinha escrito, incentivado por Esther, sobre a redenção de um ex-menino-soldado.

Depois do evento, me tornei popular no Lar Benin. O sr. Kamara me chamou ao escritório certa manhã e disse:

— Você e seus amigos realmente causaram uma boa impressão nos visitantes. Agora eles sabem que é possível que vocês consigam ser reabilitados. — Fiquei feliz só de ter tido a chance de me apresentar de novo, em paz. O sr. Kamara estava de bom humor.

— Você gostaria de ser o porta-voz deste centro? — ele me perguntou.

— Ah! O que eu vou ter que fazer ou dizer? — perguntei, hesitante. Eu estava começando a achar que a coisa toda estava indo longe demais.

— Bem, para começar, se houver algum evento sobre a questão das crianças-soldado, nós vamos escrever algo para você ler. Quando você se sentir à vontade com tudo, poderá começar a escrever seus próprios discursos, ou o que você quiser. — A cara séria do sr. Kamara me disse que ele não estava brincando a respeito daquilo. Não mais que uma semana depois eu estava falando em reuniões em Freetown sobre a participação de crianças e como aquilo poderia ser impedido.

— Nós podemos ser reabilitados — eu enfatizava, e me apontava como um exemplo. Eu sempre dizia às pessoas que acreditava que as crianças tinham a capacidade de recuperação necessária para superar seus sofrimentos, se tivessem a chance.

Eu estava no fim do meu sexto mês quando meu amigo de infância Mohamed chegou ao Lar. A última vez que o tinha visto foi quando saí de Mogbwemo com Talloi e Junior para o show em Mattru Jong. Ele não pôde ir conosco naquele dia porque estava ajudando o pai a ajeitar a cozinha. Eu sempre me perguntava o que teria acontecido a ele, sem nunca imaginar que o veria outra vez. Eu estava voltando de um evento na Escola Secundária St. Edward naquela noite quando vi aquele menino de pele um pouco mais clara, com maçãs do rosto pontudas, sentado num degrau sozinho. Ele parecia familiar, mas eu não tinha certeza se o conhecia. Quando cheguei perto, ele deu um pulo.

— Ei, cara, se lembra de mim? — exclamou, e começou a fazer o passo do homem correndo enquanto cantava "Here Comes the Hammer".

Eu entrei na dele e começamos a fazer alguns passos que tínhamos aprendido juntos para dançar aquela música com nosso grupo. Batemos as mãos no ar e nos abraçamos. Ele ainda era mais alto que eu. Sentamos juntos no degrau e falamos um pouco sobre nossas brincadeiras de moleques.

— Às vezes penso naquele tempo em que a gente dançava nos shows de talentos, praticando coreografias novas, jogando futebol até que a gente não conseguisse nem mais enxergar a bola... parece que todas aquelas coisas aconteceram há muito tempo. É muito estranho mesmo, sabe — ele disse, desviando um pouco o olhar.

— Eu sei, eu sei... — eu falei.

— Você era um garoto-problema — lembrou.

— Eu sei, eu sei...

Foi nessa época que Leslie apareceu de novo para conversar. Fui chamado a uma sala do hospital onde ele me aguardava. Quando entrei na sala, ele ficou de pé para me cumprimentar. Seu rosto mostrava tanto desgosto quanto alguma felicidade. Tive que lhe perguntar qual era o problema.

— Você está bem? — Eu o estava estudando.

— Sim. — Ele coçou a cabeça e murmurou alguma coisa para si mesmo. — Desculpe-me por levantar esse problema outra vez. Eu sei que isso vai entristecer você, mas preciso ser honesto — Leslie disse. — Não conseguimos localizar nenhum membro próximo de sua família, então teremos que encontrar uma família adotiva para você aqui na cidade. Espero que esteja bem para você. Vou visitar você depois que tiver completado sua reabilitação para ver como está indo na sua vida nova.

Ele sentou e, olhando para mim, continuou:

— Bom, você tem alguma pergunta ou preocupação?

— É, acho que sim — eu respondi.

Disse a ele que antes da guerra meu pai tinha falado sobre meu tio, que vivia na cidade. Eu não sabia nem como ele era, muito menos onde vivia.

— Qual o nome dele? — Leslie perguntou.

— O nome dele é Tommy e meu pai disse que ele é carpinteiro — respondi.

Leslie estava anotando o nome do meu tio misterioso em seu caderninho. Quando terminou de rabiscar suas anotações, ele disse:

— Sem promessas, mas vou ver o que consigo descobrir. Vou dar um retorno em breve. — Ele fez uma pausa, bateu no meu ombro e continuou: — Soube que você está indo muito bem. Continue assim.

Ele saiu da sala. Não contava que ele conseguisse encontrar meu tio numa cidade tão grande, especialmente com a pouca informação que havia lhe oferecido. Deixei a sala e fui ver Esther do outro lado do prédio. Ela estava ocupada colocando um carregamento de bandagens e remédios nas prateleiras presas às paredes da sala. Assim que notou minha presença na porta, começou a sorrir, e continuou a fazer seu trabalho. Eu sentei e esperei que ela terminasse.

— Então, como foi seu encontro com Leslie? — ela me perguntou, guardando a última caixa.

Contei a ela tudo que Leslie havia me dito, finalizando com meu ceticismo sobre ele ser capaz de encontrar meu tio. Ela ouviu cuidadosamente e disse:

— Nunca se sabe. Pode ser que ele consiga encontrá-lo.

Num sábado à tarde eu estava conversando com Esther e Mohamed quando Leslie entrou, com um sorriso aberto. Suspeitei que ele tivesse encontrado um lar adotivo para mim e que eu seria "repatriado" — o termo usado para descrever o processo de reunir ex-crianças-soldado a suas antigas comunidades.

— Quais são as boas novas? — Esther perguntou. Leslie observou meu rosto cheio de curiosidade, então andou de volta até a porta e a abriu. Um homem alto entrou. Ele tinha um sorriso verdadeiro, bem aberto, que fazia seu rosto parecer o de um menino. Suas mãos eram grandes e ele olhava diretamente para mim, sorrindo. Ele não tinha a pele tão clara quanto a do meu pai.

— Este é seu tio — Leslie anunciou com orgulho.

— *How de body*, Ishmael? — o homem falou, e se aproximou de onde eu estava sentado. Ele se abaixou e me abraçou forte e longamente. Meus braços ficaram parados, para baixo.

E se ele fosse só um homem fingindo ser o meu tio?, pensei. O homem me soltou. Ele estava chorando e foi então que comecei a acreditar que ele poderia realmente ser alguém da minha família, porque seu choro era verdadeiro, e os homens na minha cultura raramente choram.

Ele agachou sobre os tornozelos ao meu lado e começou:

— Me desculpe por nunca ter aparecido para ver você aqueles anos todos. Queria ter conhecido você antes de hoje. Mas não podemos voltar atrás agora. Temos que começar daqui. Sinto muito pela sua perda. Leslie me contou tudo. — Ele olhou para Leslie agradecido e prosseguiu: — Depois que você terminar aqui, vai poder vir morar comigo. Você é meu filho. Não tenho muito, mas posso dar um lugar para dormir, comida e amor. — Ele me abraçou.

Havia muito tempo que ninguém me chamava de filho. Eu não sabia o que dizer. Parecia que todos estavam esperando minha resposta. Virei-me para meu tio, sorri para ele, e disse:

— Obrigado por vir me ver. Eu realmente agradeço a oferta para ficar com o senhor. Mas eu nem o conheço. — Baixei minha cabeça.

— Como eu disse, não podemos voltar atrás. Mas podemos começar daqui. Sou sua família e isso é o suficiente para começarmos a nos gostar — ele respondeu, passando a mão em minha cabeça e rindo um pouco.

Levantei e abracei meu tio, e ele me abraçou ainda mais forte que da primeira vez e me beijou a testa. Ficamos um pouco em silêncio até que ele recomeçou a falar.

— Não posso ficar por muito tempo, porque tenho trabalho para terminar do outro lado da cidade. Mas de agora em diante venho visitar você todo fim de semana. E, se não tiver problema, gostaria que você viesse para casa comigo qualquer dia, para ver onde moro e conhecer minha esposa e meus filhos... sua família. — A voz do meu tio ficou embargada; ele estava tentando segurar os soluços. Ele passou uma das mãos em minha cabeça e apertou a mão de Leslie com a outra.

— Senhor, de agora em diante você será informado sobre como este jovem rapaz está indo — Leslie falou.

— Obrigado — meu tio respondeu. Ele segurou minha mão e caminhei com ele até a van em que ele e Leslie tinham vindo. Antes que meu tio entrasse no carro com Leslie, ele me abraçou e disse: — Você se parece com seu pai, e você me lembra ele quando crescíamos juntos. Espero que você não seja tão teimoso quanto ele era. — Ele riu, e eu também. Esther, Mohamed e eu acenamos para eles enquanto partiam.

— Ele parece um bom homem — Esther falou assim que a van desapareceu de vista.

— Parabéns, cara, você tem família na cidade, longe da loucura toda — Mohamed disse.

— Acho que sim — eu falei, mas ainda não sabia o que fazer com minha felicidade. Estava em dúvida se me deixava ser levado por ela, porque ainda acreditava que aquela alegria era frágil.

— Vamos lá, anime-se, cara. — Mohamed puxou minhas orelhas, e ele e Esther me levantaram e me carregaram de volta ao hospital, rindo.

No hospital, Esther colocou a fita de Bob Marley no aparelho de som e começamos a cantar "Three Little Birds" juntos. "*Don't worry about a thing*", cantamos, " *'cause every little thing gonna be all right...*"

Naquela noite sentei na varanda com Mambu, Alhaji e Mohamed. Estávamos quietos, como sempre. O som de uma ambulância em algum ponto da cidade cobriu o silêncio da noite. Comecei a me perguntar como estaria meu tio naquele momento. Imaginei que ele juntava sua família para contar a meu respeito. Podia vê-lo soluçando enquanto relatava tudo, e sua família aos poucos começava a chorar junto com ele. Parte de mim queria que chorassem o quanto pudessem antes de me encontrarem, porque eu sempre me sentia desconfortável quando as pessoas choravam por causa do que eu havia passado. Eu olhava para Alhaji e Mambu, que estavam olhando para a escuridão da noite. Queria contar a eles sobre a descoberta do meu tio, mas me sentia culpado, pois ninguém das famílias deles havia sido achado. Eu também não queria destruir o silêncio que havia retornado depois que a sirene da ambulância se foi.

Como havia prometido, meu tio veio me visitar todos os fins de semana.

— Meu tio está vindo. Eu o vi na estrada ao lado da mangueira — contei a Esther no primeiro fim de semana depois daquela primeira visita.

— Você está bem animado. — Ela baixou a caneta. Examinou bem meu rosto e continuou: — Eu disse que ele parecia ser um bom homem.

Meu tio entrou pela porta e limpou o suor da testa com um lenço antes de me abraçar. Ele cumprimentou Esther durante o abraço. Assim que nos separamos, ele começou a sorrir tanto que meu próprio rosto relaxou e eu também comecei a sorrir. Ele colocou sua bolsa no chão e tirou dela biscoitos e uma garrafa de refrigerante de gengibre.

— Pensei que você ia querer um pouco de combustível para nossa caminhada — ele disse ao me entregar os presentes.

— Vocês dois deviam dar um passeio pela estrada de cascalho na montanha — Esther sugeriu. Meu tio e eu concordamos.

— Não vou estar aqui quando vocês voltarem. Prazer em revê-lo, senhor — ela falou, olhando para meu tio. Então, ela se virou para mim e disse: — Vejo você amanhã.

Meu tio e eu saímos da sala do hospital e começamos a caminhar na direção que Esther tinha sugerido. Primeiro ficamos em silêncio. Eu prestava atenção ao som de nossos passos na estrada de terra. Podia ouvir os lagartos rastejando pela estrada para escalar a mangueira. Eu podia sentir os olhos do meu tio sobre mim.

— Como vai tudo? Eles têm tratado você direito aqui neste lugar? — meu tio perguntou.

— Está tudo bem por aqui — respondi.

— Espero que você não seja calado como seu pai. — Ele limpou a testa outra vez e perguntou: — Seu pai costumava falar sobre a casa dele?

— Às vezes ele falava, mas nem tanto quanto eu gostaria. — Levantei minha cabeça e encontrei os olhos gentis, amorosos do meu tio antes de olhar noutra direção.

A estrada de cascalho ficava mais estreita aos pés da montanha. Contei que meu pai falava nele em todas as histórias sobre sua infância de garoto levado. Contei que meu pai tinha falado sobre a vez em que eles dois foram buscar lenha no arbusto e sem querer sacudiram uma colméia. As abelhas os perseguiram e eles tiveram que dar meia-volta correndo para a aldeia. Já que meu pai era mais baixo, as abelhas se concentraram na cabeça do meu tio. Eles correram e se jogaram num rio, mas as abelhas continuaram sobrevoando os dois acima da água, esperando que eles emergissem.

— É, eu me lembro. Todo mundo ficou zangado porque atraímos as abelhas para a aldeia, e elas picaram os mais velhos que não podiam correr, e algumas das crianças menores. Seu pai e eu trancamos a porta, nos escondemos debaixo da cama e rimos da confusão. — Meu tio estava rindo e eu tive que rir também. Quando paramos, ele deu um suspiro e disse: — Ah, seu pai e eu, nós armamos muita confusão juntos. Se você for tão arteiro como nós fomos, vou dar algum desconto, porque não seria justo que logo eu castigasse você.

— Acho que meus dias de garoto-problema já terminaram — eu disse, com tristeza.

— Ah, você ainda é menino, tem muito tempo para armar mais algumas confusões — meu tio falou. Ficamos calados outra vez e escutamos o vento que assobiava pelas árvores.

Eu adorava as caminhadas com meu tio, porque me davam a chance de falar sobre minha infância, sobre crescer com meu pai e meu irmão mais velho. Eu precisava falar sobre aqueles bons tempos de antes da guerra. Mas, quanto mais eu falava sobre meu pai, mais eu sentia falta da minha mãe e do meu irmãozinho também. Eu não tinha crescido com eles. Senti como se eu tivesse perdido aquela chance e que nunca mais teria outra, e aquilo me deixou triste. Falei sobre o assunto com meu tio, mas ele apenas escutou, porque não havia conhecido nem minha mãe nem meu irmãozinho. Então, para equilibrar as coisas para mim, ele me fez falar sobre o tempo em que minha família vivia em Mattru Jong, quando meus pais estavam juntos. Mesmo assim não havia muito o que dizer, já que meus pais se separaram quando eu era muito novo.

Cheguei a conhecer meu tio bem o bastante durante nossas caminhadas, e comecei a ficar ansioso pelas suas visitas nos fins de semana. Ele sempre me trazia um presente e eu contava a ele como tinha sido minha semana. Ele falava sobre um telhado que havia feito para a casa de alguém, a bela mesa que tinha que terminar no dia seguinte com o polimento, e sobre como meus primos estavam indo na escola. E disse que a esposa tinha mandado lembranças. Eu, por minha vez, contava sobre a mesa de pingue-pongue e sobre os torneios de futebol de que tinha participado, a performance que tinha feito para os visitantes, se tivesse havido alguma naquela semana. Caminhamos tantas vezes pela mesma estradinha de cascalho que eu podia desviar de todas as pedras maiores da estrada de olhos fechados.

Num fim de semana, meu tio me levou para conhecer sua família. Era um sábado e o sol estava tão forte que eu não conseguia ver nossas sombras no chão. Ele vivia em New England Ville, uma área montanhosa na parte oeste de Freetown. Meu tio chegou ao Lar Benin para me buscar mais cedo do que de costume. Pegamos uma condução barulhenta para ir até o centro da cidade. Meu tio e eu permanecemos em silêncio por um tempo, mas aí desatamos a rir porque dois homens sentados perto de nós começaram a discutir qual licor de palmeira era melhor, o que era tirado da árvore de pé ou o da árvore deitada. Eles ainda estavam discutindo quando descemos da condução. Andamos devagar em direção à casa do meu tio, seu braço em volta dos meus ombros. Eu estava feliz de andar com meu tio, mas preocupado se sua família me aceitaria do jeito que ele havia aceitado — sem perguntar qualquer coisa sobre meus anos na guerra. Caminhando morro acima, já próximo à casa do meu tio, ele me puxou de lado e disse:

— Eu só contei sobre o seu passado como soldado a minha esposa. Mantive isso em segredo para as crianças. Não acho que elas sejam capazes de compreender agora como eu e minha esposa compreendemos. Espero que você aceite isso. — Aliviado, fiz que sim, e continuamos.

Imediatamente depois de uma curva e mais uma subida numa estrada de cascalho, chegamos na casa do meu tio. Dava para ver a cidade inteira lá de cima, e da varanda dava para ver os navios na baía. Era uma bela vista da cidade, o lugar que estava prestes a se tornar meu lar. A casa não tinha eletricidade nem água encanada, e a cozinha, toda feita de zinco, ficava à parte. Debaixo de uma mangueira, a poucos metros do quintal, ficavam o banheiro e o *kule* — um chuveiro ao ar livre. Aquilo me lembrava Mattru Jong.

Quando chegamos à varanda, a esposa do meu tio saiu, seu rosto brilhando como se ela tivesse passado a vida polindo a pele. Ela parou na porta e amarrou o avental antes de me dar um abraço tão apertado que meu nariz e meus lábios ficaram achatados contra seu corpo. Ela me soltou, deu um passo para trás e apertou minhas bochechas.

— Bem-vindo, meu filho — ela falou.

Ela era uma mulher baixa com pele bem escura, bochechas redondas e olhos brilhantes. Meu tio não tinha filhos, então criou filhos de outros membros de sua família como se fossem seus. Havia quatro deles — Allie, o mais velho; Matilda; Kona; e Sombo, o menorzinho, que tinha seis anos de idade. Todos eles pararam suas tarefas e vieram à varanda abraçar seu "irmão", como meu tio informou a eles que era meu grau de parentesco.

— É ótimo ter outro menino na família — Allie falou depois de me abraçar.

Ele e meu tio riram e eu sorri. Eu estava bem quieto naquela tarde. Depois das apresentações, cada um voltou ao que estava fazendo. Eu fiquei com minha tia e meu tio, sentados na varanda. Amei a vista da casa e continuava olhando para a cidade. Toda vez que me virava para olhar meu tio, ele tinha um sorriso bem aberto. Minha tia trazia para nós um prato atrás do outro, com arroz, peixe, cozido, e vegetais. Ela me fez comer tanto que meu estômago inchou. Terminada a refeição, meu tio me mostrou suas ferramentas de carpintaria e sua mesa de trabalho, que ficavam do lado de fora, ocupando a maior parte do pequeno quintal.

— Se tiver interesse em carpintaria, ficarei feliz em ter você como aprendiz. Mas, conhecendo seu pai, quase posso adivinhar que você quer ir para a escola — meu tio falou.

Eu sorri e não disse nada. Allie voltou e perguntou ao meu tio se podia me levar a um jogo de futebol ali perto. Meu tio respondeu que só se eu quisesse ir. Desci a rua com Allie até um campo numa área chamada Brookfields.

— Fico feliz que você vá morar conosco, podemos dividir um quarto — Alli disse enquanto esperávamos o começo do jogo.

Ele era mais velho que eu e tinha terminado o ensino médio. Era alegre e muito disciplinado. Dava para ver pelos modos dele. Ele falava bem e ia direto ao ponto.

Antes de começar o jogo, uma garota acenou para nós do outro lado do campo. Ela tinha o mais belo e mais aberto dos sorrisos, e estava rindo muito. Eu estava quase perguntando a Allie quem ela era quando ele falou.

— Ela é nossa prima, mas vive do outro lado da rua com uma família adotiva. O nome dela é Aminata. Você vai conhecê-la.

Aminata era filha do segundo irmão do meu pai, que tinha uma mãe diferente. Depois me aproximei mais dela e de Allie do que de qualquer outra criança em minha nova família.

Durante meus muitos passeios com meu tio, soube que meu avô havia tido muitas esposas e que meu pai tinha irmãos dos quais jamais havia falado. Meu pai era filho único por parte de mãe.

No jogo de futebol, tudo em que conseguia pensar era na descoberta de uma família que eu jamais pensei que existisse. Eu estava feliz, mas tinha me acostumado a não demonstrar. Allie riu durante todo o jogo, e eu não conseguia dar um sorriso sequer. Quando voltamos, meu tio estava na varanda, esperando para me levar de volta ao centro de reabilitação. Ele segurou minha mão e andamos até o ponto de ônibus. Eu fiquei calado a viagem inteira. Falei apenas quando agradeci a meu tio pelo dinheiro para o transporte que ele me deu para usar se eu quisesse visitá-lo por conta própria. Na entrada do centro, meu tio me abraçou e, quando nos despedimos, se virou para trás e disse:

— Vejo você de novo em breve, meu filho.

19

Duas semanas antes, Leslie tinha me contado que eu seria "repatriado" e reinserido na sociedade comum. Eu viveria com meu tio. Aquelas duas semanas pareceram mais longas que os oito meses que tinha passado no Lar Benin. Eu estava preocupado com a vida nova ao lado de uma família. Tinha vivido sozinho por anos e tomado conta de mim sem a orientação de ninguém. Tinha medo de que pudesse parecer ingrato aos olhos do meu tio, que não tinha que me acolher, se eu me distanciasse da unidade familiar. Estava preocupado a respeito do que faria quando meus pesadelos e minhas enxaquecas se apoderassem de mim. Como eu explicaria para minha família, especialmente para as crianças, a minha tristeza, que não tenho como esconder quando toma meu rosto? Não tinha respostas para aquelas perguntas, e, quando contei a Esther sobre elas, ela me disse que tudo daria certo, mas eu queria mais que ser tranqüilizado.

Deitei na minha cama noite após noite, encarando o teto e pensando: Por que eu sobrevivi à guerra? Por que fui a última pessoa em meu núcleo familiar mais próximo a permanecer viva? Eu não sabia. Parei de jogar futebol e pingue-pongue. Mas ia ver Esther todos os dias, dizia olá, perguntava como ela estava, e então me perdia em minha cabeça, pensando em como seria a vida depois do centro de reabilitação. Às vezes Esther estalava os dedos na minha frente para me trazer de volta. À noite, eu sentava na varanda com Mohamed, Alhaji e Mambu. Eu não notava quando eles saíam do banco em que estávamos sentados.

Quando finalmente chegou o dia da minha partida, arrumei o pouco que eu tinha num saco plástico. Tinha um par de tênis, quatro camisetas, três shorts, uma escova e pasta de dentes, um pote de creme, um walkman e algumas fitas cassete, duas camisas de manga comprida, dois pares de calças e uma gravata — essas coisas todas tinham sido compradas para que eu usasse em meus discursos nas conferências. Esperei, meu coração acelerado, do jeito que batia quando minha mãe me deixou pela primeira vez no colégio. Pude ouvir a van galopando na estrada de cascalho, a caminho do centro de reabilitação. Pegando meu saco plástico, andei até o hospital onde eu devia aguardar. Mohamed, Alhaji e Mambu estavam sentados nos degraus da entrada, e Esther surgiu, sorrindo. A van fez uma volta e parou na calçada. Era fim de tarde, o céu ainda estava azul, mas o sol se apagava, escondendo-se atrás de uma nuvem. Leslie estava sentado no banco da frente e me esperava subir no carro, para me levar a minha casa nova.

— Tenho que ir — eu disse a todos, com voz trêmula.

Estendi a mão a Mohamed, mas, em vez de apertá-la, ele pulou de pé e me abraçou. Mambu me abraçou também enquanto Mohamed ainda estava agarrado a mim. Ele me apertou bem forte, como se soubesse que estávamos nos despedindo para sempre. (Depois que saí do centro, Mambu voltou para a frente de batalha porque sua família se recusou a recebê-lo.) Quando nos desprendemos do abraço, Alhaji apertou minha mão. Apertamos bem firme as mãos e olhamos dentro dos olhos um do outro, lembrando tudo que havíamos passado. Bati no ombro de Alhaji e ele sorriu, compreendendo que eu dizia que tudo daria certo. Nunca mais o vi, porque ele mudou de um lar adotivo para outro várias vezes. Quando soltamos as mãos, Alhaji deu um passo para trás, prestou continência para mim e sussurrou: "Adeus, líder do pelotão." Esther se aproximou, seus olhos cheios d'água. Ela me abraçou mais apertado do que jamais havia abraçado. Não retribuí direito seu abraço, estava ocupado tentando segurar minhas lágrimas. Quando me soltou, ela me deu um pedaço de papel.

— Este é meu endereço. Venha me ver qualquer hora — ela disse.

Fui à casa de Esther algumas semanas depois da despedida. Mas escolhi a hora errada, pois ela estava a caminho do trabalho. Ela me abraçou, e dessa vez eu apertei bem forte também; isso a fez rir depois que nos separamos. Ela me olhou direto nos olhos.

— Venha me ver no próximo fim de semana para a gente ter mais tempo de botar a conversa em dia, o.k.? — ela disse.

Ela estava vestida com seu uniforme branco e a caminho de pegar outras crianças traumatizadas. Deve ser duro conviver com tantas histórias de guerra. Eu vivia apenas com uma, a minha, e era difícil, com os pesadelos sobre tudo o que havia acontecido continuamente me atormentando. Por que ela faz isso? Por que eles todos fazem? Eu pensava enquanto nossos caminhos se dividiam. Foi a última vez que a vi. Eu a amava, mas nunca disse isso a ela.

Meu tio me levantou nos braços assim que desci da van e me carregou até a varanda.

— Hoje recebo você como um chefe. Seus pés só poderão tocar o chão quando você perder o posto, o que começa agora — meu tio falou, rindo, ao me colocar no chão.

Eu sorri, mas estava nervoso. Meus quatro primos — Allie e as três meninas, Matilda, Kona e Sombo — me abraçaram um de cada vez, seus rostos iluminados por sorrisos.

— Você deve estar com fome; preparei para você um *sackie thomboi* de boas-vindas — minha tia falou.

Ela tinha feito folha de mandioca com galinha só para me receber. Oferecer galinha a alguém era uma coisa rara, e era considerado uma honra. As pessoas só comiam galinha em feriados como Natal e Ano-Novo. Tia Sallay tomou minha mão e me fez sentar num banco ao lado do meu tio. Ela trouxe a comida para fora, e meu tio e eu comemos juntos do mesmo prato com as mãos. Era uma refeição deliciosa e lambi meus dedos, degustando o rico óleo de palmeira. Meu tio me olhou, rindo, e disse à esposa:

— Sallay, você conseguiu de novo. Este aqui veio para ficar.

Depois que lavei as mãos, meu primo de vinte e um anos de idade, Allie, foi chamado à varanda para que me levasse até o quarto onde eu dormiria. Peguei meu saco plástico e o segui até uma outra casa que ficava atrás daquela onde o quarto do meu tio ficava. A passagem entre as duas casas era como uma trilha com pedras cuidadosamente arranjadas de cada lado do caminho.

Allie segurou a porta para mim enquanto entrei no quarto, que era limpo e organizado. A cama estava feita. As roupas, penduradas em uma barra, estavam passadas, os sapatos impecavelmente alinhados numa prateleira, e o piso marrom estava brilhando. Ele puxou uma esteira de baixo da cama e me explicou que eu dormiria no chão, enquanto ele e seu companheiro de quarto dividiriam a cama. Eu devia dobrar a esteira e colocá-la de volta debaixo da cama toda manhã. Depois que ele terminou de me explicar como eu poderia contribuir para manter o quarto limpo e arrumado, voltei para a varanda e sentei com meu tio. Ele colocou um braço em volta de mim e puxou meu nariz.

— Você conhece a cidade bem? — o tio perguntou.

— Não muito.

— Allie vai andar com você por lá qualquer hora dessas, se você quiser. Ou você pode se aventurar sozinho, se perder e encontrar seu caminho. É uma boa maneira de conhecer a cidade.

Ele riu. Ouvimos o chamado para as preces que ecoava pela cidade.

— Tenho que ir rezar. Se precisar de qualquer coisa, peça aos seus primos — ele disse, pegando uma chaleira de um degrau e começando as abluções. Depois de terminar, andou montanha abaixo até uma mesquita próxima. Minha tia saiu do quarto, amarrando a cabeça com um pano, e seguiu meu tio.

Suspirei, sentado sozinho na varanda. Não estava mais nervoso, mas sentia falta do Lar Benin. Mais tarde naquela noite, quando meu tio e minha tia voltaram das preces, toda a minha nova família se reuniu na varanda para ouvir histórias. Meu tio esfregou as mãos, apertou o botão do *play*, e um famoso contador de histórias chamado Lele Gbomba começou a narrar uma história sobre um homem que tinha esquecido o coração em casa quando saiu para viajar pelo mundo. Eu já tinha ouvido a história na aldeia de minha avó quando era pequeno. Minha nova família ria enquanto a história era contada. Eu apenas sorria e permaneci muito quieto durante aquela noite, e consegui permanecer assim por mais algum tempo. Mas pouco a pouco me acostumei a estar perto de pessoas que viviam felizes o tempo todo.

Um dia ou dois depois de ter ido morar com meu tio, Allie me deu meu primeiro par de sapatos sociais, um cinto e uma camisa elegante.

— Se quiser ser um cavalheiro, você tem que se vestir como um. — Ele riu. Eu estava quase perguntando por que ele tinha me dado essas coisas quando ele começou a explicar: — É segredo. Quero te levar a um baile hoje à noite para você se divertir. Vamos sair depois que seu tio for para a cama.

Naquela noite saímos de fininho e fomos dançar num pub. Andando com Allie, eu me lembrei de quando ia a boates com amigos na época da escola. Parecia ter acontecido tanto tempo atrás, mas eu ainda lembrava os nomes das diferentes casas noturnas: Back to School, Pens Down, Bob Marley Night e muitas outras. Dançávamos até o galo cantar, então tirávamos as camisetas encharcadas de suor, curtindo a brisa da manhã enquanto voltávamos para o dormitório da escola. Eu era feliz de verdade naquela época.

— Aqui estamos — Allie disse, sacudindo minha mão e estalando os próprios dedos.

Tinha um monte de gente jovem esperando numa fila para entrar no bar. Os garotos estavam bem-vestidos, suas calças passadas a ferro e as camisas enfiadas para dentro. As meninas usavam belos vestidos floridos e sapatos de saltos altos que as deixavam mais altas que alguns dos meninos com quem estavam. Seus lábios estavam pintados em cores vibrantes. Allie estava animado e batia papo com as pessoas que estavam na nossa frente na fila. Eu estava quieto, olhando para as diferentes luzes coloridas penduradas na entrada. Havia uma luz grande e azulada que fazia as roupas brancas das pessoas ficarem especialmente bonitas. Finalmente conseguimos entrar e Allie pagou por nós dois. A música estava alta demais, mas, de qualquer maneira, fazia muitos anos que eu não ia a um pub. Segui Allie até a área do bar, onde encontramos uma mesa e nos sentamos em dois bancos altos.

— Vou para a pista de dança — Allie anunciou, aos berros, para que eu pudesse ouvi-lo.

Ele desapareceu na multidão. Fiquei sentado por um tempo mapeando o lugar, e aos poucos comecei a dançar sozinho no canto da pista de dança. De repente uma garota de pele bem escura, com um sorriso que iluminava a pista de dança, me puxou e me levou até o meio da pista antes que eu pudesse resistir. Ela começou a dançar bem perto de mim. Olhei para Allie, que estava de pé no bar. Ele me fez sinal de positivo com o polegar, e eu comecei a me mover lentamente, até que o ritmo me dominasse. Dancei um *raggamorphy* com a menina, e aí veio uma música lenta. Ela me puxou para junto dela e eu segurei sua mão delicadamente enquanto deslizamos com a música. Podia sentir o coração dela batendo. Ela tentou me olhar nos olhos, mas desviei os meus. No meio da música, um rapaz mais velho a puxou de mim. Ela acenou enquanto ele a levava através da multidão até a porta.

— Você é danado, cara, eu vi aquilo. — Allie agora estava ao meu lado. Ele começou a andar em direção ao bar, e eu o segui. Encostamos no balcão, de olho na pista de dança. Ele ainda estava rindo.

— Na verdade eu não fiz nada. Ela só queria dançar comigo e eu não podia dizer não — falei.

— Exatamente, você nem precisa dizer nada e as mulheres já chegam em você — ele provocou.

Eu não queria falar mais. A memória de uma aldeia que eu ataquei enquanto acontecia um baile de escola tinha sido despertada. Eu podia ouvir os gritos horrorizados dos professores e dos alunos, podia ver o sangue cobrindo a pista de dança. Allie me deu um tapinha no ombro e me trouxe de volta ao presente. Eu sorri para ele, mas eu já estava deprimido. Dançamos a noite inteira e voltamos antes de meu tio acordar.

Algumas noites depois, voltei àquele pub sozinho e vi a mesma garota. Ela me disse que seu nome era Zainab.

— Me desculpe por aquela última vez — ela falou. — Meu irmão queria ir para casa e eu tinha que voltar com ele, ou meus pais ficariam preocupados.

Como eu, ela estava sozinha nessa noite.

Saímos juntos durante três semanas, mas aí ela começou a fazer perguntas demais. De onde eu vinha? Como era crescer *lá em Upline*? *Upline* é uma palavra em krio usada em Freetown na maioria das vezes para designar o interior mais isolado do país, seus habitantes e suas maneiras. Eu não tinha vontade de contar nada a ela, então ela terminou comigo. Essa foi a história dos meus relacionamentos com garotas em Freetown. Elas queriam saber sobre mim, e eu não estava pronto para contar a elas. Eu gostava de ficar sozinho.

Leslie veio me ver. Ele perguntou como eu estava passando e o que andava fazendo. Queria contar a ele que havia tido uma enxaqueca mais grave em que a imagem de uma aldeia queimando passou pela minha cabeça, seguida de muitos gemidos de diversas vozes; que tinha sentido minha nuca se contrair e minha cabeça ficar pesada, como se uma enorme pedra tivesse sido colocada em cima dela. Em vez disso, disse a ele que estava tudo bem. Leslie puxou um bloquinho e começou a anotar alguma coisa nele. Quando ele terminou, ele se virou para mim e disse:

— Tenho uma proposta para você. É importante.

— Sempre trazendo notícias, não é? — brinquei.

— Isso é importante. — Ele olhou para o bloco que segurava na mão e continuou: — Tem uma seleção para duas crianças que serão enviadas à sede das Nações Unidas em Nova York, nos Estados Unidos, para falar sobre as vidas das crianças em Serra Leoa, e o que pode ser feito a respeito. O sr. Kamara, diretor do centro de reabilitação, recomendou que você fosse à entrevista de seleção. Aqui está o endereço, se você estiver interessado. — Ele arrancou o pedaço de papel e o entregou a mim. Enquanto eu olhava o papel, ele prosseguiu: — Se quiser que eu vá com você, apareça no escritório. — Ele procurou uma resposta no meu rosto. Eu não disse nada. Depois, ele saiu de lá com um sorriso que demonstrava que ele sabia que eu apareceria na entrevista.

O dia da entrevista finalmente chegou, e eu me vesti com simplicidade para ela. Usei tênis, calças pretas bonitas e uma camisa verde de mangas compridas. Coloquei a camisa para dentro da calça enquanto andava pela Siaka Stevens Street até o endereço que Leslie havia me dado. Eu não tinha contado a ninguém aonde eu ia. Tinha sentido vontade de falar com Allie a respeito, mas me segurei, porque sabia que, se contasse, teria que contar a ele mais do que ele sabia sobre mim, mais do que meu tio havia revelado.

Era quase meio-dia, e a estrada asfaltada já estava fervendo. Vi um saco plástico que voava derreter assim que aterrissou na estrada. *Poda podas* passavam, com seus trocadores gritando os nomes dos destinos de cada um para atrair passageiros. Alguns metros adiante um veículo havia parado num lado da rua e o motorista jogava água de uma mangueira no motor superaquecido.

— Esse carro bebe mais água que uma vaca — ele resmungou.

Eu ia andando devagar, mas a camiseta que usava por baixo já estava ensopada de suor. Quando cheguei ao local, parei em frente a um edifício alto e, antes de entrar, admirei seu tamanho. No lobby havia uns vinte garotos, todos mais bem-vestidos que eu. Seus pais lhes davam dicas de última hora para a entrevista. Eu estudava as enormes colunas de concreto do prédio. Gostava de imaginar como é que as pessoas conseguiam criar e erguer tamanhos pilares de cimento. Estava ocupado examinando uma coluna quando um homem bateu no meu ombro e perguntou se eu tinha vindo para a entrevista. Eu confirmei com a cabeça, e ele apontou para a caixa de metal aberta na qual todos os garotos estavam agora. Hesitante, andei até a caixa lotada e os garotos riram de mim, pois continuei parado, sem saber que devia apertar um botão para que a caixa começasse a se mover. Nunca tinha entrado numa caixa como aquela antes. Aonde ela estava nos levando? Um garoto de camiseta azul se espremeu entre os outros até onde eu estava e apertou o botão número 5. O botão se acendeu, e a caixa se fechou. Olhei em volta e vi que todos estavam calmos, então eu soube que não havia com o que me preocupar. A caixa começou a subir, rapidamente. Os outros garotos continuaram calmos, ajeitando as gravatas e camisas. Quando as portas se abriram, eu fui o último a pisar no grande salão com sofás de couro marrom. Havia um homem sentado a uma mesa na parede ao fundo e ele fez um sinal que me convocava a encontrar um lugar para ficar sentado. Os outros garotos já estavam sentados. Eu sentei distante deles e dei uma olhada pela sala. Pela janela, pude ver o topo de outros prédios, e decidi me levantar e olhar a que distância do chão estaríamos. Quando chegava à janela, meu nome foi chamado.

Um homem muito branco (não sei se ele era de Serra Leoa mesmo ou não) estava sentado numa grande cadeira de couro preto.

— Por favor, sente-se, e nós vamos conversar dentro de um instante — ele disse, em inglês, e mexeu em alguns papéis, pegou o telefone e discou um número. Quando a pessoa atendeu do outro lado da linha, o homem só disse: "Vá em frente", e desligou.

Ele se virou para mim e me observou um pouco antes de começar a me fazer perguntas, falando muito vagarosamente, em inglês.

— Qual seu nome? — ele indagou, olhando uma lista de nomes em sua mesa.

— Ishmael — eu respondi, e ele deu um traço ao lado do meu nome antes que eu pudesse dizer meu sobrenome.

— Por que você acredita que deve ir às Nações Unidas apresentar a situação que afeta as crianças em seu país? — Ele levantou a cabeça da lista e olhou para mim.

— Bom, eu venho da parte do país onde não somente sofri por causa da guerra, como também fiz parte dela, e passei por um processo de reabilitação. Então, baseado na minha experiência com a situação, tenho um melhor entendimento que muitos desses garotos da cidade que estão aqui para a entrevista. O que eles vão dizer quando estiverem lá? Eles não sabem nada sobre a guerra, exceto o que leram no jornal. — Olhei para o homem, que estava sorrindo, e aquilo me deixou um pouco zangado.

— O que mais você tem a dizer? — ele perguntou.

— Nada, exceto que queria saber do que você está rindo. — Recostei no couro macio da cadeira preta.

— Você já pode ir — o homem disse, ainda sorrindo.

Levantei e saí da sala, deixando a porta aberta atrás de mim. Andei até a caixa de metal e fiquei parado em frente a ela. Os garotos que estavam esperando a entrevista começaram a rir. O homem sentado atrás da mesa andou até onde eu estava e apertou um botão na parede. As portas imediatamente se abriram e eu entrei na caixa. O homem apertou o botão número 1 e acenou para mim enquanto as portas se fechavam. Tentei achar alguma coisa em que me segurar lá dentro, mas a caixa já havia chegado ao nível da rua. Saí do prédio e fiquei parado na rua examinando sua estrutura. Tenho que contar ao Mohamed, quando o vir, sobre o que existe dentro desse prédio maravilhoso, pensei.

Caminhei sem pressa para casa naquela tarde, olhando os carros que passavam. Não pensei muito na entrevista, exceto que ainda tentava imaginar por que o homem que me entrevistou tinha sorrido. O que eu disse era pra valer e não era um assunto engraçado. A certa altura do caminho, um comboio de carros, vans militares e Mercedes-Benz decorados com bandeiras nacionais passou por mim. As janelas dos carros eram escuras, então eu não pude ver quem estava nos veículos, que, de qualquer maneira, iam rápido demais.

Quando cheguei em casa, perguntei ao Allie se ele sabia de algum homem poderoso que saísse pela cidade se exibindo daquele jeito. Ele me disse que era Tejan Kabbah, o novo presidente, que havia vencido as eleições sob a legenda do Sierra Leone People's Party (SLPP, Partido do Povo de Serra Leoa), em março de 1996, oito meses antes. Eu nunca tinha ouvido falar naquele homem.

Naquela noite, meu tio trouxe para casa um pacote de amendoins.Tia Sallay ferveu o amendoim e o colocou numa grande bandeja. Todos nós, meu tio, sua esposa, Allie, Kona, Matilda, Sombo e eu, sentamos em torno da bandeja e comemos amendoim, ouvindo outra gravação de Leleh Gbomba. Ele estava contando a história de como tinha feito amizade com outro menino antes mesmo de terem nascido. Suas mães eram vizinhas e ficaram grávidas ao mesmo tempo, então os dois se conheceram quando ainda estavam nas barrigas de suas mães. O contador de histórias descreveu vividamente a paisagem de sua pré-infância: as caçadas que fizeram, os jogos que jogaram, como ouviam nosso mundo... Era uma história muito engraçada, que passava por reviravoltas impossíveis, que nos deixaram de queixo caído. Meu tio, a tia e os primos riram tanto que, horas depois de a história terminar, ainda não haviam parado de rir. Comecei a rir também, porque meu tio tentou dizer alguma coisa mas estava tão tomado pelas risadas que não conseguia dizer uma só palavra inteira sem desatar a rir novamente.

— Devíamos fazer isso mais vezes. Rir assim é bom para a alma — meu tio disse, ainda rindo um pouco. Desejamos boa-noite uns aos outros, e cada um foi para seu lugar de dormir.

Certa manhã o sr. Kamara apareceu na casa do meu tio trazido pela van da Children Associated with War (CAW). Ele já tinha me dito que eu havia sido escolhido, alguns dias antes, para ir às Nações Unidas, mas eu só havia contado a respeito disso a Mohamed, porque não acreditava que iria viajar para Nova York. Era meio-dia quando o sr. Kamara chegou, e meu tio já tinha saído para o trabalho. Minha tia estava na cozinha; a cara que ela fez deixou claro que meu tio ficaria sabendo sobre a visita do sr. Kamara. Eu sabia que teria que contar a meu tio sobre a viagem.

— Bom dia — o sr. Kamara disse, olhando para o relógio para ter certeza de que ainda era manhã.

— Bom dia — eu respondi.

— Você está pronto para ir à cidade e começar os preparativos para a viagem? — ele perguntou em inglês.

Desde que havia descoberto que eu tinha sido escolhido para ir a Nova York, o sr. Kamara só falava comigo em inglês. Eu me despedi da minha tia, pulei para dentro da van e saímos para fazer meu passaporte. Parecia que todo mundo na cidade tinha decidido fazer um passaporte naquele dia, talvez todos se preparassem para deixar o país. Por sorte, o sr. Kamara tinha marcado hora, então não precisamos esperar na fila. No balcão ele apresentou minha foto, os formulários exigidos e o valor da taxa. Um homem de rosto redondo examinou cuidadosamente a documentação e pediu minha certidão de nascimento.

— Você tem que me mostrar uma prova de que nasceu neste país — o homem disse.

Fiquei transtornado e quase dei um tapa no homem, que insistia que precisava apresentar uma prova de que havia nascido em Serra Leoa, mesmo depois de eu ter lhe explicado que ninguém teve chance de juntar documentos desse tipo quando tivemos que fugir da guerra. Ele era ingênuo e não compreendia a realidade de que eu falava. O sr. Kamara me puxou para um canto e, com jeito, me pediu para ficar sentado num banco enquanto ele conversava com o homem. No fim, pediu para ver o chefe do homem. E, depois de horas de espera, alguém conseguiu desenterrar uma cópia da minha certidão de nascimento, e eles disseram que o sr. Kamara poderia voltar para buscar o passaporte em quatro dias.

— Já passamos pela primeira etapa. Agora temos que te conseguir um visto — o sr. Kamara disse ao sairmos do escritório dos passaportes.

Eu não respondi, porque ainda estava nervoso, exausto, e só queria ir para casa.

Meu tio estava lá quando a van me deixou naquela noite. Quando eu o cumprimentei, ele tinha um sorriso no rosto que dizia: "Fale logo o que está acontecendo." E eu contei. Contei a ele que iria para as Nações Unidas em Nova York e que falaria sobre a guerra e como ela atinge as crianças. Meu tio não conseguiu acreditar naquilo.

— As pessoas estão sempre mentindo umas para as outras, prometendo essas coisas. Não deixe que eles joguem suas expectativas lá no alto, meu filho — ele falou.

Toda manhã, antes de sair para o trabalho, meu tio fazia piada:

— Então, o que vai fazer hoje para se preparar para a América?

O sr. Kamara me levou para fazer compras. Ele me comprou a mala e algumas roupas, a maioria delas camisas de mangas compridas, calças sociais e ternos brilhantes e coloridos com golas, mangas e barras das calças cheias de bordados complicadíssimos. Mostrei aquelas coisas ao meu tio, mas ele ainda não acreditava que eu viajaria.

— Vai ver que eles só querem te dar um visual novo, mais africano, em vez dessas calças enormes que você vive usando — ele brincou.

Às vezes meu tio e eu saíamos para passear depois que ele voltava do trabalho. Ele me perguntava como eu estava indo; eu sempre dizia que estava indo bem. Ele colocava os braços compridos em volta de mim e me puxava para perto. Dava para sentir que ele sabia que eu precisava contar algumas coisas mas não conseguia encontrar as palavras. Eu não tinha contado a ele que, sempre que ia buscar madeira para o fogo com meus primos nos arbustos, minha cabeça começava a vagar pelas coisas que eu tinha visto e feito no passado. Parar ao lado de uma árvore com seiva vermelha endurecida em seu casco era capaz de me trazer imagens das muitas vezes em que eu havia executado prisioneiros, amarrando-os às árvores e atirando neles. O sangue manchava os troncos das árvores e jamais podia ser lavado, nem mesmo nas estações chuvosas. Eu não havia contado a meu tio que eu constantemente me lembrava, ao assistir ao dia-a-dia das famílias, do que eu tinha perdido: uma criança abraçando o pai, puxando o avental da mãe ou segurando as mãos dos pais enquanto pula e balança sobre as poças. Essas coisas me faziam querer voltar ao começo e mudar tudo.

Tinham me dito para encontrar um homem chamado dr. Tamba na embaixada americana na manhã de segunda-feira. Andando até a embaixada, ouvi a cidade acordando aos poucos. O chamado para preces da mesquita central ecoava por toda a cidade, *poda podas* lotavam as ruas, seus trocadores gritando os nomes de cada destino: "Lumley, Lumley" ou "Congo Town...". Ainda era muito cedo quando cheguei, mas já havia uma longa fila de pessoas esperando do lado de fora da embaixada. Seus rostos eram tristes e cheios de incerteza, como se aguardassem uma espécie de julgamento que determinaria se morreriam ou ficariam vivos. Eu não sabia o que fazer, então entrei na fila. Após uma hora, mais ou menos, o dr. Tamba chegou acompanhado de outro menino e me pediu que o seguisse. Como ele parecia um homem importante, pensei que não precisaríamos esperar na fila. O outro garoto, que também tinha sido soldado, se apresentou.

— Meu nome é Bah. Estou feliz em fazer essa viagem com você — ele disse, apertando minha mão. Pensei na resposta que meu tio daria a ele naquele momento: "Não deixe que eles joguem suas expectativas lá no alto, meu jovem."

Sentamos num dos poucos bancos decentes numa pequena área aberta da embaixada e esperamos pela entrevista. Uma mulher branca ficava atrás de uma janela de vidro transparente; sua voz saía por alto-falantes abaixo da janela.

— Qual o propósito de sua visita aos Estados Unidos? — ela perguntava, sem tirar, em momento algum, os olhos dos papéis diante dela.

Quando chegou nossa vez, a mulher atrás do vidro já tinha nossos passaportes. Ela não olhou para mim; em vez disso, virou as folhas do meu passaporte novo. Eu estava muito confuso com aquele vidro, que fazia toda interação humana entre o entrevistador e o entrevistado se perder.

— Fale no microfone — ela disse, e continuou: — Qual o propósito de sua visita aos Estados Unidos?

— Uma conferência — eu respondi.

— Sobre o que é essa conferência?

— Em geral, sobre as questões que afetam crianças do mundo inteiro — expliquei.

— E onde é essa conferência?

— Na sede das Nações Unidas, em Nova York.

— Você tem alguma garantia de que vai voltar para sua casa neste país? — Eu estava pensando, quando ela continuou: — Você tem alguma propriedade, uma conta bancária que garanta que você voltará?

Franzi a testa. Será que ela sabia alguma coisa sobre a vida das pessoas no meu país? Pensei em fazer a ela a pergunta. Se ela conseguisse olhar diretamente para mim, talvez não tivesse feito as duas últimas perguntas. No meu país, ninguém da minha idade tinha conta bancária nem sonhava em ter uma, menos ainda propriedade para declarar. O dr. Tamba disse a ela que era um acompanhante da CAW e que viajaria conosco para garantir que retornaríamos a Serra Leoa ao final da conferência.

A mulher fez a última pergunta:

— Você conhece alguém nos Estados Unidos?

— Não, nunca estive em qualquer lugar fora deste país, e vai ser, na verdade, a primeira vez que saio desta cidade — disse a ela. Ela fechou meu passaporte e o colocou de lado.

— Volte às quatro e meia.

Do lado de fora, o dr. Tamba nos disse que tínhamos conseguido os vistos e que pegaríamos os passaportes e ficaríamos com eles até o dia da partida. Já começava a parecer que iríamos mesmo viajar, apesar de eu só ter visto meu passaporte muito rapidamente.

Eu estava segurando a mala com a mão direita e vestia minhas tradicionais calças de verão marrons com estampa em ziguezague nas barras e uma camiseta. Meu tio estava sentado na varanda quando saí do quarto de Allie.

— Estou indo para o aeroporto — eu disse, sorrindo, como se já esperasse o sarcasmo do meu tio.

— Claro. Telefone para mim quando chegar à América. Bem, eu não tenho um telefone, mas telefone para a casa de Aminata e ela pode vir me chamar. — Meu tio riu.

— O.k., farei isso — eu disse, rindo também.

— Ah, crianças, venham aqui dizer adeus ao seu irmão. Não sei para onde ele está indo, mas ele precisa das bênçãos de vocês — meu tio pediu.

Matilda, Kona e Sombo vieram à varanda com baldes nas mãos. Eles estavam indo buscar água e me abraçaram e desejaram boa sorte na viagem. Minha tia veio da cozinha cheirando a cozido e me abraçou.

— Seja qual for o lugar para onde você vai, você precisa ter o cheiro da sua casa. Esse é meu perfume para você. — Ela riu e me soltou.

Meu tio ficou de pé e me abraçou, e, com um braço no meu ombro, falou:

— Meus melhores pensamentos vão com você. Então, vejo você mais tarde no jantar. — Ele voltou para sua cadeira na varanda.

20

A idéia que eu tinha da cidade de Nova York vinha toda do rap. Eu a imaginava como um lugar em que as pessoas atiravam umas contra as outras nas ruas e se safavam; ninguém andava nas ruas; em vez disso, as pessoas dirigiam carros esporte, procurando boates e violência. Eu realmente não estava animado para ver um lugar louco assim. Eu já tinha encarado minha dose de loucura em casa.

Estava escuro quando o avião aterrissou no Aeroporto Internacional John F. Kennedy. Eram quatro e meia. Perguntei ao dr. Tamba se naquele país era sempre escuro tão cedo.

— É porque estamos no inverno — ele falou.

— Ah! — concordei, mas toda aquela escuridão de dia ainda não fazia o menor sentido para mim. Eu tinha aprendido a palavra *winter* (inverno) nos textos de Shakespeare e comecei a achar que era hora de procurar seu significado outra vez.

O dr. Tamba pegou nossos passaportes e resolveu tudo na imigração. Pegamos nossas malas e nos encaminhamos para as portas automáticas. Talvez não devêssemos nos aventurar nas ruas daquele jeito, pensei, mas o dr. Tamba já estava do lado de fora. Quando Bah e eu passamos pelas portas automáticas, fomos recebidos por um vento extremamente gelado. Senti minha pele se contrair, não conseguia sentir meu rosto e parecia que minhas orelhas iam cair; meus dedos doíam, e eu batia os dentes. O vento penetrava por minhas calças leves de verão e pela camiseta que eu estava vestindo, e parecia que eu estava nu. Tremia tanto que corri de volta ao terminal. Nunca na minha vida tinha sentido tanto frio. Como as pessoas conseguiam sobreviver naquele país?, pensei, esfregando as mãos e pulando para tentar me aquecer. Bah estava do lado de fora com o dr. Tamba, as mãos abraçando o próprio tronco, tremendo descontroladamente. Por algum motivo, o dr. Tamba estava de casaco, e Bah, não. Esperei no terminal até o dr. Tamba fazer sinal para um táxi, então corri de lá e pulei para dentro do carro, fechando a porta atrás de mim imediatamente. Havia coisinhas pequenas caindo do céu, que pareciam se acumular no chão. O que era aquela coisa branca caindo do céu?, pensei comigo mesmo enquanto o dr. Tamba dizia ao motorista para onde iríamos, lendo o endereço escrito num pedaço de papel que tinha na mão.

— É a primeira vez de vocês na cidade, estão gostando da neve? — o motorista do táxi perguntou.

— Sim, é nossa primeira vez na cidade — o dr. Tamba respondeu, e se ocupou de guardar nossos documentos.

Nunca tinha ouvido a palavra "neve" antes. Não era exatamente o tipo de conversa que se levava em Serra Leoa. Mas eu tinha visto filmes sobre o Natal, e aquela coisa fofinha estava sempre naqueles filmes. Aqui deve ser Natal todo dia, pensei.

Quando entramos na cidade, parecia que alguém tinha acendido de repente todos os prédios enormes que cresciam em direção ao céu. De longe alguns edifícios pareciam ser feitos só de luzes coloridas. A cidade brilhava, e eu estava tão confuso com aquilo tudo que não sabia para onde olhar. Pensei que tinha visto prédios altos em Freetown, mas esses eram muito mais que altos, eles estavam praticamente cutucando os céus. Havia carros demais nas ruas, buzinando muito e impacientemente, até mesmo quando o sinal estava vermelho. Então, eu vi as pessoas andando nas calçadas. Esfreguei os olhos para ter certeza de que estava realmente vendo gente que andava nas ruas de Nova York. Não era assim tão perigoso quanto eu tinha ouvido falar. Nem de longe. As luzes eram mais brilhantes do que as de casa, e eu tentava decifrar qual era a utilidade daqueles postes todos cheios de fios pendurados, mas não conseguia entender.

Chegamos ao hotel da ACM na 47th Street e entramos no lobby levando nossa bagagem. Seguimos o dr. Tamba até a mesa de recepção e pegamos as chaves de nossos quartos. Pela primeira vez na minha vida, eu tinha um quarto só para mim. E ainda por cima tinha uma televisão, que assisti a noite inteira. Estava muito quente dentro do quarto, então tirei minhas roupas e fiquei suando na frente da TV. Dois dias depois soube que o quarto era um forno porque o aquecedor estava ligado no máximo. Eu não sabia nem o que era um aquecedor, muito menos onde estaria o botão para diminuir a potência ou desligar o aparelho. Lembro de pensar que aquele país era muito esquisito: frio demais do lado de fora, e extremamente quente do lado de dentro.

Na manhã seguinte a nossa chegada, desci para o refeitório, onde cinqüenta crianças de vinte e três países diferentes aguardavam o café-da-manhã e o começo do Primeiro Parlamento Infantil Internacional das Nações Unidas. Havia crianças de países como Líbano, Camboja, Kosovo, Brasil, Noruega, Iêmen, Moçambique, Palestina, Guatemala, Estados Unidos (NY), África do Sul, Peru, Irlanda do Norte, Índia, Papua-Nova Guiné, Malaui, para citar alguns. Enquanto procurava Bah e o dr. Tamba, uma mulher branca me puxou e se apresentou.

— Meu nome é Kristen. Sou da Noruega. — Ela esticou a mão.

— Sou Ishmael, de Serra Leoa. — Apertei sua mão, e ela abriu um envelope de crachás e colocou um na minha camisa.

Ela sorriu e indicou que eu devia entrar na fila do café-da-manhã, enquanto se afastava, procurando outras crianças que estivessem sem crachá. Fiquei atrás de dois meninos que falavam uma língua estranha. Eles sabiam o que queriam pedir, mas eu não fazia a menor idéia do que poderia pedir ou dos nomes das comidas que os cozinheiros estavam preparando. Durante minha estadia, me entupiram de comida. Eu simplesmente pedia "o mesmo que ele" ou colocava no meu prato qualquer coisa que via os outros colocarem nos seus. Às vezes eu dava sorte e gostava do que ia parar no meu prato. E aquele não era o caso. Perguntei ao dr. Tamba onde podia conseguir um pouco de arroz e peixe cozido em óleo de palmeira, algumas folhas de mandioca ou sopa de quiabo. Ele sorriu e disse:

— Em Roma, faça como os romanos.

Devia ter trazido minha própria comida de casa para me segurar ao menos até que eu aprendesse um pouco sobre a comida deste país, pensei, enquanto bebia meu copo de suco de laranja.

Depois do café-da-manhã, andamos dois quarteirões congelando no frio até um prédio onde quase todos os encontros aconteceriam. Ainda estava nevando do lado de fora, e eu estava usando as mesmas calças de verão e uma camisa de manga comprida. Disse a mim mesmo que jamais gostaria de morar num país tão insuportavelmente gelado, onde eu sempre teria que ter medo de meu nariz, minhas orelhas e meu rosto congelarem.

Em nossa primeira manhã em Nova York, ficamos horas aprendendo sobre as vidas das outras crianças. Algumas delas tinham arriscado suas vidas para comparecer à conferência. Outras tinham caminhado quilômetros para cruzar a fronteira para um país estrangeiro e conseguir pegar um avião. Com poucos minutos de conversa, já sabíamos que a sala estava cheia de gente jovem que havia tido uma infância muito difícil, e que alguns iam ter que retornar àquelas vidas depois da conferência. Feitas as apresentações, sentamos em círculo para que os monitores pudessem falar um pouco sobre si mesmos. A maioria deles trabalhava para ONGs, menos uma mulher baixinha e branca, de cabelos escuros e longos, e olhos brilhantes, que disse:

— Eu sou uma contadora de histórias.

Fiquei surpreso com aquilo e dediquei toda a minha atenção a ela. A mulher usava gestos complicados e falava muito claramente, pronunciando bem cada palavra. Ela disse que seu nome era Laura Simms. Ela apresentou sua ajudante, Theresa Plair, que tinha pele morena, feições africanas, e segurava um tambor. Antes de Laura terminar de falar, eu já tinha me decidido a fazer seu workshop. Ela disse que ia nos ensinar a contar nossas histórias de maneira mais impactante. Fiquei curioso para descobrir como é que aquela mulher branca, nascida em Nova York, tinha se tornado uma contadora de histórias.

Na mesma manhã Laura começou a olhar sem parar para mim e Bah. Eu não sabia que ela tinha reparado que estávamos vestindo apenas nossas camisas e calças leves africanas, e que tínhamos sentado perto dos aquecedores, os braços cruzados em torno dos nossos corpos magros, e que de vez em quando tremíamos com o frio que parecia ter se instalado em nossos ossos. À tarde, antes do almoço, ela se aproximou de nós.

— Vocês têm casacos de inverno? — ela perguntou.

Sacudimos a cabeça, dizendo que não. Uma expressão preocupada tomou seu rosto, fazendo seu sorriso parecer forçado. Naquela tarde ela voltou com alguns casacos de inverno, chapéus e luvas para nós. Senti como se tivesse usando uma fantasia verde que fazia meu corpo parecer maior do que era. Mas eu estava feliz, porque agora podia me aventurar do lado de fora para ver a cidade depois dos workshops do dia. Anos mais tarde, Laura me ofereceu um de seus casacos de inverno, e eu me recusei a aceitar porque era um casaco de mulher. Ela brincou comigo dizendo que, quando me encontrou pela primeira vez, eu estava com tanto frio que nem me importei por usar um casaco feminino.

Bah e eu ficamos bem próximos de Laura e Theresa ao longo da conferência. Às vezes Laura falava conosco a respeito de histórias que eu tinha ouvido quando era bem criança. Eu estava maravilhado pelo fato de uma mulher branca, do outro lado do oceano Atlântico, que nunca havia estado em meu país, conhecer histórias tão específicas da minha infância e da minha tribo. Quando ela se tornou minha mãe, anos depois, ela e eu sempre discutíamos se aquilo tinha sido o destino ou uma mera coincidência, o fato de que eu havia partido de uma cultura em que contar histórias era tão importante, para viver com uma mãe que era contadora de histórias em Nova York.

Liguei para meu tio em Freetown no segundo dia. Aminata atendeu o telefone.

— Oi, aqui é o Ishmael. Posso falar com meu tio, por favor? — pedi.

— Vou chamá-lo. Ligue de novo em dois minutos. — Aminata desligou o telefone.

Quando tornei a ligar, foi meu tio quem atendeu.

— Estou na cidade de Nova York — disse a ele.

— Bom — ele disse. — Acho que agora eu acredito em você, porque não tenho visto você há alguns dias. — Ele riu. Abri a janela do meu quarto para ele poder ouvir os sons de Nova York. — Isso aí não parece Freetown — ele falou, e ficou em silêncio por alguns instantes antes de continuar. — Então, como é aí?

— É terrivelmente frio — eu disse, e ele começou a rir.

— Ah! Talvez esta seja sua iniciação no mundo da gente branca. Bom, me conte mais sobre isso quando você voltar. Fique do lado de dentro se precisar. — Enquanto ouvia sua voz, imaginei a estrada de cascalho empoeirada até sua casa. Dava para sentir o cheiro do caldo de amendoim da minha tia.

Toda manhã caminhávamos apressados pela rua até a sala de conferências. Lá colocávamos nossos sofrimentos de lado para tentar encontrar soluções para os problemas enfrentados por crianças em diversos países. Ao final desses longos debates, nossos rostos e olhos brilhavam com esperança, cheios de promessas de felicidade. Parecia que estávamos transformando nossos sofrimentos enquanto falávamos sobre maneiras de resolver as causas deles e os tornávamos conhecidos no Primeiro Mundo.

Na noite do segundo dia, eu e Madoka, de Malaui, andávamos pelo lado oeste da 47th Street sem perceber que íamos direto ao coração da Times Square. Estávamos ocupados olhando os prédios e toda aquela gente passando apressada quando de repente vimos luzes em toda parte e os letreiros de espetáculos explodindo em telas enormes. Nós nos entreolhamos extasiados com aquele lugar absolutamente incrível e lotado de gente. Uma das telas tinha uma mulher e um homem só com as suas roupas de baixo; acho que estavam só se exibindo. Madoka apontou para a tela e riu. Outras mostravam videoclipes ou uma série de números que cruzava a tela. Tudo piscava e mudava muito rápido. Ficamos parados numa esquina, hipnotizados pelos letreiros e pelas luzes. Quando conseguimos tirar os olhos daquilo, andamos para cima e para baixo da Broadway por horas, olhando as vitrines das lojas. Eu não estava mais com frio, já que a quantidade de gente, os prédios iluminados e o ruído dos carros me enlouqueciam e intrigavam. Pensei que estivesse sonhando. Quando, mais tarde naquela noite, voltamos ao hotel, contamos às outras crianças o que tínhamos visto. Depois disso fomos à Times Square toda noite.

Madoka e eu chegamos a ver alguns outros lugares antes dos dias marcados para excursões. Fomos ao Rockefeller Plaza, onde vimos uma árvore de Natal gigante toda decorada, estátuas de anjos e gente andando de patins. Essas pessoas giravam e giravam, e Madoka e eu não conseguíamos entender como é que se divertiam com aquilo. Também fomos ao World Trade Center com o sr. Wright, um canadense que conhecemos no hotel. Certa noite, quando nós, as cinqüenta e sete crianças da conferência, entramos no metrô a caminho da South Street Seaport, perguntei a Madoka:

— Como é que todo mundo fica tão quieto aqui?

Ele olhou em volta de nós no trem e respondeu:

— Não é a mesma coisa que o transporte público lá da minha cidade.

Shantha, que filmava o evento, e depois se tornaria minha tia quando voltei para viver em Nova York, apontou a câmera para nós, e Madoka e eu fizemos uma pose. Em cada passeio eu fazia notas mentais sobre coisas que queria contar a meu tio, a meus primos e Mohamed. Não pensei que fossem acreditar em nada daquilo.

No último dia de conferência, uma criança de cada país falou brevemente na câmara do Conselho Econômico e Social das Nações Unidas (Ecosoc) sobre seu país e suas experiências. Havia diplomatas e todo tipo de pessoas influentes. Eles usavam ternos e gravatas e estavam sentados, as costas eretas, nos ouvindo. Sentei orgulhoso atrás da placa com o nome de Serra Leoa, ouvindo e esperando minha vez de falar. Eu tinha um discurso que havia sido escrito para mim em Freetown, mas decidi falar de coração, em vez de usar o texto pronto. Falei um pouco sobre minha experiência e minha esperança de que a guerra acabasse — só com o fim da guerra os adultos parariam de recrutar crianças. Comecei dizendo:

— Sou de Serra Leoa, e o problema que afeta a nós, crianças, é que a guerra nos força a fugir de nossas casas, a perder nossas famílias e a vagar sem rumo pelas florestas. O resultado disso é que acabamos envolvidos no conflito como soldados, transportando cargas e fazendo muitas outras tarefas difíceis. Tudo por causa da fome, da perda das nossas famílias e da necessidade de nos sentirmos seguros e parte de alguma coisa, quando tudo mais está destruído. Entrei para o exército, na verdade, por causa do assassinato da minha família. Eu também tinha que conseguir comida para sobreviver, e o único jeito era fazer parte de um pelotão. Não era fácil ser soldado, mas tínhamos que fazer aquilo. Estou reabilitado agora, então não tenham medo de mim. Não sou mais um soldado; sou uma criança. Somos todos irmãos e irmãs. O que eu aprendi com minhas experiências é que a vingança não é boa. Entrei para o exército para vingar as mortes da minha família e para sobreviver, mas aprendi que, se vou me vingar, durante o processo vou matar outra pessoa que tem uma família, que também vai querer se vingar; e se vingar, se vingar, se vingar, até que a vingança nunca chegue ao fim...

Depois de todos os discursos, cantamos uma música que havíamos criado. Então, começamos a cantar outras canções; choramos, rimos e dançamos. Foi uma tarde muito comovente. Estávamos todos tristes por nos separarmos, porque sabíamos que não voltaríamos para lugares seguros. Madoka e eu nos abraçamos e pulamos com a música. Bah estava dançando com outro grupo de garotos. O dr. Tamba estava sentado na platéia sorrindo pela primeira vez desde que tínhamos chegado a Nova York. Depois das danças, Laura me puxou de lado e disse que tinha ficado muito emocionada com o que eu tinha falado.

Naquela noite fomos a um restaurante indiano, e eu fiquei felicíssimo que alguém daquela parte do mundo servisse arroz. Comemos um bocado, trocamos endereços e, então, fomos à casa de Laura no East Village. Eu não conseguia compreender por que ela chamava aquela região de aldeia (*village*), porque não se parecia em nada com qualquer aldeia que eu conhecia. Nossos acompanhantes não foram com a gente; voltaram para o hotel. Eu não sabia que a casa de Laura um dia seria a minha casa. Havia panos bordados de todas as partes do mundo pendurados nas paredes; estátuas de animais pousadas sobre grandes estantes cheias de livros de histórias;

sobre as mesas, vasos de cerâmica pintados com pássaros belos e exóticos; e havia ainda instrumentos feitos de bambu e outros mais esquisitos. A casa era grande o suficiente para receber todas as cinqüenta e sete crianças. Primeiro, sentamos em volta de Laura na sala e ela nos contou histórias; então dançamos noite adentro. Era nossa última noite em Nova York, e aquele era o melhor lugar para passá-la, porque a casa, assim como nosso grupo, era interessante e cheia de histórias incríveis. Estar naquela casa dava a sensação de termos saído de Nova York e entrado em um mundo diferente.

Na tarde seguinte, Laura e Shantha acompanharam a mim, Bah e dr. Tamba ao aeroporto. Primeiro estávamos todos calados no carro, mas pouco a pouco nós todos, menos o dr. Tamba, começamos a chorar. No terminal, os soluços ficaram mais fortes e nos despedimos, abraçados. Laura e Shantha nos deram seus endereços e números de telefone para podermos permanecer em contato. Deixamos Nova York no dia 15 de novembro de 1996. Meu aniversário de dezesseis anos seria dentro de oito dias, e durante todo o vôo de volta para casa eu ainda sentia como se estivesse sonhando, um sonho do qual não queria acordar. Eu estava triste por ir embora, mas também feliz por ter conhecido pessoas de fora de Serra Leoa. Porque, se eu fosse assassinado depois de voltar para casa, sabia que uma memória da minha existência continuaria viva em algum lugar do mundo.

21

Algumas noites eu contava histórias da viagem a minha família (incluindo Mohamed, que agora vivia conosco). Descrevia tudo para eles — a área de pouso e decolagem, o aeroporto, o avião, como era ver as nuvens pela janela do avião. Eu sentia outra vez aquele frio no estômago ao me lembrar de ter caminhado sobre a esteira no aeroporto. Eu nunca tinha visto tanta gente branca, todo mundo arrastando apressadamente suas bagagens em diferentes direções. Contei a eles sobre as pessoas que conheci, sobre os prédios altos da cidade de Nova York, como as pessoas xingavam na rua; fiz o melhor para descrever para eles a neve e como o céu ficava escuro tão cedo.

— Parece que foi uma viagem estranha — meu tio comentava.

Parecia, para mim, algo que tivesse acontecido apenas na minha cabeça.

Mohamed e eu voltamos para a escola, freqüentando a Escola Secundária St. Edward's. Eu estava animado. Aquilo me lembrava as caminhadas matinais até a escola durante o ensino fundamental; o som de vassouras varrendo folhas de mangueiras no chão, assustando os pássaros, que começavam a cantar num tom ainda mais agudo, como se estivessem se perguntando o motivo daquele som tão ríspido. Minha escola era formada por apenas um pequeno prédio, feito de tijolos de barro e um telhado de latão. Não havia portas, nem cimento no chão do lado de dentro, além de ser pequena demais para receber todos os alunos. A maioria das aulas era dada ao ar livre, debaixo da sombra de mangueiras.

Mohamed lembrava-se mais da falta de material escolar, e de como era preciso ajudar os professores a plantar em suas fazendas ou jardins. Era a única forma de os professores, que não recebiam pagamento havia anos, ganharem a vida. Quanto mais falávamos sobre aquilo, mais íamos nos dando conta de que havíamos esquecido como era a sensação de ser estudantes, de sentar na sala de aula, de tomar notas, fazer o trabalho de casa, fazer amigos, provocar outros alunos. Eu estava ansioso para voltar às aulas. Mas, no primeiro dia de colégio em Freetown, todos os alunos sentaram longe de nós, como se Mohamed e eu pudéssemos surtar a qualquer momento e assassinar alguém. De algum jeito eles souberam a respeito do nosso passado como soldados. Não só havíamos perdido nossa infância na guerra, mas também nossas vidas estavam manchadas pelas mesmas experiências que ainda nos causavam dor e tristeza.

Sempre caminhávamos até a escola bem devagar. Eu gostava das caminhadas porque conseguia pensar um pouco sobre a direção que minha vida estava tomando. Eu tinha certeza de que nada podia ficar pior do que já havia sido, e aquilo me fazia sorrir um bocado. Eu ainda estava me acostumando a ser de novo parte de uma família. Também havia começado a dizer às pessoas que Mohamed era meu irmão, para que não fosse preciso explicar nada. Eu sabia que nunca conseguiria esquecer meu passado, mas queria parar de falar sobre ele para que pudesse estar totalmente no presente em minha nova vida.

Como de costume, eu tinha acordado bem cedo de manhã e estava sentado numa pedra atrás da casa esperando que a cidade acordasse. Era 25 de maio de 1997. Mas, em vez dos sons normais que costumavam trazer a cidade à vida, ela foi acordada por tiros que irrompiam perto do Palácio do Governo e do Parlamento. Os tiros acordaram todo mundo, e eu me juntei a meu tio e meus vizinhos na varanda. Não sabíamos o que estava acontecendo, mas podíamos ver soldados correndo pela Pademba Road e caminhões do exército acelerando para cima e para baixo na área onde ficava a prisão.

Os tiroteios aumentaram ao longo do dia, espalhando-se pela cidade. Os cidadãos ficaram do lado de fora, em suas varandas, tensos, tremendo de medo. Mohamed e eu nos entreolhamos:

— De novo, não.

No começo da tarde, a prisão central estava aberta e os prisioneiros foram postos em liberdade. O novo governo lhes deu armas assim que eles pisaram na rua. Alguns foram direto para as casas de juízes e advogados que participaram de seus julgamentos, assassinando aqueles que encontravam e suas famílias ou queimando suas casas se eles não estivessem por perto. Outros se juntaram aos soldados, que tinham começado a saquear lojas. A fumaça subia das casas enchendo o ar, soterrando a cidade em neblina. Alguém surgiu no rádio e se anunciou como o novo presidente de Serra Leoa. Seu nome, ele disse, era Johnny Paul Koroma, e ele era o líder do Conselho das Forças Armadas Revolucionárias (AFRC, *Armed Forces Revolutionary Council*), formado por um grupamento de oficiais do Exército de Serra Leoa (SLA, *Sierra Leone Army*) para derrubar o presidente eleito democraticamente, Tejan Kabbah. O inglês de Koroma era tão ruim quanto os motivos que ele deu para o golpe. Ele aconselhou a todos que voltassem ao trabalho, dizendo que estava tudo bem. Ao fundo, enquanto discursava, era possível ouvir tiros e soldados raivosos xingando e comemorando, quase passando por cima do que ele dizia.

Mais tarde naquela noite, um outro anúncio foi feito pelo rádio, dessa vez declarando que os rebeldes (RUF) e o exército tinham colaborado na deposição do governo civil "para o bem da nação". Rebeldes e soldados vindos das frentes de batalha começaram a encher a cidade. A nação inteira ruiu até um Estado sem lei. Odiei o que estava acontecendo. Não poderia voltar a minha vida antiga. Não achava que conseguiria escapar vivo dessa vez.

A liga AFRC/RUF, os "sobels",* como se chamavam, começou a explodir cofres usando LGFs e outros explosivos e a saquear o dinheiro. Às vezes os sobels prendiam pessoas que passavam, as revistavam e levavam delas o que quisessem. Eles ocuparam as escolas e as universidades. Nada havia para se fazer durante o dia exceto ficar sentado na varanda. Meu tio decidiu terminar uma casa que tínhamos começado a construir quando vim morar com ele. De manhã, caminhávamos para o terreno e trabalhávamos até o comecinho da tarde, quando os tiros nos mandavam de volta para casa, para nos esconder debaixo da cama. Mas, dia após dia, ficava mais perigoso permanecer ao ar livre, pois as balas perdidas tinham começado a matar muita gente. Então, logo paramos de trabalhar na construção da casa.

Homens armados tinham saqueado toda a comida da cidade em lojas e mercados, e os carregamentos de fora do país e vindos das províncias tinham parado de chegar à cidade. O pouco que havia sobrado precisava ser procurado em meio a toda a loucura. Laura Simms sempre me enviava dinheiro, e eu tinha guardado um pouco, então Mohamed e eu decidimos ir à cidade tentar conseguir um pouco de *gari*, latas de sardinha, arroz, qualquer coisa que pudéssemos encontrar. Eu sabia que correria o risco de encontrar alguns antigos colegas da vida militar, que me

* Termo criado a partir das palavras *soldiers* (soldados) e *rebels* (rebeldes). (N. do E.)

matariam se eu dissesse que não fazia mais parte da guerra. Mas ao mesmo tempo não podia simplesmente ficar em casa. Eu tinha que encontrar comida.

Tínhamos ouvido falar em uma feira clandestina instalada num pátio atrás de uma casa abandonada, onde produtos alimentícios fora de circulação eram vendidos a civis. Eles vendiam os itens por duas vezes o preço regular, mas a viagem parecia valer o risco e a despesa. Saímos de manhã bem cedo, apavorados com a possibilidade de sermos vistos por alguém do exército que nos conhecesse. Ficamos todo o tempo de cabeça baixa enquanto passamos por rebeldes e soldados. Chegamos quando os vendedores começavam a colocar seus produtos para fora. Compramos um pouco de arroz, óleo de palmeira, sal e peixe; quando terminamos, o mercado já estava ficando cheio de gente que tentava apressadamente comprar qualquer coisa que seu dinheiro pudesse pagar.

Quando estávamos prestes a sair, um Land Rover aberto acelerou e homens armados pularam de dentro dele antes que o carro parasse. Eles correram para cima da multidão de civis, dando tiros de alerta. Por um megafone, o comandante mandou que todos largassem as bolsas de comida, que colocassem as mãos atrás da cabeça, deitassem quietos, virados para o chão. Uma mulher na multidão entrou em pânico e decidiu correr. Um homem armado usando uma bandana vermelha nos cabelos deu um tiro na cabeça dela. Ela gritou e caiu, produzindo um estampido ao bater no chão de pedras. Aquilo causou mais pânico, e todo mundo começou a se espalhar em diferentes direções. Agarramos nossa comida e corremos agachados. Aquilo estava começando a parecer muito familiar.

Enquanto fugíamos da área, outro Land Rover chegou, lotado com mais homens armados, e eles começaram a atirar e bater com suas armas na cabeça das pessoas. Nós nos escondemos atrás de um muro que separava a feira da rua principal, e continuamos a correr com cuidado por trás das casas próximas à baía. Quase no final da baía, onde a maré batia contra um barco afundado, pulamos na rua com as compras debaixo do braço e começamos nossa última caminhada até em casa. Estávamos nos aproximando da Cotton Tree, no centro da cidade, quando vimos um grupo de manifestantes correndo, segurando cartazes em que se lia "Parem com a matança" e coisas similares. Eles usavam camisetas brancas e tinham bandanas brancas em volta da cabeça. Tentamos ignorá-los, mas, quando viramos uma esquina para seguir o caminho de casa, um grupo de homens armados, metade vestida como civis, metade em roupas militares, correu em nossa direção, atirando contra a multidão. Não havia outro jeito de desviar dos manifestantes, então nos juntamos a eles. Os homens armados começaram a lançar gás lacrimogêneo. Civis vomitavam nas calçadas e sangravam pelo nariz. Todos correram em direção a Kissy Street. Era impossível respirar. Coloquei a mão por cima do nariz, que parecia estar cheio de pimenta. Agarrei firme à bolsa de comida e corri com Mohamed, tentando não me perder dele no meio da multidão. Lágrimas corriam pelo meu rosto, e meus olhos e minhas pálpebras pesavam. Eu estava ficando furioso, mas tentava me conter porque sabia que não podia perder a calma. O resultado ia ser a morte, já que agora eu era um civil; disso eu sabia.

Continuamos a correr com a multidão, tentando encontrar uma saída e voltar para casa. Minha garganta começou a doer. Mohamed tossiu até que as veias ficassem visíveis em seu pescoço. Conseguimos nos livrar da multidão, e ele colocou a cabeça debaixo de uma bomba d'água pública. De repente outro grupo de pessoas correu em nossa direção, o mais rápido que podia. Estava sendo perseguido por soldados, então nós também disparamos para frente, ainda agarrados à comida.

Agora estávamos em meio a um grupo de alunos manifestantes, numa rua cheia de prédios altos. Um helicóptero que andava em círculos no alto começou a descer em direção à multidão. Mohamed e eu sabíamos o que aconteceria. Corremos para o bueiro mais próximo e entramos. O helicóptero desceu até o nível da rua. Assim que chegou a vinte e cinco metros dos manifestantes, deu um giro e os encarou de lado. Um soldado sentado com uma arma, na parte lateral aberta, abriu fogo, dizimando a multidão. As pessoas corriam para se salvar. A rua, que havia um minuto estava cheia de cartazes e ruídos, agora parecia um cemitério silencioso cheio de almas irrequietas lutando para se resignar com suas mortes súbitas.

Mohamed e eu corremos pelos becos. Chegamos a uma cerca que dava para a rua principal, onde havia um bloqueio. Homens armados patrulhavam a área. Ficamos deitados num bueiro por seis horas, esperando a noite cair. As chances de escapar da morte eram melhores à noite, porque o rastro vermelho das balas podia ser visto no escuro. Havia mais gente conosco. Um deles era um estudante que suava muito e limpava a testa de minuto em minuto na sua camiseta azul. Uma mulher jovem, provavelmente em seus vinte e poucos anos, estava sentada com a cabeça entre os joelhos, tremendo e se balançando. Contra a parede do bueiro, um homem barbado, com camisa manchada com o sangue de outra pessoa, estava sentado com as mãos na cabeça. Eu me sentia mal com o que estava acontecendo, mas não estava tão assustado quanto aquelas pessoas que nunca tinham passado pela guerra antes. Era a primeira vez delas, e era doloroso ver o que passavam. Esperava que meu tio não estivesse muito preocupado conosco. Mais tiros foram disparados e uma nuvem de gás lacrimogêneo passou por nós. Tapamos o nariz até que o vento tivesse levado todo o gás embora. A noite demorava a cair, parecia que esperávamos pelo Juízo Final. Mas, como sempre, a noite veio, finalmente, e, agachando atrás de muros e pulando cercas, conseguimos chegar em casa.

Meu tio estava sentado na varanda cheio de lágrimas nos olhos. Quando o cumprimentei, ele pulou como se estivesse vendo um fantasma. Ele nos abraçou longamente e pediu que não voltássemos à cidade. Mas não havia escolha. Teríamos que voltar para pegar comida.

Os tiros não cessaram pelos cinco meses seguintes; eles se tornaram um novo som integrado à cidade. Pela manhã, as famílias sentavam em suas varandas, agarradas a suas crianças, olhando para as ruas da cidade, em que atiradores vagavam em grupos, saqueando, estuprando e matando gente conforme sua vontade. Mães envolviam os filhos nos braços trêmulos toda vez que a saraivada de tiros se intensificava. A maior parte do tempo as pessoas só comiam arroz empapado com açúcar ou *gari* puro com sal, e ouviam rádio na esperança de saber de alguma notícia boa. Às vezes, durante o dia, subiam várias nuvens de fumaça das casas em que os atiradores colocavam fogo. Ouvíamos as gargalhadas excitadas desses homens ao verem as casas em chamas. Certa noite, um vizinho, que vivia a poucas portas da casa do meu tio, estava ouvindo uma rádio-pirata que acusava o novo governo de cometer crimes contra civis. Minutos depois um caminhão cheio de soldados parou em frente à casa do homem, eles o arrastaram para fora, e também a sua esposa e seus dois filhos mais velhos, atiraram neles e chutaram seus corpos na sarjeta. Meu tio vomitou ao ver aquilo.

Nas primeiras três semanas as pessoas estavam com tanto medo que não ousavam sair de suas casas. Mas logo todos se habituaram aos tiros e à loucura. As pessoas voltaram a suas rotinas de buscar comida, mesmo correndo o risco de serem mortas por balas perdidas. As crianças brincavam de jogos de adivinhação, decidindo se a arma disparada era um AK-47, um G3 ou um LGF, ou uma metralhadora. Eu sentava com Mohamed numa pedra lisa do lado de fora e nós dois ficávamos calados. Eu ficava pensando que tivemos que correr tanto da guerra, só para sermos pegos de novo por ela. Não havia mais lugar algum para ir depois dali.

Eu tinha perdido contato com Laura em Nova York por mais de cinco meses. Antes, eu e ela trocávamos cartas constantemente. Ela me contava o que andava fazendo e dizia para eu me cuidar bem. Suas cartas vinham de todas as partes do mundo, onde ela participava de projetos em que contava histórias. Nos últimos tempos eu vinha tentando falar no telefone com ela a cobrar, mas não conseguia. Os telefones na Sierra-Tel, a companhia telefônica nacional, não funcionavam mais. Todo dia eu sentava na varanda com meu tio e meus primos, olhando para a cidade. Não ouvíamos mais as fitas cassete de histórias, já que o toque de recolher começava antes de escurecer. Meu tio ria cada vez menos, e suspirava mais e mais. Continuamos a ter esperança de que as coisas iam mudar, mas elas ficavam cada vez piores.

Meu tio ficou doente. Numa manhã estávamos sentados na varanda quando ele reclamou que não se sentia muito bem. À noite ele teve febre e deitou dentro de casa, gemendo. Allie e eu fomos a uma loja e compramos remédio, mas a febre dele piorava a cada dia. Tia Sallay o forçava a comer, mas ele vomitava tudo assim que ela terminava de alimentá-lo. Todos os hospitais e as farmácias estavam fechados. Procuramos na cidade inteira por médicos ou enfermeiras, mas aqueles que não tinham fugido se recusavam a sair de suas casas por medo de não poderem voltar para suas famílias. Certa noite, eu estava sentado ao lado do meu tio, limpando o suor de sua testa, quando ele caiu da cama. Eu peguei seu corpo comprido nos braços e segurei sua cabeça no meu colo. As maçãs do rosto dele se destacavam do rosto redondo. Ele olhou para mim e eu pude ver em seus olhos que ele tinha desistido de qualquer esperança. Implorei que não nos deixasse. Seus lábios estavam prestes a murmurar alguma coisa, mas, então, pararam de tremer e ele se foi. Eu o abracei e fiquei pensando em como daria a notícia para a esposa dele, que estava esquentando água na cozinha. Ela entrou logo em seguida e derrubou a água fervendo no chão, espirrando um pouco em cima de nós dois. Ela se recusava a acreditar que o marido estava morto. Eu ainda o segurava nos braços, com lágrimas correndo pelo meu rosto. Meu corpo inteiro tinha ficado dormente. Eu não conseguia sair de onde estava sentado. Mohamed e Allie entraram e levaram o tio dos meus braços e o colocaram na cama. Depois de alguns minutos, consegui me levantar. Fui para trás da casa e soquei a mangueira até que Mohamed me tirou dali. Eu sempre perdia tudo o que significava alguma coisa para mim. Meus primos choravam, perguntando quem tomaria conta de nós agora. Por que isso tinha que acontecer com a gente nessa época difícil?

Lá embaixo, na cidade, os atiradores dispararam suas armas.

Meu tio foi enterrado na manhã seguinte. Mesmo em meio a toda aquela loucura, as pessoas compareceram ao funeral. Andei atrás do caixão, o som dos passos pesando no coração. Ia de mãos dadas com meus primos e Mohamed. Minha tia tentou ir ao cemitério, mas desmaiou antes de sair de casa. No cemitério, o imã leu algumas suras, baixaram meu tio à cova e o cobriram com terra. As pessoas dispersaram rapidamente e voltaram a suas vidas. Eu fiquei para trás com Mohamed. Sentei no chão ao lado da sepultura e falei com meu tio. Disse a ele que sentia muito não ter conseguido ninguém para ajudá-lo e que esperava que ele soubesse que eu realmente o amava e desejava que ele estivesse vivo para me ver adulto. Depois que terminei, coloquei minhas mãos na terra e chorei baixinho. Não tinha idéia de quanto tempo eu tinha passado no cemitério até que parei de chorar. Era tarde e o toque de recolher já ia começar. Mohamed e eu corremos o mais rápido que pudemos de volta para casa antes que os soldados começassem a atirar.

Poucos dias depois de meu tio ser enterrado, finalmente consegui telefonar para Laura. Perguntei se podia ficar com ela se conseguisse chegar até Nova York. Ela disse que sim.

— Não. Eu quero que você pense bem sobre isso. Se eu conseguir chegar a Nova York, posso ficar com você na sua casa? — perguntei outra vez.

— Sim — ela disse novamente, e eu disse a ela que "daria um jeito de ir" e telefonaria para ela outra vez quando estivesse em Conakry, capital da Guiné, um dos países vizinhos que estavam em paz e o único jeito de sair de Serra Leoa naquela época.

Eu tinha que ir embora, porque estava com medo de que, se ficasse em Freetown por mais tempo, acabaria voltando a ser soldado ou, se eu me recusasse, meus antigos companheiros de exército me matariam. Alguns amigos que tinham passado pela reabilitação comigo já tinham voltado ao exército.

Deixei Freetown numa manhã, bem cedo, sete dias depois que meu tio faleceu. Não falei a ninguém que estava indo embora, exceto para Mohamed, que deveria contar a respeito da minha fuga a minha tia depois que ela tivesse se recuperado da morte do marido. Ela tinha se desligado do mundo e de todos após a morte do marido. Saí no dia 31 de outubro de 1997, quando ainda estava um pouco escuro do lado de fora. O toque de recolher ainda estava valendo, mas eu precisava deixar a cidade antes que o sol aparecesse. Era menos perigoso viajar naquele horário, quando alguns atiradores estavam cochilando e a noite tornava mais difícil que os homens das milícias me vissem de longe. Tiros ecoaram no silêncio da cidade, e a brisa da manhã pareceu áspera contra meu rosto. O ar tinha cheiro de corpos apodrecidos e pólvora. Apertei a mão de Mohamed.

— Vou dar um jeito de você saber onde eu for parar — disse a ele. Ele bateu no meu ombro e não disse nada.

Eu só tinha uma sacola suja com poucas roupas. Era arriscado demais viajar com alguma coisa grande ou bacana, já que os homens armados poderiam pensar que se estava levando algo de valor e até atirariam na pessoa. Caminhando para dentro dos últimos vestígios da noite, deixando Mohamed parado na varanda, tive medo. Aquilo estava se tornando mais uma vez muito familiar. Parei um pouco ao lado de um poste, respirei pesadamente e lancei alguns socos raivosos no ar. Tenho que tentar sair, pensei, e, se isso não funcionar, então aí é voltar para o exército. Não gostava de pensar daquele jeito. Corri perto das sarjetas e me escondi quando ouvi um veículo se aproximando. Eu era o único civil na rua e, às vezes, para passar por postos policiais, tinha que rastejar por dentro de bueiros ou andar agachado atrás das casas. Consegui chegar em segurança a uma estação de ônibus que estava fora de uso, nos limites da cidade. Eu estava suando e minhas pálpebras tremiam enquanto eu olhava ao redor da estação. Havia muitos homens — por volta dos trinta anos, presumi —, algumas mulheres e algumas poucas famílias com crianças de cinco anos de idade e mais velhas. Eles estavam em fila perto de uma parede destruída, alguns segurando trouxas, e outros, as mãos de seus filhos pequenos.

Andei até o fim da fila e sentei sobre meus calcanhares para verificar se meu dinheiro ainda estava dentro da meia, debaixo do meu pé direito. O homem a minha frente ficava falando sozinho, afastando-se e voltando para a parede. Ele me deixava mais nervoso do que eu já estava. Depois de vários minutos de espera silenciosa, um homem que estava todo o tempo na fila junto com todos nós afirmou ser o motorista e pediu a todos que o seguissem. Andamos mais um pouco pela estação abandonada, caminhando sobre paredes de cimento despencadas, até uma área aberta, onde entramos num ônibus, que era todo pintado de preto, até seus aros, para que pudesse passar despercebido na noite. O ônibus deslizou para fora da estação, de luzes apagadas, e pegou a estrada de trás, que saía da cidade. A estrada não era usada havia alguns anos, por isso parecia que o ônibus estava se movendo por dentro dos arbustos, com folhas e galhos batendo nas laterais do veículo. Ele foi se sacudindo vagarosamente pela escuridão até o sol começar a subir. Em certo ponto, tivemos que descer e andar atrás dele para que o ônibus pudesse subir um pequeno morro. Estávamos todos muito quietos, nossos rostos fechados pelo medo, porque ainda não tínhamos deixado a cidade com segurança. Voltamos ao ônibus, e, mais ou menos uma hora depois, ele nos deixou numa ponte velha.

Pagamos ao motorista e atravessamos a ponte enferrujada dois de cada vez. Depois, tivemos que andar o dia inteiro até um cruzamento onde esperamos outro ônibus, que chegaria na manhã seguinte. Aquele era o único jeito de sair de Freetown sem ser morto pelos homens e meninos armados do novo governo, que odiavam quando as pessoas queriam sair da cidade.

Havia mais de trinta de nós no cruzamento. Sentamos no chão, perto dos arbustos, e esperamos a noite inteira. Nenhum de nós disse qualquer coisa ao outro, já que sabíamos que não tínhamos escapado completamente da loucura. Pais cochichavam coisas para seus filhos, com medo de colocar suas vozes para fora. Algumas pessoas olhavam para o chão e outras brincavam com pedrinhas. O vento trazia o ruído afastado dos tiros. Sentei na beira da calçada e mastiguei um pouco do arroz cru que tinha trazido num saco plástico. Quando é que eu pararia de correr daquela guerra? E se o ônibus não aparecesse? Um vizinho de Freetown foi quem falou para mim a respeito daquela saída do país. Até então parecia seguro, mas eu estava preocupado porque sabia que naquelas circunstâncias as coisas podiam mudar rapidamente para pior.

Coloquei o arroz cru de volta na bolsa e comecei a andar pela estrada de terra em busca de um lugar melhor para passar a noite sentado. Havia gente dormindo sob os arbustos próximos ao ponto de ônibus. Desse jeito, conseguiriam ouvir o ônibus se ele chegasse durante a noite. Mais afastados, havia outros espaços abertos debaixo de galhos entrelaçados de ameixeiras. Eles empurraram as folhas secas para o lado com as mãos e fizeram uma pilha de folhas frescas para usar como travesseiro sobre o chão. Um dos homens fez uma vassoura com alguns galhos de árvores, que usou para afastar as folhas. Pulei de onde estava, sentei encostado a uma das árvores e, noite adentro, pensei em meu tio e, então, em meu pai, minha mãe, meus irmãos, meus amigos. Por que todos sempre morrem, menos eu? Andei de um lado para o outro na estrada tentando não me enfurecer.

Pela manhã as pessoas se levantaram e bateram a terra das roupas com as mãos. Alguns homens se limparam um pouco com orvalho, sacudindo as folhas de plantas e árvores e esfregando as gotas d'água no rosto e na cabeça. Depois de horas de espera impaciente, ouvimos o ronco do motor na estrada. Não estávamos certos se era o ônibus, então juntamos nossas bolsas e nos escondemos nos arbustos próximos. O som do motor guinchando foi aumentando até que pudemos vê-lo. Todos saíram de seus esconderijos e fizeram sinal para o ônibus até que ele parasse no ponto. Rapidamente subimos nele e partimos. Enquanto o ônibus saía, o trocador passou recolhendo o dinheiro da passagem. Paguei metade, porque tinha menos de dezoito anos, mas metade do preço, naqueles tempos, era mais que o preço normal em tempos de paz. Olhei pela janela e vi as árvores passando. E, então, o ônibus começou a diminuir a velocidade e as árvores foram substituídas por soldados com armas enormes, todos apontando para a estrada, para o ônibus. Mandaram que todos saíssem do ônibus; então, nos fizeram andar por uma barreira. Olhei em volta e percebi que nos arbustos havia mais homens com submetralhadoras e lançadores de granadas. Observei sua formação e quase bati de frente com um soldado que estava andando em direção ao ônibus. Ele me encarou com olhos injetados e uma cara que dizia "Eu te mato se eu quiser e isso não vai dar em nada". O olhar era bem familiar para mim.

Eles revistaram o ônibus por razões que ninguém compreendeu. Depois de alguns minutos, todos embarcamos outra vez. Quando, aos poucos, começamos a nos mover, vi a barreira desaparecer e me lembrei de quando eu atacava barreiras como aquela. Afastei aquele pensamento antes que fosse transportado de novo àqueles tempos. Havia barreiras demais na estrada e a cada uma delas os soldados se comportavam de um jeito. Alguns exigiam dinheiro mesmo quando os passageiros tinham toda a documentação em ordem. Ao se recusar a pagar, o passageiro corria o risco de ser enviado de volta à cidade. Aqueles que não tinham dinheiro perderam seus relógios, jóias ou qualquer outra coisa de valor para os soldados. Sempre que chegávamos perto de um bloqueio, eu dizia em voz baixa preces que eu esperava que me ajudassem a ultrapassá-lo.

Por volta das quatro da tarde, o ônibus chegou a uma cidade chamada Kambia, seu destino final. Pela primeira vez desde que tínhamos deixado a cidade vi o rosto de alguns passageiros relaxar um pouco. Mas logo nossas expressões tornaram a endurecer, e todos resmungaram quando os oficiais da imigração também pediram que pagássemos antes de atravessar a fronteira. Todos meteram as mãos nas meias, nas bainhas das calças e debaixo de bandanas para pegar o resto do dinheiro. Uma mulher com dois meninos de sete anos de idade implorou ao oficial, dizendo que ela precisava do dinheiro para alimentar as crianças em Conakry. O homem manteve a mão para fora e gritou mandando a mulher esperar ao lado. Aquilo me deixava enojado, que gente de Serra Leoa pudesse exigir dinheiro de pessoas que vinham da guerra. Eles estavam tirando vantagem de pessoas que fugiam para se salvar. Por que tínhamos que pagar para sair do próprio país?, pensei, mas não podia discutir. Eu tive que pagar. Os oficiais da imigração estavam pedindo trezentos leones, quase dois meses de salário, para carimbar os passaportes para a saída. Assim que meu passaporte foi carimbado, atravessei a fronteira para a Guiné. Ainda tinha um longo caminho a minha frente, mais de oitenta quilômetros, para chegar até Conakry, a capital, então apertei o passo para pegar outro ônibus que me levasse até lá. Eu não tinha pensado no fato de que não sabia falar qualquer das línguas da Guiné. Fiquei um pouco preocupado, mas estava aliviado por ter conseguido sair vivo do meu país.

Os ônibus para Conakry estavam parados do outro lado de um posto policial construído por soldados da Guiné. Havia homens perto do posto vendendo moeda da Guiné na taxa que quisessem. Pensei que os soldados seriam contra o mercado negro de moeda estrangeira, mas eles não pareciam se importar. Troquei meu dinheiro e andei até o posto. A fronteira estava lotada de soldados que não falavam inglês ou fingiam não falar. Eles tinham armas em posição de tiro, como se estivessem esperando alguma coisa acontecer. Evitei olhá-los nos olhos, com medo de que pudessem ver nos meus que um dia eu já havia sido soldado na guerra que agora eu deixava para trás.

Havia uma casa de madeira marrom-escura pela qual eu tinha que passar para pegar o ônibus. Dentro da casa, os soldados revistavam as bolsas das pessoas, e então as pessoas saíam e apresentavam seus documentos aos oficiais. Quando entrei na casa, os soldados rasgaram minha sacola e jogaram todo o conteúdo no chão.

Eu não tinha muita coisa, mas foi um pouco difícil arrumar tudo outra vez: duas camisas, duas camisetas e três pares de calças.

Saí da casa de madeira e senti que os soldados estavam me observando. Devíamos apresentar nossos documentos, mas para quem? Havia mesas demais. Eu não sabia para qual me dirigir. Os soldados estavam sentados debaixo da sombra das mangueiras em traje militar completo. Alguns tinham suas armas penduradas por correias em cadeiras, outros sobre a mesa, o cano apontado para a casa de madeira. Desse jeito, eles deixavam as pessoas nervosas antes de pedir dinheiro a elas.

Um soldado que estava sentado na última à direita das mesas alinhadas, com um cigarro na boca, fez sinal para eu me aproximar. Ele estendeu a mão para receber meu passaporte. Eu entreguei sem olhar para o rosto dele. O soldado falou numa língua que eu não consegui entender. Ele colocou meu passaporte no bolso do casaco do uniforme, tirou o cigarro da boca, colocou as mãos sobre a mesa e me lançou um olhar severo. Olhei para baixo, mas o soldado levantou meu queixo. Ele tirou o cigarro da boca e examinou meu passaporte outra vez. Seus olhos estavam vermelhos, mas ele tinha um sorriso no rosto. Ele recolheu as mãos e recostou-se na cadeira, olhando para mim. Eu sorri um pouco e ele riu de mim. Ele disse alguma coisa na língua que eu não compreendia e colocou a mão sobre a mesa outra vez. Agora o sorriso havia desaparecido de seu rosto. Coloquei algum dinheiro nas mãos dele. Ele cheirou o dinheiro e o colocou no bolso. Então, puxou meu passaporte do bolso e fez sinal para que eu atravessasse o portão.

Do outro lado havia vários ônibus. Eu estava indeciso sobre qual deles deveria tomar para Conakry. Todo mundo a quem eu pedia informação não entendia o que eu estava dizendo. A única palavra que eu sabia de francês era *bonjour*, o que não me adiantava nada.

Eu ainda estava confuso procurando o ônibus para a capital quando esbarrei em um transeunte.

— *Watch wussai you dae go*?* — o homem resmungou em krio.

— Desculpa, senhor — respondi. — *How de body* — continuei, apertando a mão do desconhecido.

— *Me body fine en waitin you dae do na ya so me pekin*?** — o homem me perguntou.

* "Para onde você vai?" (N. da T.)

** "Estou bem. Estou esperando o ônibus. Você quer ir para onde?" (N. da T.)

Eu disse a ele que estava procurando o ônibus para Conakry. Ele me falou que estava indo para lá também. O ônibus estava superlotado, então eu fui em pé a viagem quase toda. Em mais de oitenta quilômetros até a capital havia mais de quinze postos policiais, e os soldados não perdoavam. Todos os bloqueios pareciam ser iguais. Jipes carregados com armamentos ficavam estacionados pela estrada. Dois soldados ficavam de pé ao lado da barra de metal que fechava a estrada de uma ponta à outra. À direita, mais soldados ficavam sentados debaixo de uma barraca de palha. Havia algumas barracas onde os soldados revistavam as pessoas. Eles tinham um preço fixo para todo mundo que viesse de Serra Leoa; aqueles que não pudessem pagar eram chutados para fora do ônibus. Fiquei imaginando se eles mandavam as pessoas de volta para o outro lado da fronteira. Com ajuda do homem com quem eu havia embarcado, consegui passar por alguns bloqueios de graça. A maioria dos soldados pensava que eu era filho do homem, então verificavam os documentos dele e não os meus, e cobravam dele por nós dois. Acho que o homem não notou; ele só queria chegar a Conakry, e parecia que dinheiro não era problema para ele. Num dos bloqueios os soldados me levaram para uma sala e me fizeram tirar a roupa. Primeiro eu não queria me despir, mas eu vi os soldados chutarem um homem, que caiu no chão, e rasgarem sua camisa e as suas calças. Um dos soldados tomou meu cinto. A fivela do cinto tinha a cabeça de um leão e era a minha preferida. Segurei as calças com uma das mãos e corri para o ônibus. Trinquei os dentes e fechei bem o punho para segurar minha raiva.

No último bloqueio, um soldado pediu que eu colocasse as mãos na cabeça para ele me revistar. Quando levantei as mãos, minhas calças caíram e alguns dos passageiros riram. O soldado levantou minhas calças e amarrou-as na cintura com um cadarço de sapato. Quando terminou, colocou as mãos no meu bolso e pegou meu passaporte. Ele virou as páginas e o devolveu para mim. Fiquei na fila atrás das pessoas que aguardavam o carimbo de entrada. Eu tremia de raiva, mas sabia que tinha que me acalmar se quisesse chegar em Conakry. Ouvi algumas pessoas dizendo que o custo de entrada era o equivalente a trezentos leones. Eu só tinha cem leones e precisava daquilo para o resto da viagem. O que vou fazer?, pensei. Eu tinha chegado até ali para nada. Não poderia nem voltar a Freetown se eu quisesse. Lágrimas começaram a se formar nos meus olhos. Eu estava nervoso e não conseguia enxergar uma saída. Estava começando a me sentir ansioso, quando um homem, que teve seu passaporte carimbado por acidente, deixou cair duas das muitas bolsas que carregava enquanto andava pelo posto policial para tornar a subir no ônibus. Hesitei um pouco mas decidi me arriscar. Saí da fila e peguei suas bolsas, seguindo o homem até o ônibus. Sentei no banco de trás, abaixando no meu assento, e dei uma olhada para ver se os soldados estavam olhando na minha direção. Fiquei sentado no ônibus enquanto todo mundo entrava; os soldados não vieram me procurar. O ônibus começou a sair devagar e então ganhou velocidade. Eu tinha entrado no país ilegalmente, o que eu sabia que depois seria um problema.

Enquanto o ônibus avançava para Conakry, comecei a ficar preocupado, porque não sabia exatamente o que fazer quando chegasse lá. Tinha ouvido que o embaixador de Serra Leoa deixava refugiados permanecer por tempo limitado no complexo da embaixada, mas eu não tinha idéia de onde ficava a embaixada. Eu estava sentado ao lado de um cara de Fulani chamado Jalloh, que disse que tinha vivido em Freetown. Falamos sobre o que a guerra tinha feito com o país. Depois ele me deu seu número de telefone e disse para ligar para ele se eu precisasse de ajuda para andar pela cidade. Eu queria dizer a ele que não tinha lugar para ficar, mas ele saiu antes que eu conseguisse juntar coragem para confiar nele. Olhei pelo ônibus procurando o homem de Serra Leoa com quem eu tinha topado, mas não consegui encontrá-lo. Minutos depois, o ônibus fez uma parada numa estação grande, o ponto final. Saí e observei todos irem embora. Suspirei e coloquei as mãos na cabeça, então fui até um banco e sentei. Cobri o rosto com as mãos. "Não posso ficar sentado aqui a noite inteira", eu ficava resmungando.

Havia vários táxis, e todas as pessoas que chegavam na estação de ônibus pegavam um deles. Eu não queria me destacar como um estrangeiro perdido, então peguei um táxi também. O motorista disse alguma coisa em francês. Eu sabia que ele estava perguntando aonde eu queria ir.

— Consulado de Serra Leoa, ahn, embaixada — disse a ele.

Olhei pela janela para os postes elétricos e as luzes desajeitadamente penduradas; suas luzes sempre pareciam mais brilhantes que a lua. O táxi parou em frente à embaixada, e o motorista apontou para a bandeira verde, branca e azul para garantir que eu estava no lugar certo. Balancei a cabeça para ele e paguei. Quando saí, os guardas na porta da embaixada, falando em krio, pediram meu passaporte. Mostrei o documento e eles me deixaram entrar no prédio.

Lá dentro havia mais de cinqüenta pessoas, provavelmente na mesma situação que eu. A maioria delas estava deitada em esteiras na área aberta. Suas trouxas ou malas estavam ao lado delas. Outros tiravam suas esteiras da própria bagagem. Concluí que as pessoas apenas dormiam ali à noite e saíam durante o dia. Encontrei um lugar num canto, sentei no chão e me recostei contra a parede, respirando pesadamente. A visão de toda aquela gente me lembrou algumas aldeias por onde eu havia passado enquanto fugia da guerra. Eu estava assustado e preocupado com qual tormento o dia seguinte poderia trazer. De qualquer maneira, estava feliz por ter conseguido sair de Freetown, de ter escapado da possibilidade de voltar a ser soldado. Isso me deu algum conforto. Tirei o resto de arroz da minha bolsa e comecei a mastigar. Havia uma mulher sentada com duas crianças, um menino e uma menina de não mais que sete anos de idade, a poucos passos de mim. Ela estava contando uma história para eles falando bem baixo, não queria incomodar as outras pessoas. Enquanto observava os gestos complicados que ela fazia com as mãos, a maré dos meus pensamentos me levou para uma história em particular que ouvi muitas vezes quando era menino.

Era noite e estávamos sentados ao redor do fogo com os braços esticados na direção das chamas, ouvindo histórias e olhando a lua e as estrelas se recolhendo. O carvão incandescente da fogueira iluminava nossos rostos na escuridão e fiapos de fumaça subiam continuamente ao céu. *Pa* Sesay, um dos amigos do meu avô, contou muitas histórias para nós naquela noite, mas, antes que ele iniciasse a última história, disse repetidamente:

— Esta é uma história muito importante. — Ele, então, limpou a garganta e começou: — Havia um caçador que entrou nos arbustos para matar um macaco. Ele havia procurado por apenas alguns minutos quando viu o macaco sentado confortavelmente num galho de uma árvore baixa. O macaco não lhe deu a menor atenção, nem mesmo quando os passos do homem sobre as folhas secas subiam e desciam, se aproximando. Quando estava bem perto do macaco, atrás de uma árvore de onde ele conseguia ver o bicho claramente, ele levantou o rifle e apontou. Justo quando estava para apertar o gatilho, o macaco falou: "Se você atirar em mim, sua mãe vai morrer, e, se você não atirar, seu pai vai morrer." O macaco voltou ao que estava fazendo antes, mastigando comida e de vez em quando coçando sua cabeça ou um lado da barriga. O que vocês iam fazer se vocês fossem o caçador?

Essa história era contada uma vez por ano aos jovens da minha aldeia. O contador de histórias, geralmente um ancião, colocava essa questão irrespondível ao final da história, na presença dos pais das crianças. Toda criança presente na reunião tinha que responder a pergunta, mas nenhuma criança jamais a respondia, pois tanto suas mães quanto seus pais estavam presentes. Nem o contador de histórias oferecia uma resposta. Durante cada reunião dessas, quando chegava minha vez de responder, eu sempre dizia ao contador de histórias que eu teria que pensar direito sobre aquilo, o que, é claro, não era lá uma resposta muito satisfatória.

Depois desses eventos, meus colegas e eu — todas as crianças entre as idades de seis e doze anos — sugeríamos diversas respostas possíveis que pudessem evitar a morte de um dos nossos pais. Não havia resposta correta. Se você poupasse o macaco, alguém ia morrer, e se você não o poupasse, alguém ia morrer do mesmo jeito.

Naquela noite chegamos a uma resposta, mas ela foi imediatamente rejeitada. Dissemos ao *Pa* Sesay que, se um de nós fosse o caçador, não teríamos saído para caçar macacos. Falamos para ele:

— Há outros animais, como os veados, para caçar.

— Essa não é uma resposta aceitável — ele disse. — Estamos supondo que você, como caçador, já levantou sua arma e tem que tomar uma decisão. — Ele quebrou sua noz de *kola* ao meio e sorriu antes de colocar um pedaço na boca.

Quando eu tinha sete anos, cheguei a uma resposta para aquela pergunta que fez sentido para mim. Porém, nunca a discuti com ninguém, por medo de como minha mãe se sentiria. Concluí que, se eu fosse o caçador, atiraria no macaco, para que ele nunca mais tivesse a oportunidade de colocar outros caçadores na mesma cilada.

Cronologia

Acredita-se, embora não haja qualquer registro escrito, que o povo Bullom (Sherbro) estava presente na costa de Serra Leoa antes de 1200, se não em período anterior — antes do contato europeu com Serra Leoa. No começo de 1400, muitas tribos de outras partes da África haviam migrado e se estabelecido na região que ficou conhecida como Serra Leoa. Entre as tribos estavam os temnes. Eles se estabeleceram pela costa norte da Serra Leoa atual, e os mendes, outra tribo maior, ocupou o sul. Havia mais quinze tribos espalhadas por partes diferentes do país.

1462 A história escrita de Serra Leoa começa quando os exploradores portugueses desembarcam, dando nomes às montanhas que existem em torno do que hoje é Freetown Serra Lyoa (Serra Leoa), devido a sua forma leonina.

1500 — 1700 (início) Comerciantes europeus param regularmente na península de Serra Leoa, trocando tecidos e metais por marfim, madeira e alguns escravos.

1652 Os primeiros escravos da América do Norte são levados de Serra Leoa a Sea Islands, na costa sul dos Estados Unidos.

1700 — 1800 Começa a troca de escravos entre Serra Leoa e as plantações na Carolina do Sul e na Georgia, onde a experiência dos escravos com o plantio de arroz os torna particularmente valiosos.

1787 Abolicionistas britânicos ajudam quatrocentos escravos alforriados dos Estados Unidos, da Nova Escócia e do Reino Unido a voltar para a África para se estabelecer na chamada "Província da Liberdade", em Serra Leoa. Esses krios, como se tornaram conhecidos, vinham de todas as partes da África.

1791 Outros grupos de escravos libertos se juntaram ao assentamento da "Província da Liberdade", que logo se tornou conhecido como Freetown, nome da atual capital de Serra Leoa.

1792 Freetown se torna uma das primeiras colônias britânicas a oeste da África.

1800 Escravos libertos na Jamaica chegam a Freetown.

1808 Serra Leoa se torna colônia da coroa britânica. O governo britânico usa Freetown como base naval para patrulhas antiescravidão.

1821 — 1874 Freetown serve de residência para o governador britânico, que também controla a Costa do Ouro (hoje Gana) e assentamentos em Gâmbia.

1827 A universidade Fourah Bay College é estabelecida e rapidamente se torna um ímã para africanos que falam inglês na costa oeste. Por mais de um século, é a única de estilo europeu no oeste da África subsaariana.

1839 Escravos a bordo de um navio chamado *Amistad* se rebelam para garantir sua liberdade. Seu líder, Sengbe Pieh — ou Joseph Cinque, como ele se tornaria conhecido nos Estados Unidos — é um jovem mende de Serra Leoa.

1898 Os britânicos impõem uma taxa sobre cabana em Serra Leoa, decretando que os habitantes do novo protetorado serão cobrados, de acordo com o tamanho de suas cabanas, pelo privilégio de viver sob a administração britânica. Isso provoca duas revoltas na região: uma da tribo temne e outra do povo mende.

1951 Uma constituição é instaurada pelos britânicos para dar algum poder aos habitantes, criando uma base para a descolonização.

1953 É introduzida a responsabilidade ministerial local, e Sir Milton Margai é nomeado ministro-chefe.

1960 Sir Milton Margai se torna primeiro-ministro após o encerramento de bem-sucedidas negociações constitucionais em Londres.

27 de abril de 1961 Independência de Serra Leoa, e Sir Milton Margai assume o cargo de primeiro-ministro. O país opta pelo sistema parlamentar na Comunidade Britânica de Nações (grupo de estados soberanos formado pelo Reino Unido e algumas de suas ex-colônias). No ano seguinte, o partido de Sir Milton Margai, Sierra Leone Peoples Party (SLPP, Partido do Povo de Serra Leoa), que levou o país à independência, vence a primeira eleição geral por sufrágio universal.

1964 Morre Sir Milton Margai, e seu meio-irmão, Albert Margai, o sucede como primeiro-ministro.

Maio de 1967 Em uma eleição bastante disputada, o All People's Congress (APC, Partido de Todo o Povo) ganha por pouco a maioria das vagas no parlamento. Com isso, o governador-geral (representando o monarca britânico) declara Siaka Stevens — líder do APC e prefeito de Freetown — o novo primeiro-ministro. Em poucas horas, Stevens e Albert Margai são colocados em prisão domiciliar pelo brigadeiro David Lansana, comandante das forças militares de Serra Leoa, com base em que a determinação do cargo deveria aguardar a eleição de representantes tribais para o parlamento. Outro grupo de oficiais logo arma outro golpe, apenas para ser mais tarde derrubado por um terceiro golpe, a "Revolta dos Sargentos".

1968 Com o retorno da lei civil, Siaka Stevens finalmente assume como primeiro-ministro. No entanto, a paz não é inteiramente restaurada. Em novembro, é declarado estado de emergência após uma série de distúrbios nas províncias.

1971 O governo sobrevive a um golpe militar malsucedido. Além disso, a constituição republicana é adotada, e Siaka Stevens se torna o primeiro presidente da república.

1974 Outro golpe militar é armado contra o governo, sem sucesso.

1977 Estudantes protestam contra a corrupção no governo e o desvio de verbas.

1978 A constituição recebe emendas, e todos os partidos políticos, exceto o do governo, são banidos. Serra Leoa se torna um Estado de um só partido, com o APC mantido como seu único partido legal.

1985 Siaka Stevens se aposenta e indica o major-general Joseph Saidu Momoh como o próximo presidente de Serra Leoa. A gestão de Momoh é marcada por crescentes abusos de poder.

Março de 1991 Um pequeno grupo de homens chamado Revolutionary United Front (RUF, Frente Unida Revolucionária), sob a liderança de um ex-cabo militar, Foday Sankoh, começa a atacar aldeias ao leste de Serra Leoa, na fronteira com a Libéria. O grupo inicialmente é composto pelos rebeldes de Charles Taylor e alguns mercenários de Burkina Fasso. Seu objetivo é livrar o país da corrupção do governo do APC. A luta continua nos meses seguintes, com o RUF ganhando o controle das minas de diamantes do distrito de Kono e expulsando o exército de Serra Leoa de volta para Freetown.

Abril de 1992 Um grupo de jovens oficiais, comandado pelo capitão Valentine Strasser, arma o golpe militar que coloca Momoh no exílio. Eles estabelecem o National Provisional Ruling Council (NPRC, Conselho Nacional Provisório Soberano) como autoridade soberana em Serra Leoa. O NPRC se mostra quase tão ineficaz quanto o governo de Momoh em reprimir o RUF. Cada vez mais áreas do país caem nas mãos dos rebeldes do RUF.

1995 O RUF detém controle sobre a maior parte do interior e se aproxima de Freetown. Para controlar a situação, o NPRC contrata centenas de mercenários de firmas privadas. Dentro de um mês, eles conseguem levar os homens do RUF de volta a áreas mais afastadas, perto das fronteiras de Serra Leoa.

1996 Valentine Strasser é derrubado e substituído pelo brigadeiro-general Julius

Maada Bio, seu ministro da defesa. Por exigência do povo e sob pressão internacional crescente, o NPRC, sob o controle de Maada Bio, concorda em entregar o poder a um governo civil por meio de eleições presidenciais e parlamentares, que acontecem em março de 1996. Ahmad Tejan Kabbah, um diplomata que havia trabalhado para as Nações Unidas durante mais de vinte anos, vence as eleições sob a legenda do SLPP.

Maio de 1997 Kabbah é deposto pelo Conselho das Forças Armadas Revolucionárias (Armed Forces Revolutionary Council, AFRC), uma junta militar comandada pelo tenente-coronel Johnny Paul Koroma, e a junta convida o RUF a tomar parte do governo.

Março de 1998 O AFRC é derrubado pelas forças nigerianas do Ecowas Monitoring Group (Ecomog), e o governo democraticamente eleito do presidente Kabbah é reinstaurado.

Janeiro de 1999 O RUF faz outra tentativa de derrubar o governo. A luta alcança partes de Freetown, deixando milhares de mortos e feridos. Forças do Ecomog se erguem contra o ataque RUF várias semanas depois.

Julho de 1999 O Lomé Peace Accord (Acordo de Paz de Lomé) é assinado entre o presidente Kabbah e Foday Sankoh, do RUF. O acordo garante aos rebeldes participação no novo governo e anistia geral a todas as forças. Entretanto, o governo já não tem ampla atuação e pelo menos metade de seu território permanece sob o controle dos rebeldes. Em outubro, o Conselho de Segurança das Nações Unidas estabelece uma missão em Serra Leoa (Unamsil, United Nations Mission in Sierra Leone) para auxiliar a implantação do acordo de paz.

Abril — Maio de 2000 Os rebeldes voltam a atuar e a violência se instaura outra vez, mais notavelmente quando as forças do RUF fazem centenas de reféns entre as equipes do Unamsil, tomando suas armas e sua munição. Em maio, membros do RUF atiram e matam cerca de vinte manifestantes que protestavam contra os abusos do RUF em frente à casa de Sankoh em Freetown. Como resultado desses acontecimentos, que violavam o acordo de paz, Sankoh e outros membros antigos do RUF são presos, e o grupo perde sua vaga no governo. No começo de maio, um novo acordo de cessar-fogo é assinado em Abuja. No entanto, desarmamento, desmobilização e reintegração (DDR) não são retomados, e a luta prossegue.

Maio de 2000 A situação no interior está a tal ponto deteriorada que as tropas britânicas são empregadas na Operação Pallise, para evacuar estrangeiros sem permissão para permanecer no país. Elas estabilizam a situação e são o catalisador do cessar-fogo e do fim da guerra civil.

2001 Um segundo acordo de paz em Abuja é assinado para preparar o terreno para o recomeço do DDR em larga escala. Isso reduz significativamente a hostilidade na região. Enquanto o desarmamento progride, o governo começa a reafirmar sua autoridade em áreas antes controladas pelos rebeldes.

Janeiro de 2002 O presidente Kabbah declara o fim oficial da guerra civil.

Maio de 2002 O presidente Kabbah e seu partido, o SLPP, vencem com a maioria esmagadora dos votos as eleições presidenciais e legislativas. Kabbah é reeleito por um período de cinco anos.

28 de julho de 2002 Os britânicos retiram um contingente militar de duzentos homens que estavam no país desde o verão de 2000, deixando para trás um grupo de cento e cinco homens para treinar o exército de Serra Leoa.

Verão de 2002 Começam a funcionar a Comissão Verdade e Reconciliação (TRC, Truth and Reconciliation Commission) e a Corte Especial. O Acordo Lomé pede o estabelecimento de uma Comissão Verdade e Reconciliação, que providencie um fórum para que tanto vítimas quanto perpetradores de violações contra direitos humanos contem suas histórias, e se viabilize uma verdadeira reconciliação. Em seguida, o governo de Serra Leoa pede às Nações Unidas que ajudem a criar uma corte especial para Serra Leoa, que julgará aqueles que "tenham a principal responsabilidade por crimes contra a humanidade, crimes de guerra e sérias violações das leis internacionais humanitárias, assim como crimes de guerra sob leis relevantes de Serra Leoa dentro do território de Serra Leoa desde 30 de novembro de 1996".

Novembro de 2002 A Unamsil começa uma gradativa redução em sua equipe, que chegou a ter dezessete mil e quinhentas pessoas.

Outubro de 2004 A Comissão Verdade e Reconciliação anuncia seu relatório final ao governo, apesar de a distribuição pública do documento ser feita somente a partir de agosto de 2005, por causa de problemas de edição e impressão. O governo lança um documento em junho de 2005, aceitando algumas e rejeitando ou ignorando outras recomendações. A sociedade civil considera a resposta extremamente vaga e continua a criticar o governo por sua falha no cumprimento das recomendações do relatório.

Dezembro de 2005 A missão de paz Unamsil é formalmente finalizada, e o escritório integrado das Nações Unidas em Serra Leoa (Uniosil) é estabelecido, assumindo um mandato para estabelecer a paz.

25 de março de 2006 Depois de discutir a questão com o recém-eleito presidente da Libéria, Ellen Johnson-Sirleaf, o presidente da Nigéria, Olusegun Obasanjo, diz que a Libéria é livre para aceitar a custódia de Charles Taylor, que vive exilado na Nigéria. Dois dias depois, Taylor tenta escapar da Nigéria, mas é preso e transferido para Freetown sob a escolta de guardas das Nações Unidas no começo da noite de 29 de março. Atualmente, ele está encarcerado em uma prisão das Nações Unidas, aguardando julgamento na corte especial de Serra Leoa (SCSL), acusado de onze crimes de guerra.

Agradecimentos

Nunca imaginei que estaria vivo até este dia, muito menos que escreveria um livro. Durante esta minha segunda existência, vários indivíduos notáveis têm dado significado a minha vida, aberto seus corações e as portas para mim, apoiado e acreditado em mim e em todos os meus compromissos. Sem a presença deles, este livro não seria possível. Agradeço imensamente a minha família: minha mãe, Laura Simms, por seu incansável trabalho para me trazer até aqui, por seu amor e seus conselhos, por me dar um lar quando eu não tinha nenhum e por me permitir descansar e aproveitar os últimos momentos do que havia sobrado da minha infância; minhas tias, Heather Greer, Fran Silverberg e Shanta Bloemen, por seus ouvidos atentos, corações gentis, sua generosidade, amor, suporte emocional, todos os momentos mais significativos, e tudo; minha irmã, Erica Henegen, por sua confiança, honestidade e amor, e por todas aquelas noites inspiradas que passamos agarrando as razões da nossa existência; e Bernard Matambo, meu irmão, por sua amizade e inteligência, por nossos sonhos em comum e sua força inesgotável para ir em frente e aproveitar cada momento de nossas vidas, e por fazer todas aquelas longas noites na biblioteca significativas e inesquecíveis. Obrigado, Chale. Minha prima Aminata e meu amigo de infância Mohamed, estou feliz demais por tê-los em minha vida outra vez e em dívida com vocês por trazerem de volta todas aquelas memórias felizes do passado que vocês e eu compartilhamos.

Tenho uma dívida com Merge Scheuer e toda a família Scheuer por seu constante apoio financeiro, que permitiu que eu completasse meus estudos e realizasse coisas que vão além dos meus sonhos. Muito obrigado. Minha gratidão a todos nas fundações Blue Ridge e Four Oaks, a Joseph Cotton e Tracey por tomarem conta de mim como de um irmão caçula e me endireitarem, a Mary Sobel por verificar e garantir que tudo esteja bem, e a Lisa, por tudo.

Sou muito grato aos professores do Oberlin College. A professora Laurie McMillin me deu a confiança de que eu precisava para começar a escrever a sério. Estou em dívida com o professor Dan Chaon por sua paciência, tutelagem, confiança, honestidade, amizade e apoio para transformar este livro em realidade. Agradeço à professora Sylvia Watanabe, por todo o seu apoio, pela amizade e pelos bons conselhos, e por sua busca incessante para enriquecer minha vida criativa; e aos professores Yakubu Saaka e Ben Schiff, por seus bons conselhos, sempre.

Meus amigos queridos Paul Fogel e Yvette Chalom: obrigado por seus infinitos cuidados com meu bem-estar, por seus conselhos, por abrirem sua casa para mim enquanto eu escrevia este livro. Sou muito grato por tudo. Obrigado, Priscilla Hayner, Jo Becker e Pam Bruns, por seu incentivo, sua amizade e suas opiniões sobre os primeiros esboços.

Tenho muita sorte por ter Ira Silverberg como agente. Obrigado por seus conselhos criteriosos, sua amizade e sua paciência para explicar o funcionamento do mundo editorial. Sem você eu facilmente teria me frustrado. Minha editora, Sarah Crichton, muito obrigado por todo o seu trabalho esforçado. Sou grato por sua honestidade, seu tratamento cuidadoso e compassivo com este trabalho profundamente pessoal e de enorme carga emocional, e toda a conversa fiada antes e depois de cada reunião que ajudou a aliviar um pouco as coisas. Amo trabalhar com você e aprender tanto ao longo do processo. Agradeço a Rose Lichter-Marck pelo acompanhamento do trabalho e por garantir que eu não atrasasse, e meus agradecimentos a todos na Farrar, Straus e Giroux por todo o seu esforço e amizade.

Meus amigos Melvin Jimenez, Matt Moore, Lauren Hyman e Marielle Ramsay, obrigado por sua amizade, por manterem contato e por compreenderem que eu precisava de um tempo longe de todos para concluir este trabalho. A todos que abriram seus corações e suas portas para mim, muito obrigado. Por último, sou muito grato a Daniéle Fogel por todo o suporte emocional: seu amor, paciência e compreensão enquanto eu escrevia este livro. Sem sua amizade e seus cuidados, teria sido muito mais difícil embarcar nessa jornada, especialmente estando no Oberlin College.

Este livro foi composto em Minion e impresso
pela Lis Gráfica sobre papel pólen bold 90g para
a Ediouro em junho de 2007.